De:

_____

Para:

_____

CB031330

STORMIE OMARTIAN

BOM DIA!

LEITURAS DIÁRIAS
COM STORMIE OMARTIAN

Volume 2

Edição e compilação
SUSANA KLASSEN

mundo**cristão**
São Paulo

CIP-Brasil. Catalogação-na-fonte
Sindicato Nacional dos Editores de Livros, RJ

O64b

    Omartian, Stormie
       Bom dia 2: leituras diárias com Stormie Omartian / Stormie
Omartian — 1. ed. — São Paulo: Mundo Cristão, 2017.
      384 p.: il.; 21 cm.

    ISBN 9788543302218

    1. Meditações. 2. Mudança de vida. 3. Vida espiritual. I. Título

17-39937   CDD: 204.3
                                      CDD: 2-583

Categoria: Devocional

Publicado no Brasil com todos os direitos reservados por:
Editora Mundo Cristão
Rua Antônio Carlos Tacconi, 79, São Paulo, SP, Brasil, CEP 04810-020
Telefone: (11) 2127-4147
www.mundocristao.com.br

1ª edição: setembro de 2017

Introdução

O caminho para se aproximar de Deus e se apropriar do poder dele em sua vida é a oração. É por meio da oração que nos comunicamos com o Senhor. É a via usada para levarmos a ele nossos temores, desejos e necessidades. É a maneira de acalmar a alma e a mente e deixar o Espírito falar conosco. Ao orarmos, adoramos o Senhor, louvando-o por quem ele é.

Na oração, intercedemos por pessoas e situações que nos cercam. Louvamos a Deus por todas as coisas que ele tem feito. E lhe agradecemos de antemão por tudo que *faz* e pelo que *fará* por nós no futuro. Quando oramos, sentimos que o relacionamento com o Senhor se fortalece e que a dependência e o amor por ele se aprofundam. Alinhamos nossa vontade com a dele e somos abençoadas por sua graça e misericórdia.

Este segundo volume da série *Bom dia!*, com leituras diárias para todo o ano, aproximará você da realidade do poder da oração. As passagens bíblicas selecionadas, as mensagens de inspiração e auxílio e as orações ao fim de cada texto ajudarão a transformar sua vida em uma vida de oração guiada pelo Espírito.

Uma existência repleta de equilíbrio, propósito, liberdade e plenitude aguarda todo aquele que se dedica à oração e à comunhão com Deus diariamente. Minha oração é que este livro a ajude a encontrar o caminho para uma vida verdadeiramente abençoada.

Stormie Omartian

Entenda a perspectiva de Deus

Permita-me conhecer teus caminhos para que eu te conheça melhor e continue a contar com teu favor.

ÊXODO 33.13

Se o seu coração anseia conhecer a Deus e encontrar um meio de ser tudo que ele planejou para você, passe um tempo com ele todos os dias. Assuma esse compromisso hoje. Faz bem para nossa alma entender verdadeiramente a maravilhosa bondade, a santidade, a perfeição e o amor de Deus.

Quando nos achegamos ao Senhor, ele também nos mostra quando negligenciamos a bondade, a santidade, a perfeição e o amor que existem em nós. Mas ele não expõe essas coisas para nos chocar nem para nos humilhar. Muito ao contrário. Ele o faz para que saibamos que nos ama o suficiente para não nos deixar estagnadas. O Senhor quer nos transformar a fim de que sejamos tudo que ele nos criou para ser. E isso vai além do que somos hoje, porque ele deseja que vivamos de tal forma que nos leve a receber as bênçãos incontáveis que nos reservou.

Deus é amor (1Jo 4.16) e, em sua sabedoria, vê tudo que perderemos se não buscarmos sua presença e sua vontade em nossa vida.

Ó Deus, capacita-me a ver minha vida pela tua perspectiva, segundo a tua verdade. Mostra aquilo que não te agrada em mim. Sei que nada fazes para que eu me sinta mal, mas para que eu compreenda a extensão e a perfeição do teu amor. Que teu amor, tua bondade e tua santidade se reflitam em minhas ações e em meus pensamentos, para tua honra e glória.

2 de janeiro

Leia Provérbios 28 e reflita

O verdadeiro sucesso está no Senhor

A confiança no Senhor conduz à prosperidade.

Provérbios 28.25

Sucesso verdadeiro, ao contrário do que a maioria pensa, não equivale a riqueza ou fama, nem significa viver livre de problemas. Sucesso verdadeiro é ter a convicção profunda de que Deus está presente, apesar das circunstâncias, e agirá no momento certo, para o seu bem. É tudo que procede de Deus, e seus caminhos são diferentes de nossos caminhos. É saber quem você é no Senhor, e nunca sair desse plano. É confiar que ele lhe reserva um bom futuro, a despeito de como as coisas *pareçam* no momento. Possuir riquezas mas viver uma existência vazia não é definição de sucesso, e sim de fracasso.

Por isso é preciso compreender os caminhos e o coração de Deus, viver em contato íntimo com ele, ter profunda paz interior e confiar que ele possui a resposta para todas as suas perguntas. Deus tem muito mais para sua vida. E, quando você se submete a ele, é alvo de suas bênçãos e aí, sim, alcança o verdadeiro sucesso.

Pai, desejo alcançar o sucesso, mas não segundo o entendimento e os padrões do mundo. Peço que me ajudes a compreender teu plano para minha vida e a submeter-me a ele. Que eu possa enxergar além de minhas limitações. Aquieta meu coração. Concede-me sabedoria e alimenta minha fé em ti. Em ti, Senhor, reside o maior sucesso.

Infinito amor

É nisto que consiste o amor: não em que tenhamos amado a Deus, mas em que ele nos amou.

1João 4.10

O amor de Deus por nós existe antes de *nós* existirmos. Significa que ele certamente nos amou muito antes de pensarmos em amá-lo.

É assim que ele é.

Significa que, naquele tempo em que não pensávamos nele e vivíamos para nós em vez de viver para ele, Deus continuou a nos estender sua mão de amor infalível, procurando nos atrair para junto dele.

É assim que ele *faz*.

Deus nos oferece seu amor todos os dias. Nós é que não o reconhecemos. Não correspondemos. Não acreditamos. Nós é que, de modo consciente ou não, lhe viramos as costas e rejeitamos o amor no qual ele gravou nosso nome. No entanto, o *reconhecimento* e a *aceitação* sincera do infinito amor de Deus por nós é o que muda radicalmente nossa vida.

É isso que nos completa e nos liberta para sermos tudo que ele planejou para nós. É isso que, em última análise, traz sentido à vida. Porque, sem o amor de Deus, você e eu estamos perdidas. Sem nenhuma esperança. Devastadas. Mas, quando vemos claramente quanto ele nos ama, nossa vida nunca mais é a mesma, pois o vemos pela perspectiva de seu amor, e não de seu julgamento.

Senhor, eu te sou grata por teu amor santo, eterno e incondicional. Amor nenhum pode ser maior que enviar o próprio Filho para que, por sua morte e ressurreição, pudéssemos obter o teu perdão e viver eternamente na tua presença. Por isso quero louvar-te hoje e sempre e agradecer-te todos os dias de minha existência.

4 de janeiro

Leia Salmos 102.12-17 e reflita

O poder do Senhor

> *[Deus] ouvirá as orações dos indefesos e não rejeitará suas súplicas.*
> SALMOS 102.17

Quando oramos, sentimos que o relacionamento com o Senhor se fortalece e que a dependência e o amor por ele se aprofundam. Quanto mais oramos, mais conseguimos ver sua mão de misericórdia, graça e amor nos guiar. Mais percebemos que não podemos viver sem ele e sem o seu poder.

O ponto primordial é reconhecer que, sozinhas, não conseguimos fazer a vida dar certo. Precisamos do poder do Senhor, de seu toque salvador, redentor, libertador e restaurador, pois temos necessidade de salvação, redenção, libertação e restauração.

Se quiser obter isso por conta própria, permita que eu lhe poupe o trabalho de aprender do jeito mais difícil. Acredite, não dará certo. Sem o Senhor, sua vida não terá amor, paz, alegria, realização, poder, cura, restauração e transformação. Sei disso com toda certeza porque já tentei conseguir essas coisas sozinha, e todas as tentativas quase me mataram. Hoje, porém, minha vida dá certo, não pelo que fiz ou faço, mas por aquilo que Deus fez e *continua* a fazer em mim e nas circunstâncias que enfrento.

Aquilo que Deus fez por mim ele fará por você, pois o Senhor não faz acepção de pessoas. Seu amor é o mesmo por mim e por você.

*Senhor, liberta-me do poder do pecado e
das armadilhas do maligno. Dá-me teu
amor, tua paz, teu poder. Restaura minha
alma e transforma minha vida.*

Por que Jesus veio?

Embora fosse Filho, aprendeu a obediência por meio de seu sofrimento. Com isso, foi capacitado para ser o Sumo Sacerdote perfeito e tornou-se a fonte de salvação eterna para todos que lhe obedecem.

HEBREUS 5.8-9

Deus tem um modo específico de nos mostrar seu amor. Ao criar-nos com a capacidade de pensar, tomar decisões, escolher o bem acima do mal, ele sabia que podíamos optar por seguir um caminho *separado dele*. Mas ele também tinha um plano para restaurar nosso relacionamento consigo: Jesus, seu Filho.

Jesus veio para nos salvar da consequência de nossos erros, pecados e fracassos, ou seja, da morte. Veio para nos salvar do inimigo, que incessantemente tenta nos destruir. Veio para nos salvar da falta de esperança e da futilidade que herdamos por escolher um caminho longe de sua presença. Veio para nos salvar de nós mesmas.

Jesus veio para sacrificar a própria vida por você e por mim, para restaurar nosso relacionamento com Deus de modo que pudéssemos estar com ele para sempre. Tudo isso porque ele nos ama.

Sim, foi por isto que Jesus veio: para que houvesse boas-novas em nossa vida todos os dias. Portanto, alegremo-nos no Senhor e a ele louvemos hoje e na eternidade, para sempre.

~

Senhor, obrigada por providenciares um plano infalível de reconciliação contigo. Obrigada pelo sacrifício de teu Filho, que sem nenhum pecado sofreu o tormento da cruz por amor a nós e em obediência a ti. Obrigada por me amares, mesmo sem eu merecer.

6 de janeiro

Leia 2Coríntios 3.13-17 e reflita

A liberdade que vem pelo Espírito

> *Pois o Senhor é o Espírito, e onde está o Espírito do Senhor, ali há liberdade.*
> 2Coríntios 3.17

Ter o Espírito Santo significa poder ser transformada. A liberdade que encontramos em sua presença, contudo, não significa que podemos fazer o que quisermos. Significa ter liberdade para realizar aquilo que *Deus* quer, para que nos tornemos quem ele nos criou para ser. "Portanto, todos nós, dos quais o véu foi removido, podemos ver e refletir a glória do Senhor, e o Senhor, que é o Espírito, nos transforma gradativamente à sua imagem gloriosa, deixando-nos cada vez mais parecidos com ele" (2Co 3.18).

No entanto, ter o Espírito Santo também significa não ter de andar segundo a natureza humana (Rm 8.12-13). Se vivermos de acordo com ela, fazendo o que *nós* queremos, em vez de o que o *Espírito* nos pede, acabaremos nos destruindo. Talvez não imediatamente. Talvez não hoje. Mas se trata apenas de uma questão de tempo, e pode ser logo. Se formos conduzidas pelo Espírito, seremos capazes de matar o desejo de agradar nossa própria natureza e poderemos viver segundo a vontade de Deus.

Ser guiada pelo Espírito é, portanto, ter a percepção, dele provinda, não só sobre o que e quando fazer, mas também sobre o que *não* fazer.

Santo Espírito que vives em mim, ajuda-me a não calar tua voz pelos desejos de nossa natureza pecaminosa. Guia-me em teus caminhos de modo que eu possa viver no centro da vontade do Pai.

A aliança eterna de Deus

"Pois [...] meu amor por você permanecerá. A aliança de minha bênção não será quebrada", diz o SENHOR, que tem compaixão de você.

ISAÍAS 54.10

Deus lhe mostra compaixão quando você se aproxima dele com coração humilde e arrependido. Por ser compassivo e misericordioso (Sl 111.4), ele não nos dá o que merecemos. Ao contrário. Porque nos ama, ele prometeu que o dilúvio ocorrido na época de Noé jamais se repetiria, e um arco-íris nos lembraria disso (Gn 9.12-15). Prometeu que seu amor permaneceria sempre conosco (Is 54.10) e suas misericórdias se renovariam a cada manhã (Lm 3.22-23). Nenhuma arma será voltada contra nós (Is 54.17), num sinal claro de sua compaixão e misericórdia.

Com tantas evidências da misericórdia de Deus conosco, ainda duvidamos dela, talvez porque nos identificamos mais com o fato de sermos culpadas que perdoadas. Às vezes culpamos a Deus pelas coisas ruins que nos acontecem, em vez de buscá-lo para encontrar a solução e agradecer-lhe por tudo que é bom.

Então, não permita que o pecado a cegue. Peça a Deus que a ajude a reconhecer a misericórdia que ele lhe estende todos os dias, porque essa é a evidência de seu grande amor por você.

Deus misericordioso, eu te louvo por tua fidelidade e bondade, pois me acolhes quando, arrependida, de ti me aproximo. Ajuda-me a ser fiel, a não duvidar de ti nem de tuas promessas.

8 de janeiro

Leia Romanos 10 e reflita

Uma fé inabalável

> *Portanto, a fé vem por ouvir, isto é, por ouvir as boas-novas a respeito de Cristo.*
>
> ROMANOS 10.17

Todos têm fé em algo. Se assim não fosse, nem sairíamos da cama pela manhã. Mas a fé é uma escolha, e ter fé em Deus também o é. Escolhemos crer que Deus existe e que ele é capaz de cumprir o que promete, e escolhemos não duvidar disso, a despeito do que as circunstâncias nos revelem. Escolhemos acreditar que o poder de Deus é maior que tudo. São escolhas que temos de fazer todos os dias.

O que você e eu *não* devemos fazer é ter fé em nossa fé, pois em si mesma ela nada realiza. É *Deus* quem faz todas as coisas. Você tem fé no Senhor quando ora e *ele* responde à sua oração. Sua fé não *faz* Deus responder à sua oração, mas o *convida* a atuar poderosamente em sua vida.

Compreender isso é de extrema importância, porque sem fé em Deus não conseguimos chegar aonde devemos. É a fé em Deus que nos impede de tentar conseguir as coisas pelo próprio esforço. Mas, embora até a própria fé nos seja concedida por Deus (Rm 12.3), precisamos desenvolvê-la, seja lendo, seja falando, seja ouvindo sua Palavra, pois a fé vem por ouvir as boas-novas a respeito de Cristo (Rm 10.17).

Pai, abre meu entendimento para que eu seja capaz de compreender a tua Palavra em profundidade. Dá-me fé para que eu possa fazer as escolhas corretas. Age poderosamente em minha vida, Senhor.

Leia Hebreus 8.12; Salmos 32.1-2 e reflita

Receba o perdão

E eu perdoarei sua maldade e nunca mais me lembrarei de seus pecados.
HEBREUS 8.12

Assim que aceitamos Jesus, Deus, por sua graça, nos perdoa dos erros cometidos e deles não mais se lembra. Da mesma forma, ele deseja que nos esqueçamos deles, parando de revivê-los e de nos repreender por isso.

Quando perdoamos alguém, *optamos* por deixar o assunto para trás, mas em geral não esquecemos. *Decidimos* não permitir que a lembrança da ofensa nos deixe mais amargas, zangadas ou rancorosas, mas continuamos a lembrar. Mas, quando Deus nos perdoa, nosso pecado contra ele é *completamente* apagado dos arquivos.

Quando não nos arrependemos ou não perdoamos, tornamo-nos infelizes e definhamos, vítimas do peso que nos recai sobre os ombros e que não estávamos preparadas para carregar.

Portanto, não importa que pecado você tenha cometido, prostre-se diante de Deus e peça perdão. Mesmo os mais rebeldes e os que rejeitam os caminhos do Senhor são perdoados quando se arrependem, verdadeiramente, diante dele. Deus não nos perdoa porque merecemos ser perdoadas; ele nos perdoa porque nos ama e tem misericórdia de nós.

Ó Deus, examina meu coração e mostra-me qualquer pecado que ali se esconda. Quero confessá-lo e pedir teu perdão. Também desejo perdoar quem de alguma forma me tenha ferido e não mais me lembrar disso. Não por minhas forças, mas por teu poder.

10 de janeiro

Leia 2Pedro 3.8-10 e reflita

Deus quer salvar

Na verdade, o Senhor não demora em cumprir sua promessa, como pensam alguns. Pelo contrário, ele é paciente por causa de vocês. Não deseja que ninguém seja destruído, mas que todos se arrependam.

2Pedro 3.9

De acordo com as Escrituras, o desejo de Deus "é que todos sejam salvos e conheçam a verdade" (1Tm 2.4). Saber dessa verdade lhe dá ânimo e lhe renova as forças quando você está orando por alguém que ainda não conhece Jesus como seu Senhor e Salvador.

Mesmo que você esteja intercedendo há muito tempo e não pareça haver mudança, não desista. Continue a pedir a Deus que ele vá ao encontro dessa pessoa, onde quer que ela esteja. Só ele pode preparar o coração dela para receber a dádiva da salvação. Só ele pode falar com ela de uma forma que seja impossível de ignorar. Satanás cega os olhos dos incrédulos para que eles não enxerguem a verdade do evangelho (2Co 4.4), mas Deus pode penetrar a escuridão com sua luz.

Ele tem poder para libertar a pessoa pela qual você está intercedendo, poder para livrá-la de todas as cadeias que ainda a prendem ao pecado e poder para transformar a vida dela de maneiras extraordinárias.

Peça a Deus que lhe dê paciência e perseverança em suas orações e que, segundo a vontade dele, permita que você compartilhe sua fé por meio de ações e, se oportuno, por meio de palavras.

Senhor, creio em teus propósitos soberanos e em teu desejo de que todos sejam salvos. Por isso, com o auxílio do Espírito, assumo o compromisso de perseverar nas súplicas por aqueles que ainda não te conhecem.

Quem é Deus?

Senhor [...] és nosso Redentor desde as eras passadas.

Isaías 63.16

Deus se revela por muitos nomes. Ele é nosso *restaurador*, restaurando o que foi tomado, destruído ou perdido (Sl 23.3). É nosso *libertador*, libertando-nos do que nos impede de ter a vida que planejou para nós (Sl 70.5). É nosso *redentor*, redimindo-nos de nossos pecados e trazendo-nos à vida (Is 63.16). É nossa *força*, fortalecendo-nos quando somos mais fracas (Is 12.2). É nosso *guia*, endireitando nossos passos (Pv 3.6). É nosso *conselheiro*, ensinando-nos a fazer o que é certo (Sl 16.7). É nossa *paz* (Ef 2.14). É nossa *torre forte* (Pv 18.10). É nosso *abrigo*, acolhendo-nos quando sentimos medo (Sl 32.7). É nossa *sabedoria* (1Co 1.24). É *Emanuel*, Deus conosco (Mt 1.23). É nosso *Pai eterno*, para sempre (Is 9.6).

Esses são apenas alguns dos nomes do Senhor, mas podem ajudá-la a descobrir tudo que Deus é. E, quanto mais conhecer o Senhor e o reconhecer em sua vida, mais se aproximará dele. Ao conhecê-lo por esses nomes e assim o chamar, você o estará convidando a exercer esses papéis em sua vida.

Deus é seu Pai celestial, que a orienta, protege e aconselha. Ele a livrará, restaurará e redimirá. O Senhor lhe dará força, paz e sabedoria. Estará a seu lado sempre, pronto a socorrê-la (Sl 124.8).

Deus Pai, és Emanuel, Deus comigo. És meu Pai eterno,
sempre perto, nunca distante. Sou-te grata porque jamais
me abandonarás. É tua promessa.

12 de janeiro

Leia Salmos 139.17-18 e reflita

Aceite o amor

> *Como são preciosos os teus pensamentos a meu respeito, ó Deus; é impossível enumerá-los!*
>
> SALMOS 139.17

Não nos vemos como Deus nos vê. Em vez disso, nos vemos pelo filtro do passado, dos fracassos, da aparência, dos amigos, das realizações. Ou pela falta disso.

Deus, no entanto, vê você através da luz da perfeição divina brilhando em seu coração, aperfeiçoando-a até o dia em que estará com ele. Ele a vê segundo a luz de tudo que *ele* amorosamente pretendeu que você fosse.

Permita-se sentir a Deus. Ele não só a ama. Ele é amor (1Jo 4.8). Quando você vir sua vida pelos olhos amorosos de Deus, as coisas boas serão amplificadas, e as ruins não serão tão ameaçadoras, porque o amor de Deus as expulsará. Cada dia que escolher aceitar o amor de Deus, expressar seu amor por ele e amar as pessoas como ele deseja, você saberá que ele está trabalhando em você para que se torne mais parecida com ele.

Não há força maior no mundo que o amor do Senhor. Nem todas as armas de ódio e crueldade juntas são capazes de resistir-lhe. Deus concede a cada uma de nós o livre-arbítrio para escolher, ou não, seu amor por nossa vida. Você fez sua escolha?

Senhor, ajuda-me a ver-me como me vês: através de teus olhos de amor e de tudo que planejaste para mim. Capacita-me a abrir meu coração para aceitar teu amor. Ainda que seja difícil entendê-lo e que eu não me sinta digna dele, não quero privar-me de receber o poder de teu amor maravilhoso agindo em meu coração.

Livre-se da culpa

Agora, portanto, já não há nenhuma condenação para os que estão em Cristo Jesus.

ROMANOS 8.1

Todas nós sentimos culpa por coisas que sabemos ter feito de errado ou que *deveríamos* ter feito melhor. No entanto, se não for controlada, a culpa poderá destruí-la, pois não há nada que possa fazer para mudar o que aconteceu. Mas, quando aceitamos Jesus, somos completamente purificadas do passado. Isso quer dizer que todos os erros ou transgressões das regras, dos caminhos e das leis de Deus são perdoados. Nossa ficha fica limpa.

Talvez você esteja pensando: "Eu já sei disso". Então, você precisa se convencer de que isso é verdade. Ouça o que Deus está lhe dizendo: "Agora, portanto, já não há nenhuma condenação para os que estão em Cristo Jesus" (Rm 8.1). Perceba que no texto está escrito que *não* há condenação. Nenhuma! Não está escrito: "não há muita condenação". Isso é o que o inimigo quer que você pense, pois ele tentará acusá-la ferozmente usando seus erros do passado.

Não permita que o inimigo lhe arranque esta certeza do coração: ao aceitar Jesus, ele retira a condenação de *todos os pecados e erros de seu passado*, libertando-a de *toda a culpa*. E, quanto aos erros do presente e do futuro, Jesus lhe oferece uma saída por meio da *confissão* do erro e do *arrependimento*.

Lembre-se: a condenação leva à paralisia e à morte. A convicção leva ao arrependimento, à confissão, ao perdão e à vida.

~

Senhor, ainda sinto culpa pelo ocorrido no passado. Ajuda-me a viver teu pleno perdão e a perdoar-me.

14 de janeiro

Leia Filipenses 1.6-7 e reflita

Deus completará sua obra

Tenho certeza de que aquele que começou a boa obra em vocês irá completá--la até o dia em que Cristo Jesus voltar.

Filipenses 1.6

Deus planejou restaurar todas as partes de nossa vida. Ao aceitar a Cristo, recebemos nova vida e também poder para crescer e alcançar o patamar que Deus planejou para nós. E é porque o Espírito Santo vive em você, em seu coração, que Deus continuará a obra que começou em sua vida até o dia em que se encontrará face a face com ele.

Nada do que você fizer poderá impedir esse processo de restauração. Portanto, não importa onde você se encontre neste momento, que lutas esteja enfrentando, ele continuará a restaurá-la. Não se deixe abater pelas dificuldades e angústias. Olhe sempre para Cristo. Não desvie os olhos dele. O Senhor nunca nos dá um fardo maior do que podemos carregar. Lembre-se: o que ele começou, ele terminará.

Deus *nunca* desiste de você. Portanto, não desista dele. Se continuar andando perto do Senhor, terá uma vida de liberdade, plenitude e sucesso verdadeiro. Uma vida que dá certo.

Senhor, ajuda-me a não pensar em desistir quando as coisas ficarem difíceis. Não me deixes perder a paciência nem a coragem. Ajuda-me a apegar-me a tuas promessas, para que elas fiquem gravadas em meu coração e permaneçam vivas dentro de mim. Termina, Pai, a obra que iniciaste em mim.

Leia 2Coríntios 12.9-10 e reflita

O plano para sua vida

Por isso aceito com prazer fraquezas e insultos, privações, perseguições e aflições que sofro por Cristo. Pois, quando sou fraco, então é que sou forte.
2Coríntios 12.10

É comum vermos apenas nossos aspectos negativos: fraquezas, carências ou fracassos. Deus também vê tudo isso, mas sob a perspectiva de tudo que ele planejou que fôssemos.

Deus vê sua *fraqueza* como oportunidade para você confiar que ele a fortaleça. Quando submetida a Deus, sua fraqueza a capacita a receber dele uma força maior que qualquer coisa que pudesse ter sem ele.

Deus vê sua *carência* como uma possibilidade de você recorrer a ele e declarar que depende dele, para que ele supra todas as suas necessidades.

Deus vê seu *fracasso* como um convite para que você ande bem perto dele, para que ele a habilite a realizar o que você não pode começar sozinha.

Deus vê *os dons, o propósito e o potencial em você*. Ele não só pensou em você *antes* de seu nascimento, mas tinha um plano para sua vida.

Quanto mais você souber quem Deus realmente é, mais reconhecerá quanto necessita dele. E é sempre bom necessitar dele.

Ajuda-me a desviar os olhos de mim e a firmá-los em ti. Obrigada porque não apenas me amas, mas me capacitas a compreender a profundidade de teu amor. Mostra-me o caminho de volta. Ajuda-me a ver pela tua perspectiva para que se cumpra o propósito que desenhaste para minha vida.

16 de janeiro

Leia Lucas 18.24-30 e reflita

O propósito do sofrimento

O que é impossível para as pessoas é possível para Deus.

LUCAS 18.27

Em algum momento da vida teremos de encarar o sofrimento. Talvez você esteja enfrentando um período de dor ou angústia. O inimigo se valerá de sua fragilidade na tentativa de afastá-la de Deus. Não permita que isso aconteça, pois é exatamente o que ele quer. Lembre-se: Jesus sofreu muito mais que qualquer um, mas ele jamais se afastou do Pai.

O sofrimento pode ser um grande aprendizado tanto para você como para quem está ao seu redor. Não estou dizendo que Deus nos faz sofrer por sua vontade. Afirmo apenas que ele usa para sua glória os períodos de sofrimento. No Senhor, existe um grande propósito nos tempos difíceis, mesmo que você ainda não consiga enxergá-lo.

Por isso, não se fixe nas circunstâncias; volte os olhos para o Senhor e sua Palavra. Creia na verdade divina *acima* de tudo que estiver passando. Não se trata de negar as circunstâncias; trata-se de crer que a Palavra de Deus triunfa sobre tudo. Não se concentre no que vê, mas nas promessas do Senhor, para quem nada é impossível.

Senhor, ajuda-me a lembrar sempre que é graças ao teu poder divino, e não à minha força, que permanecerei firme em tempos de angústia. Por isso, dou a ti toda a glória.

Certeza da salvação

Não há salvação em nenhum outro! Não há nenhum outro nome debaixo do céu, em toda a humanidade, por meio do qual devamos ser salvos.

ATOS 4.12

O relacionamento com Deus é o alicerce sobre o qual você pode construir uma vida de liberdade, plenitude e sucesso verdadeiro. Esse relacionamento é estabelecido quando você aceita Jesus como Senhor de sua vida. Jesus nos dá a salvação porque temos fé nele, não por causa das coisas boas que fazemos (Rm 9.31-32).

Ele morreu por nós porque somos *pecadores*, não por sermos *perfeitos*. Portanto, podemos nos achegar a ele como estamos. Ele deseja que nos aproximemos com humildade, cientes de que ele fez tudo e de que nada fizemos para merecer a salvação. "Vocês são salvos pela graça, por meio da fé. Isso não vem de vocês; é uma dádiva de Deus" (Ef 2.8).

Você aceita Jesus porque Deus Pai a chama para ele. Jesus declarou: "Pois ninguém pode vir a mim se o Pai, que me enviou, não o trouxer a mim; e no último dia eu o ressuscitarei" (Jo 6.44). Aceitar Jesus não é algo que acontece por acaso, num dia feliz. Não é um acidente, mas uma dádiva.

Senhor, quero entender cada vez mais tua graça maravilhosa e teu amor incondicional que me deram a salvação eterna. Mostra-me como viver diariamente com gratidão e refletir essa graça a outros.

18 de janeiro

Leia Efésios 6.10-11 e reflita

Tempos de guerra

> *Vistam toda a armadura de Deus, para que possam permanecer firmes contra as estratégias do diabo.*
>
> EFÉSIOS 6.11

Todos que creem em Cristo estão envolvidos numa guerra espiritual, quer reconheçam esse fato, quer não.

Deus tem um plano para sua vida; o inimigo também. Qual plano você quer que seja realizado? Deus lhe dá livre-arbítrio e lhe permite escolher a vontade dele em sua vida. O inimigo não dá a mínima para seu livre-arbítrio, contanto que possa influenciá-la a se inclinar na direção do plano dele para sua destruição. Conheço pessoas que imaginam que, se jamais reconhecerem a existência do inimigo — e, principalmente, se não aceitarem o fato de que o inimigo de Deus é também inimigo delas —, nunca serão atraídas para nenhuma batalha, muito menos para uma guerra. Mas quem nega a guerra, recusa-se a vê-la, a ignora ou foge dela está destinado a perder.

Deixe-me repetir: *Estamos em guerra. Ela só termina quando partirmos para estar com o Senhor. Portanto, é melhor permanecer firme e lutar conforme a vontade de Deus.*

No entanto, o final dessa história já está escrito, e nela Deus é vencedor. Sim, temos vitória garantida sobre o inimigo, mas ainda assim precisamos lutar cada batalha para chegar ao final vitorioso.

Senhor dos Exércitos, preciso de tua força e coragem para reconhecer o inimigo e travar as batalhas de cada dia em oração. Dependo inteiramente de ti para ter uma vida de vitória, conforme teus planos, e glorificar teu nome.

Leia Salmos 103.1-6 e reflita

Louvor que fortalece

Todo o meu ser louve o Senhor; louvarei seu santo nome de todo o coração.
SALMOS 103.1

Sempre que você se sentir sobrecarregada pelo peso que leva, aproxime-se de Deus em louvor e adoração, e ele aliviará seu fardo ou renovará sua energia. Quando não conseguir dar mais um passo ou sentir que não é capaz de fazer aquilo que precisa, o mais provável é que esteja tentando agir com a própria força. Ao adorar e louvar o Senhor, ele a fortalecerá. Você terá uma percepção mais aguçada do poder divino e de sua dependência nele. Deus quer apenas que o adore em meio a qualquer situação que esteja enfrentando e confie que ele a capacitará a fazer o necessário.

Quanto mais você conhecer a Deus, mais desejará adorá-lo!

O louvor fortalece e transforma a alma (Sl 138.1-3). Lança fora o medo (Sl 34) e a dúvida (Sl 27). Libera o poder de Deus em sua vida (Sl 144) e destrói os planos do inimigo (Sl 92). Isso ocorre porque o louvor e a adoração colocam uma capa protetora que o inimigo não consegue penetrar. Esse é apenas o início das bênçãos que o Senhor derramará em sua vida quando você começar a adorá-lo. Não há como encontrar sucesso verdadeiro na vida sem adorar aquele que faz todas as coisas acontecerem.

Senhor, eu te louvo e te adoro porque és o Deus Todo-
-poderoso, o Criador de todas as coisas. Tu estás comigo
todos os dias para me guiar e proteger. Desenvolve em mim
uma atitude de adoração e louvor contínuos.

20 de janeiro

Leia João 14.26-28 e reflita

A direção do Espírito Santo

Mas quando o Pai enviar o Encorajador, o Espírito Santo, como meu representante, ele lhes ensinará todas as coisas e os fará lembrar tudo que eu lhes disse.

João 14.26

Quando recebemos Jesus, recebemos também o Espírito do Criador do universo, que nos acompanha o tempo todo e nos guia através, acima e além de tudo que é imperfeito em nossa vida. Esse conhecimento produz confiança. Não em nós mesmas — afinal, quem não perdeu contato com a realidade está bem ciente de suas limitações —, mas confiança em Deus, que está conosco pelo poder de seu Espírito Santo em nós.

Deus deseja conduzi-la a lugares aos quais você não chegaria sozinha, e ele faz isso pelo poder de seu Espírito. Ele pode levá-la ao reino do milagre, não como uma exibição de poder, mas como demonstração de seu amor e compaixão pelos perdidos, feridos e carentes, e quem é que não deseja ou não precisa disso? Ele pode levá-la ao mundo das coisas invisíveis, maior e mais real que este nosso mundo visível. Para isso, você precisa depender dele, sendo guiada por ele e capacitada por seu poder. Quando você reconhecer claramente a voz do Espírito falando a seu coração, sua vida nunca mais será a mesma. E você não vai querer que seja.

Espírito Santo de Deus, meu Encorajador, eu te agradeço por tua presença constante em minha vida. Torna-me sensível à tua direção. Quero me entregar inteiramente a ti e viver pelo teu poder.

Leia Apocalipse 12. 7-12 e reflita

Visão transformada

Então ouvi uma forte voz que bradava pelos céus: "Finalmente chegaram a salvação, o poder, o reino de nosso Deus e a autoridade de seu Cristo. Porque foi lançado para a terra o acusador de nossos irmãos, aquele que dia e noite os acusa diante de nosso Deus. Eles o derrotaram pelo sangue do Cordeiro e pelo testemunho deles".

Apocalipse 12.10-11

Ao falar de nossa caminhada com Deus aqui na terra, o autor de Hebreus nos instrui: "Portanto, uma vez que estamos rodeados de tão grande multidão de testemunhas, livremo-nos de todo peso que nos torna vagarosos e do pecado que nos atrapalha, e corramos com perseverança a corrida que foi posta diante de nós" (Hb 12.1).

Devemos pensar no que Jesus suportou por nós para que nossa alma não desanime em vista das lutas que enfrentamos aqui na terra. Quando Deus levou o apóstolo João ao céu para ver coisas da sua perspectiva, João descreveu a experiência em Apocalipse 12.10-11. Essa perspectiva transformou a visão de João, e deve transformar a nossa também.

Jesus nos chamou "das trevas para sua maravilhosa luz" (1Pe 2.9). Fomos escolhidas para prestar serviço especial ao Senhor e receberemos a bênção e o favor especiais de Deus. Devemos crescer na pureza (Ef 4.17-31) e no perdão (Ef 4.32). Devemos andar na plenitude do Espírito Santo (Ef 5.1-21).

Graças te dou, meu Deus, porque me chamaste das trevas para a luz e me deste uma nova visão do mundo atual e das coisas por vir. Ajuda-me a suportar as provações, ciente da alegria que tens reservado para mim.

22 de janeiro

Leia Provérbios 22.24-25 e reflita

Relacionamentos saudáveis

> *Não faça amizade com os briguentos, nem ande com quem se ira facilmente.*
> PROVÉRBIOS 22.24

Bons amigos são pessoas constantes, com as quais você pode contar. Não a fazem sentir-se insegura e temerosa das reações deles a cada comentário seu. Da mesma forma como você não quer ser assim em seus relacionamentos, não deve permanecer numa amizade em que a outra pessoa age dessa maneira.

Fique atenta para amigos que se irritam com facilidade, que sempre tem algo negativo a dizer e que fazem comentários destrutivos. Essa não é uma amizade verdadeira, digna de ser cultivada. Peça a Deus que lhe dê sabedoria para desvencilhar-se de relacionamentos continuamente negativos, que não edificam você e não fortalecem sua caminhada com Cristo.

Não podemos controlar a forma como outras pessoas nos tratam, mas podemos impedir que elas continuem a nos tratar mal. Embora toda amizade tenha conflitos, essa não deve ser sua característica predominante. Deus criou as amizades como uma dádiva e um bálsamo em meio às dificuldades deste mundo. Quando nutrimos relacionamentos saudáveis, glorificamos a Deus com eles, pois mostramos aos que ainda não creem o que é a verdadeira comunhão.

*Senhor, sou muito grata pela dádiva das amizades genuínas
e fiéis. Dá-me sabedoria e assertividade quando precisar me
afastar de relacionamentos que não glorificam teu nome.
Quero cultivar relacionamentos saudáveis.*

Deus responderá

Não vivam preocupados com coisa alguma; em vez disso, orem a Deus pedindo aquilo de que precisam e agradecendo-lhe por tudo que ele já fez.

FILIPENSES 4.6

Rebelar-se contra Deus em meio a circunstâncias difíceis não é uma boa maneira de viver. Pelo contrário, é virar as costas à única possibilidade de vivenciar um milagre. Seria melhor achegar-se ao Senhor e adorá-lo como Deus onipotente e onisciente, que supre todas as suas necessidades.

Quando adoramos a Deus, percebemos que ele é maior que qualquer pedido que lhe apresentemos. Isso nos ajuda a crer que o Senhor sabe do que precisamos e que responderá à maneira dele e no tempo dele. A confiança em Deus abre os olhos para enxergar que ele tem poder para mudar todas as coisas. Também dá forças para continuar orando sem cessar.

Orar é abrir o coração diante de Deus. Não que ele já não saiba tudo que se passa dentro de nós. O Senhor sabe de tudo. Mas deseja ouvir de *você*. Por isso ele quer sua dependência. Em sua soberania, o Senhor definiu que primeiro *você* deve orar, e depois disso *ele* agirá em resposta à sua oração. Deus quer que você tenha uma vida de liberdade, plenitude e sucesso verdadeiro, mas ela só pode acontecer se você orar.

Deus Todo-poderoso, aceita minha gratidão por tudo que tens feito em minha vida. Tu és grande e digno de toda adoração e todo louvor. Quero apresentar a ti todos os meus desejos e todas as minhas necessidades e sujeitar-me à tua bondosa vontade.

24 de janeiro

Leia Lucas 6.46-49; 1Coríntios 3.11 e reflita

Um alicerce firme

Pois ninguém pode lançar outro alicerce além daquele que já foi posto, isto é, Jesus Cristo.

1CORÍNTIOS 3.11

Não fomos criadas para edificar nossa vida sozinhas. Fomos concebidas para entregar nossa vida ao Senhor e convidá-lo a nos tornar tudo que ele nos criou para ser. É possível estabelecer nossa vida sobre uma fundação tão firme que, independentemente do que esteja ocorrendo à nossa volta, não seremos abaladas.

Para isso, nossa vida precisa estar edificada sobre a Rocha. A rocha sólida é Jesus. A presença dele influencia todos os aspectos de nossa vida. A rocha sólida também é a Palavra de Deus. Jesus é chamado de Palavra viva. Isso porque Jesus é a Palavra. Jesus e sua Palavra são inseparáveis. Não podemos ter um sem o outro. Jesus e sua Palavra são o alicerce firme sobre o qual podemos construir nossa vida.

Quando aceitamos Jesus, ele nos dá seu Espírito Santo para habitar em nós como sinal de que pertencemos a ele. O Espírito Santo nos capacita a viver aquilo que a Palavra nos ensina. É a maneira de Deus nos transformar e operar profundamente em nosso coração, a fim de que sejamos fortalecidas. Jesus — a Palavra de Deus — e o Espírito Santo de Deus nos ajudam a permanecer firmes, não importa o que esteja acontecendo no mundo ao redor.

Senhor, muito obrigada porque és minha Rocha inabalável, mesmo em meio às incertezas e à instabilidade deste mundo. Ajuda-me a depositar toda a minha confiança em ti, de modo a ter um alicerce firme em quaisquer circunstâncias.

Leia João 8.36; Efésios 1.7-8 e reflita

Viver em liberdade

Ele é tão rico em graça que comprou nossa liberdade com o sangue de seu Filho e perdoou nossos pecados.

Efésios 1.7

Descobrir a liberdade que Deus tem para você significa afastar-se de qualquer coisa que a separe do Senhor. Também significa desvencilhar-se de tudo que a impede de se tornar quem você foi criada para ser.

Para isso, é preciso receber livramento de coisas como ansiedade, medo, atitudes negativas e autossuficiência. Trilhamos um caminho estreito e cheio de armadilhas perigosas nas quais podemos cair se não prestarmos atenção.

Você pode ser enganada e perder o rumo se acreditar nas mentiras que o inimigo lança pelo caminho. Quando isso acontece, acaba convivendo com coisas das quais Deus quer que todos os seus filhos se mantenham afastados. Às vezes, carregamos determinados hábitos, pensamentos e sentimentos por um longo tempo, a ponto de imaginarmos que fazem parte de nossa identidade. Pensamos: "Eu sou desse jeito" ou "A vida é assim". Não percebemos que são coisas das quais podemos nos libertar.

Deus quer nos transformar de dentro para fora. Por isso Jesus veio para ser o Libertador. Ele veio derrotar o mal, do qual deseja livrar todo aquele que o aceita como Salvador.

Pai amado, quero aprender a viver cada dia mais nessa liberdade que teu Filho comprou para mim. Trabalha em minha vida a fim de remover tudo que me impede de andar mais perto de ti.

26 de janeiro

Leia Efésios 1.4-5 e reflita

Nossa verdadeira identidade

Mesmo antes de criar o mundo, Deus nos amou e nos escolheu em Cristo para sermos santos e sem culpa diante dele.

Efésios 1.4

Nossa identidade não é definida por nós mesmas, nem pelo mundo ao redor, mas sim por aquilo que Deus fez por nós:

- Somos *escolhidas*. Deus nos escolheu antes que nós o escolhêssemos. Ele nos escolheu e nos salvou por causa de seu amor e de sua bondade para conosco.
- Somos *santas* porque Jesus nos purificou de todo pecado.
- Somos *predestinadas*, o que não significa que temos uma visão fatalista do futuro, como se fôssemos destinadas a ser pobres ou infelizes. Significa que Deus tem um plano para nossa vida e, porque aceitamos a Cristo e seu Espírito Santo habita em nós, estamos destinadas a viver esse plano.
- Somos *perdoadas* porque Jesus nos amou a ponto de morrer em nosso lugar e pagar o preço por nossos pecados.
- Fomos *justificadas* e, portanto, é como se nunca tivéssemos cometido nossos pecados.
- Somos *aceitas* por Deus porque aceitamos Cristo em nossa vida e estamos "em Cristo". Quando Deus olha para nós, ele vê a justiça de Jesus. E isso é maravilhoso.

Muito obrigada, ó Deus, por tantas coisas maravilhosas que fizeste por mim. Capacita-me para que eu viva de acordo com minha verdadeira identidade em Cristo.

Uma rica herança

Agora você já não é escravo, mas filho de Deus. E, uma vez que é filho, Deus o tornou herdeiro dele.

GÁLATAS 4.7

Quando você aceita Cristo, torna-se filha de Deus e, portanto, irmã de Jesus e herdeira junto com ele. A herança de Jesus passa a ser sua também! Essa é uma verdade extraordinária, que jamais deve se tornar banal em sua vida.

Ser filha de Deus significa andar com ele todos os dias, em obediência e sujeição. Não é uma coisa temporária, que podemos levar a sério durante alguns meses ou anos e depois esquecer, ou fazer apenas quando estamos a fim. Ao mesmo tempo, contudo, não é um fardo pesado. Quando Jesus chama: "Siga-me", está dizendo: "Saia do perigo e venha para a segurança; saia das trevas e venha para a luz; saia da angústia e venha para a paz". Ele convida em Mateus 11.28-29: "Venham a mim todos vocês que estão cansados e sobrecarregados, e eu lhes darei descanso. Tomem sobre vocês o meu jugo. Deixem que eu lhes ensine, pois sou manso e humilde de coração, e encontrarão descanso para a alma".

O fardo que você carrega em seu coração é colocado sobre ele em oração. As coisas que ele deseja que você faça são fáceis porque *ele* faz a parte difícil. E esse é apenas o começo das bênçãos de sua herança.

Querido Pai celeste, sei que a obediência a ti não é um fardo pesado, mas sim uma forma de expressar gratidão pela rica herança que me concedeste. Ensina-me a viver como tua filha amada e a alegrar teu coração.

28 de janeiro

Leia 1João 4.13-17 e reflita

O Espírito é vida

Deus nos deu seu Espírito como prova de que permanecemos nele, e ele em nós.

1João 4.13

Somente a vida guiada pelo Espírito faz sentido. Não existe outra maneira de atingir suas metas mais elevadas e receber tudo que Deus lhe tem reservado. Para ser guiada pelo Espírito, porém, é preciso deixar que ele a preencha. Então, ele se torna seu Guia e Conselheiro. Sem a direção e os conselhos do Espírito Santo, você não será capaz de alcançar a vida maravilhosa de elevado propósito que Deus já preparou. O Espírito Santo age por seu intermédio de maneiras que lhe possibilitam fazer coisas que você jamais seria capaz de fazer sozinha.

Não devemos pensar no Espírito Santo como um acessório para nossa vida. Ele é nossa vida. Somos dependentes da ação dele em nós para termos a vida que ele deseja. Deus quer nos conduzir por meio de seu Espírito até lugares aos quais jamais chegaríamos por conta própria.

Você precisa de Jesus para ter um relacionamento profundo com Deus. E, a fim de se tornar tudo que foi criada para ser e realizar tudo que foi chamada a fazer, você precisa do Espírito Santo. Ele jamais se impõe. Nunca desrespeita sua vontade. Ele espera ser convidado para agir poderosamente em sua vida.

Espírito Santo, eu te convido a agir com poder em minha vida, a fim de cumprir os propósitos de Deus para mim e para o mundo ao meu redor. Torna-me cada vez mais sensível à tua direção e disposta a obedecer-te.

Precisamos conhecer o Senhor

Ah, como precisamos conhecer o Senhor; busquemos conhecê-lo!

Oseias 6.3

A imagem que temos de Deus influencia a maneira como interagimos com ele. Para muitos, a imagem de Deus é associada à sua experiência com ele. Essa imagem se forma pelo que aprenderam na igreja ou com pessoas de grande influência em sua vida. Se alguém que deveria ser um servo de Deus as decepcionou, elas transferem a decepção para Deus. Culpam Deus pelos maus-tratos que receberam de quem deveria ter amado e protegido e não o fez.

Também é comum as pessoas projetarem em Deus a imagem que têm de seu pai humano. Por exemplo, se seu pai a abandonou, talvez você não confie em seu Pai celestial, pois imagina que ele também a abandonará. Se seu pai humano se mostrou distante, talvez você sinta que seu Pai celestial está igualmente longe.

Caso você tenha rejeitado a Deus por um motivo qualquer ou hesitou em aceitar o amor divino, que cura e restaura, saiba que ele não está zangado. Ele sabe que você precisa conhecê-lo e conhecer seu amor incondicional antes de confiar inteiramente nele. Mas deseja que você o faça logo, pois, quanto antes se dispuser a aceitar completamente esse amor, antes receberá tudo que ele lhe reservou: uma fartura de bênçãos indescritíveis. E, mesmo que você conheça a Deus há anos, sempre haverá algo mais para aprender sobre ele.

~

Senhor Deus, sou muito grata pelo privilégio de te conhecer pessoalmente e me relacionar contigo como filha. Quero ver-te como o Pai perfeito que és.

30 de janeiro

Leia Mateus 6.5-14,33 e reflita

O reino de Deus

Busquem, em primeiro lugar, o reino de Deus e a sua justiça.

MATEUS 6.33

Quando Cristo ensinou seus discípulos a orar, disse: "Venha o teu reino. Seja feita a tua vontade, assim na terra como no céu" (Mt 6.10). Quando dizemos "Venha o teu reino", pedimos a Deus que estabeleça seu governo dentro de nós, para que nos submetamos inteiramente a ele. Também pedimos que estabeleça seu reino onde quer que estejamos. Como consequência, a vontade do Senhor se realiza neste mundo tal como é realizada no céu.

O reino de Deus domina onde quer que nós, que cremos em Jesus, declaramos seu governo. Jesus disse que o maior no reino dos céus é humilde (Mt 18.1-4). Portanto, devemos ser esperançosas, receptivas ao ensino, sem arrogância alguma e submissas à vontade do Senhor. Jesus declarou: "Quem não receber o reino de Deus como uma criança de modo algum entrará nele" (Mc 10.15).

Buscar o reino de Deus significa nos achegar com humildade diante do Senhor, cientes de que não podemos viver sem ele. A Bíblia diz que Deus "concede graça aos humildes" (Tg 4.6), e Isaías anuncia que Deus "dá forças aos cansados e vigor aos fracos" (Is 40.29). Quando vivemos humildemente como cidadãs do reino de Deus, ele nos fortalece e nos revigora.

*Senhor, desejo me achegar a ti com humildade e buscar teu
reino e tua vontade acima de todas as coisas. Sei, porém,
que não sou capaz de fazê-lo sem teu auxílio.
Concede-me tua graça, ó Deus.*

Plenitude que satisfaz

Quando abres tua mão, satisfazes o anseio de todos os seres vivos.

SALMOS 145.16

Jesus disse: "O ladrão vem para roubar, matar e destruir. Eu vim para lhes dar vida, uma vida plena, que satisfaz" (Jo 10.10). Vida plena não é, de modo algum, sinônimo de luxo e prosperidade material. Também não significa que você receberá tudo que desejar. Antes, é a plenitude de todo o necessário para a vida de propósitos que Deus planejou para você. Uma das coisas fundamentais na caminhada com Cristo é tornar-se uma pessoa completa. Para obter essa plenitude, é preciso apropriar-se da liberdade em Cristo que está à sua espera.

Deus sempre a guiará de modo a libertá-la de tudo que a impede de tornar-se a pessoa que ele a criou para ser. Apesar de Jesus ter perdoado todos os nossos pecados do passado quando o recebemos em nossa vida, ainda existem hábitos mentais, sentimentos e comportamentos que precisam ser submetidos ao trabalho de limpeza do Espírito Santo. Além disso, ainda somos suscetíveis ao pecado e a sofrer suas consequências. Mas Deus nos concedeu uma forma de nos libertarmos disso tudo: estar na presença dele. À medida que andamos na presença de Deus, experimentamos cada vez mais plenitude, liberdade e verdadeira satisfação.

*Querido Deus, minha natureza humana deseja buscar
satisfação nas promessas vazias deste mundo. Ajuda-me
a crer que somente tu podes oferecer vida plena, cheia da
satisfação e da liberdade pelas quais eu tanto anseio.*

1º de fevereiro

Leia Josué 22.5 e reflita

Apegue-se ao Senhor e à sua Palavra

Amem o Senhor, seu Deus, andem em todos os seus caminhos, obedeçam a seus mandamentos, apeguem-se a ele firmemente e sirvam-no de todo o coração e de toda a alma.

Josué 22.5

Quando Adão e Eva desobedeceram a Deus, foram expulsos do Éden, onde desfrutavam um relacionamento próximo com Deus. Rebelar-se contra Deus nunca traz bons resultados. Qualquer pessoa que o faz é expulsa de tudo que Deus tem para ela. Ainda que Eva tenha sido *enganada* pelo inimigo e Adão tenha *optado* pela desobediência, as consequências foram igualmente desastrosas.

Ainda hoje, o inimigo procura nos fazer duvidar das palavras de Deus. Ele diz: "Ninguém ficará sabendo", "Você merece", "Deus não falou exatamente isso", "Deus não se importa com você".

Satanás a incentivará a ficar insatisfeita com o que Deus lhe deu. Ele a levará a questionar a ação de Deus. Quando ouvir algo do tipo: "Não tem problema fazer isso, *todo mundo está fazendo*", apegue-se ao Senhor e às verdades da Palavra e recuse-se a acreditar em mentiras. Procure conhecer cada vez melhor as Escrituras, suas instruções, seus mandamentos e suas promessas, firmando-se nelas quando vierem dúvidas e o inimigo tentar enganá-la. E confie que Deus lhe dará sabedoria, discernimento e clareza.

Senhor da verdade, ajuda-me a aprofundar meu conhecimento de ti e de tua Palavra para que o inimigo não me engane com suas mentiras. Quero obedecer a ti e andar em teus caminhos.

Amor e graça

Vocês são salvos pela graça, por meio da fé. Isso não vem de vocês; é uma dádiva de Deus.

Efésios 2.8

A primeira coisa a me atrair ao Senhor foi seu amor. Quando descobri que Deus nos amou mesmo antes de nós o conhecermos (1Jo 4.19), meu coração se comoveu. Ao me dar conta de que ele nos aceita como somos, mas nos ama demais para nos deixar desse jeito, fui convencida.

Quando aceitamos Jesus, recebemos o amor divino e nada é capaz de mudar isso. A Bíblia declara que "nada, em toda a criação, jamais poderá nos separar do amor de Deus revelado em Cristo Jesus, nosso Senhor" (Rm 8.39). Quanto mais você convida o Senhor a derramar o amor dele em seu coração, mais esse amor fluirá através de você e transbordará para os outros.

No entanto, não é possível aceitar esse amor sem que o dom da graça divina nos seja concedido (Ef 2.8). A graça se manifesta quando Deus deixa de nos dar o castigo que merecemos, concedendo, em vez disso, boas dádivas que *não* merecemos.

Deus "concede graça aos humildes" (Pv 3.34). Portanto, as coisas boas que nos acontecem não dependem de nossos esforços, mas de nossa humildade em aceitar a misericórdia e a graça divinas (Rm 9.16). A graça se evidencia quando o Senhor manifesta sua força por meio de nossa fraqueza (2Co 12.9). É assim que a graça nos basta. Ela faz as coisas acontecerem, e não nós.

Senhor, a profundidade de teu amor me comove. Quero adorar-te e louvar-te por tuas dádivas bondosas. Mantém meus olhos abertos para as inúmeras expressões de tua graça e ajuda-me a estendê-la a outros.

3 de fevereiro

Leia Salmos 139.23-24 e reflita

Como vai seu coração?

Examina-me, ó Deus, e conhece meu coração; prova-me e vê meus pensamentos.

SALMOS 139.23

A vida transcorre melhor quando nosso clamor contínuo é semelhante a essas palavras do rei Davi. Seu desejo era que o Senhor revelasse qualquer coisa em seu coração e em sua mente que não fosse agradável a Deus. Queria viver nos caminhos de Deus e sabia que, para isso, era essencial ter um coração puro.

Por isso, Davi também orou: "Cria em mim, ó Deus, um coração puro; renova dentro de mim um espírito firme" (Sl 51.10). Seu grande medo aparece no versículo seguinte: "Não me expulses de tua presença e não retires de mim teu Santo Espírito" (Sl 51.11). Desejava que seu coração fosse purificado e renovado porque não queria que o Espírito Santo fosse retirado de seu interior.

Uma vez que Jesus veio e concedeu o Espírito Santo àqueles que o aceitam, o Espírito jamais nos deixa. No entanto, podemos perder um pouco da plenitude da presença do Espírito Santo em nossa vida se cultivarmos impureza em nosso coração. Sei que o Espírito Santo nunca me deixará, mas não quero fazer nada que impeça a manifestação plena de sua presença em minha vida.

Deus lhe deu um coração novo e colocou um espírito novo em você quando aceitou Jesus (Ez 36.26). Agora ele quer que seu coração seja irrepreensível em santidade diante dele (1Ts 3.13).

Senhor Deus, eu te agradeço porque me deste um coração novo e colocaste dentro dele o teu Espírito. Preciso de tua ajuda para viver de acordo com essa realidade tão maravilhosa!

Deixe o perdão fluir

Quando estiverem orando, se tiverem alguma coisa contra alguém, perdoem-no, para que seu Pai no céu também perdoe seus pecados.

MARCOS 11.25

A fim de desfrutar a liberdade, a plenitude e o sucesso verdadeiro que Deus planejou para você, o perdão precisa fluir como água em seu coração. Se você der espaço para o rancor, impedirá que o Espírito atue livremente dentro de você.

Em Marcos 11.25, Jesus nos instrui a perdoar *antes* de orar por outras questões. Quando nos recusamos a perdoar outros, não temos condições de entender e receber o perdão de Deus. Até mesmo para isso, porém, precisamos do auxílio de Deus. Com nossas próprias forças, é impossível perdoar.

Se não perdoarmos, além de o ressentimento corroer a mente e o coração, perderemos a paz interior, teremos conflitos nos relacionamentos e levantaremos uma barreira para a comunhão plena com Deus. Diante disso, certamente não vale a pena nos apegarmos a pensamentos de vingança, nem permitirmos que ressentimentos se formem dentro de nós.

E, se não perdoarmos, as maiores prejudicadas seremos nós mesmas. É sempre bom lembrar que *o perdão não justifica a outra pessoa, mas liberta você.* Deus, no tempo e à maneira dele, tratará com a pessoa que a ofendeu e fará justiça. Você pode confiar nisso e seguir em frente.

Deus misericordioso, concede-me a capacidade de perdoar aqueles que me ofendem. Não permitas que raízes de amargura e rancor se formem em meu coração. Quero experimentar todo o teu perdão e a paz interior que ele proporciona.

5 de fevereiro

Leia Salmos 19.1-6 e reflita

Deus é real

Os céus proclamam a glória de Deus; o firmamento demonstra a habilidade de suas mãos.

SALMOS 19.1

As provas da existência de Deus estão em toda parte. Ele revela sua presença e seu amor de várias maneiras, inclusive em sua criação. Quando olhamos para a natureza, é evidente que não se trata de obra do acaso. A obra das mãos de Deus existe para *nosso* prazer tanto quanto para a satisfação dele.

Algumas pessoas (teístas) creem que Deus é o criador e o doador da vida. Outras (naturalistas) acreditam que Deus não existe e que não há nada além do mundo físico. Dizem que não há mundo espiritual porque não conseguem vê-lo. Mas seus olhos espirituais estão fechados e não são capazes de enxergar as coisas espirituais. Afirmam, portanto, que Deus é um mito, uma fantasia de nossa imaginação.

Outros apontam para tudo que é mau e dizem: "Se existe um Deus, por que ele permite que haja tanta maldade no mundo?". O fato é que toda a maldade que há no mundo existe por causa daqueles que escolheram se afastar de Deus e de seus caminhos. Preferem servir ao mal a servir a Deus.

Deus é real. O mal também é real. Temos de escolher entre as duas realidades. E precisamos fazer essa escolha para saber a quem vamos servir.

Deus Criador, como és glorioso! Abre meus olhos para as várias maneiras pelas quais revelas tua presença. Dá-me amor por aqueles que estão espiritualmente cegos e capacita-me para anunciar-lhes as boas-novas da salvação.

Livre-se da dúvida

Sem fé é impossível agradar a Deus. Quem deseja se aproximar de Deus deve crer que ele existe e que recompensa aqueles que o buscam.

HEBREUS 11.6

A grande inimiga da fé é a dúvida. Temos, porém, a opção de rejeitar a dúvida, e é o que devemos fazer se quisermos que nossa vida dê certo. Apesar de esse ser um fato um tanto óbvio, com frequência nos esquecemos dele.

Quando a dúvida nos sobrevém, muitas vezes agimos como se nossa única escolha fosse abrigá-la. Mas *temos* escolha. É possível recusá-la. Sempre que você duvidar da habilidade divina de proteger e prover, pode dizer deliberadamente: "Recuso-me a permitir que a dúvida encontre abrigo em minha alma". Mencione, então, as coisas que lhe causam dúvida. Leia a Palavra de Deus até encontrar provas que refutem as dúvidas e voltem a fortalecer sua fé. Essa é uma questão importante na busca por sucesso verdadeiro em sua vida. E não se trata de viver negando a realidade. Na verdade, *não* ter fé é negar a realidade — é negar o poder de Deus e de sua Palavra.

Peça ao Senhor que a ajude a ser forte na fé e lhe conceda fé suficiente para chegar aonde você necessita. Toda uma geração de israelitas foi impedida de entrar na terra prometida por falta de fé (Hb 3.19). Aprendamos deles e não permitamos que a dúvida nos impeça de receber tudo que Deus tem para nós.

Eu creio em ti, Senhor, mas peço teu auxílio para superar os momentos de dúvida. Muito obrigada porque fortaleces minha fé na medida necessária para cada novo desafio.

7 de fevereiro

Leia Salmos 27.1-6 e reflita

Três recursos para lidar com o medo

O Senhor é minha luz e minha salvação; então, por que ter medo?

SALMOS 27.1

O medo tira a paz, a alegria, a energia, a produtividade e a concentração de nossa vida. No entanto, quando você tem o temor do Senhor, não precisa viver com medo de mais nada. Ao transformar Deus em sua referência, na fonte de sua vida, ele passa a protegê-la. Devemos mergulhar no amor de Deus, que dissolve todo medo, e confiar que ele nos manterá a salvo.

- *A presença de Deus permanecerá com você, para livrá-la do medo.* "Mesmo quando eu andar pelo escuro vale da morte, não terei medo, pois tu estás ao meu lado. Tua vara e teu cajado me protegem" (Sl 23.4).
- *As promessas de Deus lhe darão poder para rejeitar o medo.* "Não tenha medo, pois estou com você; não desanime, pois sou o seu Deus. Eu o fortalecerei e o ajudarei; com minha vitoriosa mão direita o sustentarei" (Is 41.10).
- *O amor de Deus por você e seu amor por ele afastarão o medo.* "Esse amor não tem medo, pois o perfeito amor afasta todo medo" (1Jo 4.18).

Quando nos firmamos no Senhor, podemos tomar a decisão de viver em seu amor e em seu poder e recebemos os recursos necessários para rejeitar o medo debilitante.

Pai querido, sou grata porque não preciso viver com medo.
Quero confiar cada vez mais em ti e ter coragem para
seguir teus planos para minha vida.

Poder explosivo

Também oro para que entendam a grandeza insuperável do poder de Deus para conosco, os que cremos. É o mesmo poder grandioso que ressuscitou Cristo dos mortos.

EFÉSIOS 1.19-20

Quando aceitamos Cristo, seu Espírito passa a habitar em nós. Ele nos dá acesso ao mesmo poder incrível que ressuscitou Jesus dos mortos. E, da mesma forma que ressuscitou Jesus no fim de sua vida na terra, esse poder nos ressuscitará no fim de nossa vida aqui. Não há poder maior.

Deus é capaz de fazer muito mais em sua vida do que você jamais sonhou ser possível, pois o poder do Espírito dele está agindo em você.

O poder do Espírito Santo em nós é descrito na língua grega como *dunamis*. Daí vem o termo "dinamite". Deus não quer que você apenas reconheça a existência dele. Não está interessado em um relacionamento indiferente; quer um relacionamento explosivo! O desejo dele é que você anseie estar com ele todos os dias e confie nele para tudo que for preciso.

Não há como ter uma vida pela metade, dizendo: "Acho que nasci de novo. Tipo, recebi Jesus e tal, e tem um pedacinho do Espírito Santo vivendo em mim de vez em quando". Há apenas duas opções: ou você nasceu de novo e está cheia do Espírito Santo, ou não. Ele não nos enche parcialmente, pela metade. Ele preenche completamente. Não permita que ele seja diluído em sua vida.

*Enche-me, Senhor, de teu poder grandioso para que eu
viva em obediência, comprometimento e temor a ti, num
relacionamento próximo contigo, dedicando-me
à tua obra na igreja e no mundo.*

9 de fevereiro

Leia Isaías 63.7-14 e reflita

O amor do Senhor

Falarei do amor do SENHOR, louvarei o SENHOR por tudo que tem feito. Eu me alegrarei em sua grande bondade por Israel, que ele concedeu conforme sua misericórdia e seu imenso amor.

ISAÍAS 63.7

O amor de Deus é verdadeiro, pois *Deus* é verdadeiro. Deus é amor. Essa é sua natureza. E seu amor é acessível a qualquer um que abrir o coração para recebê-lo.

Vemos o amor humano apenas quando alguém se dispõe a demonstrá-lo no que diz ou faz, mas, quando seus olhos espirituais são abertos, você é capaz de ver as manifestações do amor de Deus em toda a sua vida. Aqueles que não sentem o amor de Deus não o conhecem verdadeiramente.

Você reconhece, de fato, que Deus a ama? Acredita nisso? Se a resposta é "não", saiba que ele tem muita coisa reservada para lhe dar.

Se você *acredita* que Deus a ama, consegue viver segundo essa crença? Vê as manifestações desse amor por você todos os dias?

É fácil entender por que as pessoas não reconhecem o amor de Deus por elas quando passam por tempos de muitas dificuldades e estão humilhadas, feridas e magoadas. Pensam: "Onde está Deus em tudo isto? Ele deve estar muito longe de mim".

A verdade é que Deus sempre está onde é chamado. Sim, Deus está em toda parte. Mas a grandiosa manifestação de seu amor e poder só é vista com clareza quando ele é convidado a estar presente em nossa vida.

Senhor Deus, eu te agradeço de todo o coração porque o amor é a essência de teu ser. Convido-te a estar presente em todas as minhas circunstâncias para que eu experimente teu amor de novas maneiras.

O que Deus quer de você

Busque a vontade dele em tudo que fizer, e ele lhe mostrará o caminho que deve seguir.

PROVÉRBIOS 3.6

Se você deseja saber a vontade de Deus quanto a determinadas questões, um excelente ponto de partida é a leitura diária da Palavra de Deus. Ela o ajudará a compreender qual é a vontade dele para sua vida *sempre*. Então, ao fazer o que você sabe ser o desejo divino, lançará um alicerce que lhe permitirá descobrir a vontade específica de Deus para suas circunstâncias. A Bíblia ensina:

- *É vontade eterna de Deus que você viva com gratidão.* "Sejam gratos em todas as circunstâncias, pois essa é a vontade de Deus para vocês em Cristo Jesus" (1Ts 5.18).
- *É vontade eterna de Deus que você viva pela fé.* "Meu justo viverá pela fé; se ele se afastar, porém, não me agradarei dele" (Hb 10.38).
- *É vontade eterna de Deus que você o adore.* "Adore o Senhor, seu Deus, e sirva somente a ele" (Mt 4.10).

Ao vivermos com gratidão, fé e adoração, seremos capazes de identificar mais claramente a vontade de Deus para situações específicas de nossa vida. Estaremos mais abertas para ouvir sua voz e receberemos a graça necessária para obedecer-lhe.

Senhor, mostra-me o caminho que devo seguir para cumprir tua vontade boa, agradável e perfeita. Dá-me um coração cheio de gratidão, fé e adoração, sempre disposto a obedecer-te.

11 de fevereiro

Leia 2Timóteo 4.17-18 e reflita

Nos momentos de insegurança

> *Sim, o Senhor me livrará de todo ataque maligno e me levará em segurança para seu reino celestial.*
>
> 2Timóteo 4.18

Quando temos diante de nós uma tarefa particularmente desafiadora, pode acontecer de nos sentirmos inseguras. Imaginamos que nos falta o necessário para cumprir nossa missão. A Bíblia, porém, diz: "Deus, com seu poder divino, nos concede tudo de que necessitamos para uma vida de devoção" (2Pe 1.3). Quando nos conscientizamos de que nossa maior tarefa, nossa razão de existir, é ter uma vida de devoção a Deus, também entendemos que ele nos dará todos os recursos de que precisamos para quaisquer desafios que possam surgir.

Ao depararmos com sentimentos de insegurança, precisamos analisar qual é nosso foco. É bem provável que estejamos contando com nossas próprias forças, aptidões e capacidade. Precisamos voltar os olhos para o Deus que é a fonte de tudo que precisamos. Ele prometeu nos conduzir em segurança até o final de nossa jornada aqui na terra.

Nossas dúvidas a respeito de nós mesmas levantam obstáculos para a ação de Deus por nosso intermédio. É tempo de lançarmos fora todo medo e todo egocentrismo e declarar que podemos fazer todas as coisas em Cristo, aquele que nos fortalece (Fp 4.13).

Querido Pai, quando eu me sentir incapaz ou inadequada diante das tarefas que preciso realizar, peço que voltes meus olhos para ti. Por causa da segurança que tenho da salvação e da vida eterna contigo, não preciso me sentir insegura em relação a coisa alguma.

Concentre-se na bondade de Deus

Mesmo assim me alegrarei no Senhor; exultarei no Deus de minha salvação!
Habacuque 3.18

É verdade que o mal existe e está presente em toda parte, mas esse não deve ser nosso foco. Devemos concentrar nossa atenção na bondade de Deus.

Você tem a sensação de que sempre aparece algo para derrotá-la? Se for o caso, é provável que o inimigo esteja tentando desgastá-la e desviar sua atenção do cuidado e da bondade de Deus em sua vida. Lembre-se: mesmo que você perca seu emprego, fique doente, termine um relacionamento ou o mundo ao redor pareça estar desmoronando por algum motivo, Deus ainda está no controle. Você pode estar arrasada, mas ele não está. Ele ainda enxerga o propósito supremo e o plano maior para sua vida, mesmo que você não possa vê-lo no momento. Um bom futuro a espera, mas é preciso crer que o Deus bondoso não a abandonará. Ele a conduzirá até o desfecho de tudo que ele planejou para você.

Procure as demonstrações da bondade de Deus ao seu redor e escolha apegar-se à realidade desse amor. Deus é *sempre* bom, quer ele nos dê aquilo que desejamos, quer ele permita dificuldades e desafios em nossa vida. E somente ele pode abrir nossos olhos para ver sua ação até mesmo nas coisas mais banais de nosso dia a dia.

Só precisamos pedir e crer que ele atenderá.

Senhor Soberano, obrigada porque tu és bom e queres somente o meu bem. Corrige o meu foco sempre que necessário. Em vez de me queixar dos males e das injustiças, desejo participar de tua intervenção bondosa neste mundo cheio de sofrimento.

13 de fevereiro

Leia Salmos 65.1-4 e reflita

O antídoto para a rebeldia

Embora sejam muitos os nossos pecados, tu perdoas nossa rebeldia.

SALMOS 65.3

Não importa quantos anos você tenha, é possível que passe por dias de rebeldia, em que o mundo inteiro parece errado e você se sente inquieta e tem vontade de fazer coisas que não agradam a Deus. Quando vierem esses momentos, não tente escondê-los de Deus. Ele conhece seu coração e já sabe como você está se sentindo. Converse com ele quando seu desejo pelas coisas do mundo se tornar maior que seu desejo pelas coisas boas e eternas que seu Pai oferece.

Deus está disposto a lhe dar arrependimento e perdão, a mudar seu coração antes que você tome alguma decisão insensata. Ele quer lembrá-la de como os caminhos dele são agradáveis e maravilhosos, e de como qualquer outro caminho só lhe reserva decepções e dores. A Bíblia diz que aqueles que se afastam de Deus "comerão os frutos amargos de seu estilo de vida" (Pv 1.31). Não deixe isso acontecer com você.

Ao reconhecer a presença de sentimentos rebeldes em seu coração, lembre-se de que Deus a está chamando para perto dele, para derramar bênçãos e cumprir promessas em sua vida. Afinal, "Olho nenhum viu, ouvido nenhum ouviu, e mente nenhuma imaginou o que Deus preparou para aqueles que o amam" (1Co 2.9). Que sentido faz a rebeldia diante de tanta graça, misericórdia, amor e bondade?

Querido Deus, peço que me perdoes pelas ocasiões em que me rebelei e tentei seguir meus próprios caminhos. Quanta insensatez! Concede-me graça e perdão para que eu volte a andar em teus caminhos.

Leia Jeremias 32.36-44 e reflita

Qual é seu propósito?

Eu lhes darei um só coração e um só propósito: adorar-me para sempre, para o seu próprio bem e para o bem de seus descendentes.

JEREMIAS 32.39

Quando não temos um propósito de vida, podemos acabar fazendo escolhas erradas e ficar cronicamente frustradas ou insatisfeitas.

Ter senso de propósito não significa conhecer todos os detalhes de seu futuro. É possível que você não saiba para onde o caminho de Deus a levará. Mas você tem certeza de onde ele não a levará. Por exemplo, você pode sentir que foi chamada para usar seus dons a fim de ajudar as pessoas, porém sabe que não foi chamada a deixar seu marido e seus filhos para fazer isso. Esse conhecimento simples a ajudará a tomar as decisões corretas.

Ter um chamado ou senso de propósito a impedirá de sucumbir quando enfrentar temores ou fracassos e a manterá em movimento quando se sentir desanimada. Você não desperdiçará seu tempo valioso fazendo algo que não é certo.

Nosso senso de propósito é arraigado no fato de que Deus nos escolheu conforme os propósitos *dele*, primeiramente para que o glorifiquemos em todas as coisas. Os propósitos secundários de nossa vida devem sempre fluir desse núcleo. Se você não sabe qual é seu propósito, peça a Deus e, no devido tempo, ele responderá.

Pai querido, como é maravilhoso saber que tu me escolheste e me chamaste para te adorar e te servir. Capacita-me para que eu use com sabedoria os dons, os talentos e as aptidões que me deste para realizar teus propósitos em minha vida, em minha família e em minha comunidade.

15 de fevereiro

Leia Isaías 40.12-31 e reflita

Força em meio à fraqueza

> *O Senhor é o Deus eterno, o Criador de toda a terra. Ele nunca perde as forças nem se cansa [...]. Dá forças aos cansados e vigor aos fracos.*
>
> Isaías 40.28-29

Depender de Deus nunca é sinal de fraqueza, pois nossa fraqueza significa que a força dele se fará evidente. Quando o apóstolo Paulo pediu para Deus remover uma aflição que o atormentava, Deus falou: "Minha graça é tudo de que você precisa. Meu poder opera melhor na fraqueza" (2Co 12.9). Temos de admitir nossa fraqueza e reconhecer que Deus é a única fonte de nossa força. Isso é poder!

No Antigo Testamento, sempre que Sansão precisou de força sobrenatural, "o Espírito do Senhor veio sobre" ele, a fim de capacitá-lo a fazer o que devia (Jz 14.6). Sansão tinha consciência de que seu poder vinha do Espírito Santo de Deus, mas mesmo assim não valorizou esse dom. Não o cultivou devidamente e o desperdiçou. Sansão continuou a ser usado por Deus, mas perdeu muitas bênçãos e teve um fim trágico.

O Espírito Santo lhe dá a força e o poder necessários para cumprir as missões das quais ele a encarrega. No entanto, esse poder jamais deve ser usado por motivos egoístas; deve ser dedicado a cumprir a vontade de Deus. Peça a Deus que lhe dê forças e sabedoria para usar essa dádiva.

Fortalece-me, Senhor, com tua mão poderosa. Sou fraca e tenho muitas limitações, mas tu podes revelar tua glória por meio de minha vida. Mostra-me como dar o devido valor aos recursos que o Espírito me concede e a usá-los para fazer tua vontade.

Vencer o mundo

Aqui no mundo vocês terão aflições, mas animem-se, pois eu venci o mundo.
João 16.33

Tudo que vem de Deus é bom e puro. Tudo que não vem dele é corrompido. Quando vemos ódio, desprezo, desamor, injustiças sociais, crimes, perseguições, doenças e guerras, sabemos que são resultado da atuação do inimigo, da natureza humana decaída e do mundo corrompido. Nossas orações, contudo, podem fazer toda diferença.

Somos parte da mesma família humana. "De um só homem ele criou todas as nações da terra" (At 17.26). Deus cuida de *todos*, até mesmo das piores pessoas. Devemos orar pedindo que os perversos se ajoelhem em arrependimento diante de Deus. Cabe a Deus responder a essa oração.

Sozinhas, somos impotentes contra os planos de nosso adversário, contra a natureza humana manchada pelo pecado e contra os sistemas de pensamento do mundo. Quando aceitamos a Cristo, porém, recebemos poder do Espírito para resistir a tudo que se opõe a Deus.

Mesmo que suas circunstâncias pessoais pareçam não ter solução e que o mundo ao redor pareça estar desmoronando, peça ao Espírito que lhe dê perseverança para orar e interceder por seus entes queridos e por aqueles que sofrem no mundo. Deus usará sua intercessão para demonstrar poder!

Senhor, ajuda-me a ser perseverante e paciente em minhas orações. Todos nós sofremos consequências dos valores distorcidos do mundo e precisamos de teu poder para resistir ao adversário e vencer o mundo.

17 de fevereiro

Leia Efésios 6.7-8 e reflita

Entusiasmo para hoje

Trabalhem com entusiasmo, como se servissem ao Senhor, e não a homens.
EFÉSIOS 6.7

Quando Deus a colocou neste mundo, ele lhe deu um propósito. Peça que ele acenda seu entusiasmo por tudo que ele a chama a fazer, por mais insignificantes que pareçam as tarefas.

Busque entusiasmo divino ao interagir com pessoas específicas, as quais Deus colocou em sua vida para que você ministre a elas. Compaixão verdadeira e desejo de servir são coisas que só o Espírito Santo pode produzir em nosso interior.

O mundo incita em nós uma preocupação constante com a provisão de nossas necessidades e com a melhor maneira de supri-las. Em contrapartida, quando dedicamos a vida inteiramente a Deus, ele nos dá entusiasmo para que busquemos os planos dele, mesmo quando são contrários à lógica do mundo. Ele nos tira da apatia e nos dá forças para vencer o medo.

Quanto mais entendemos a amplitude do amor de Deus por nós e de sua obra em nosso favor, mais nos apaixonamos por ele e, como consequência, mais refletimos esse amor intenso para o mundo com verdadeira empolgação.

Medite nas muitas dádivas de Deus em sua vida. Confie que ele tem incontáveis planos para o seu bem e oportunidades de servi-lo aqui na terra. No devido tempo, ele lhe dará um coração cada vez mais vibrante.

*Como é maravilhoso, ó Deus, saber que todo o meu trabalho e toda a
minha rotina, por mais enfadonhos que às vezes pareçam, têm
um propósito quando são guiados por ti. Enche meu
coração de entusiasmo e alegria contagiantes.*

Não se canse de fazer o bem

Quanto a vocês, irmãos, nunca se cansem de fazer o bem.
2TESSALONICENSES 3.13

Ler sobre oração é bom. Falar sobre oração é ótimo. Mas nada acontecerá se não orarmos. Precisamos orar todos os dias sobre todos os assuntos. E, uma vez que a fonte de nosso poder em oração é o Senhor, se não passamos tempo com ele em oração, perdemos o poder.

Deixe suas orações serem impelidas por seu amor a Deus e por sua prontidão para servi-lo. Responda ao chamado para ser uma intercessora, a fim de ver a vontade do Senhor realizada na terra. O Espírito Santo a conduzirá, por isso mantenha-se em contato com ele. Convide-o a guiar seu coração, sua mente e seu espírito a respeito de quando orar, como orar e sobre o que orar.

Há tremendo poder na oração, e Paulo nos instrui a nunca nos cansarmos de fazer o bem (2Ts 3.13). Orar por alguém sempre é sinônimo de fazer o bem a essa pessoa. Aliás, muitas vezes a melhor coisa que você pode fazer é continuar a interceder por ela, mesmo se não enxergar respostas imediatas.

Você não precisa saber como cada oração é respondida; precisa somente acreditar que Deus ouviu e responderá de acordo com o tempo e a vontade dele. Enquanto isso, continue a fazer o bem.

Que imenso privilégio, Senhor, é interceder por outras pessoas. Peço que teu Espírito me mantenha firme nas orações. Confio que tu responderás no devido tempo, conforme tua vontade perfeita.

19 de fevereiro

Leia Salmo 102; Hebreus 13.8-9 e reflita

Constância eterna

Jesus Cristo é o mesmo ontem, hoje e para sempre.

Hebreus 13.8

Quando não temos o Espírito de Deus em nós, servindo de âncora no coração, na alma e no espírito, nossa vida é caracterizada pela inconstância. Somos capazes de mudar de um minuto para outro. Reparou como algumas pessoas conseguem ser gentis num momento e grosseiras no instante seguinte? Ainda que não cheguemos a esse nível, somos todas mutáveis, por mais constância que aparentemos ter.

Deus, em contrapartida, nunca muda. Acredite nisso. O salmista disse a Deus: "Tu, porém, és sempre o mesmo; teus dias jamais terão fim" (Sl 102.27).

É difícil entendermos o conceito de "sempre ser". Não somos capazes de imaginar alguém que não tenha sido criado e que não tenha tido um começo. A Bíblia diz, porém, que Deus sempre existiu e sempre foi e será o mesmo. E, mais extraordinário, ele nos estende a possibilidade de vivermos com ele para sempre.

Deus é eterno. Quando ele nos chama, também nos dá o privilégio de estarmos para sempre com ele. Isso não muda porque *ele* não muda. Quando você anda com Deus, está sempre caminhando rumo ao futuro que ele lhe reservou.

*Deus eterno, eu te agradeço porque me chamaste para viver
para sempre contigo. Torna-me cada vez mais constante,
firmada sempre em ti. Quando as mudanças da vida aqui
na terra me deixarem apreensiva, volta meu olhar para a
herança eterna que reservaste para mim no céu.*

Sujeição ao Espírito

E Deus confirmou a mensagem por meio de sinais, maravilhas e diversos milagres, e também por dons do Espírito Santo, conforme sua vontade.

HEBREUS 2.4

O Espírito Santo nos capacita de acordo com a vontade dele. *Ele* nos guia. "Quem pode orientar o Espírito do SENHOR?" (Is 40.13). Deus é onipotente. Não realizamos coisa alguma com nosso poder. Ele capacita como quer aqueles que o servem, a fim de que cumpram sua vontade. Podemos pedir dons e aptidões para servir à igreja, mas Deus decide de que maneiras ele nos capacitará.

O poder do Espírito não se destina ao nosso uso particular, embora nos beneficie pessoalmente. Vejo pessoas tentando forçar o Espírito Santo a fazer o que elas desejam. Querem que ele cure agora, manifeste-se neste momento e as capacite já. Mas não querem buscá-lo humildemente, entregando-se e sujeitando-se a ele. Não podemos ser como o feiticeiro na Bíblia que tentou comprar dos discípulos o poder do Espírito Santo. Pedro lhe disse: "Que seu dinheiro seja destruído com você, por imaginar que o dom de Deus pode ser comprado!" (At 8.20).

O poder do Espírito Santo não pode ser comprado, exigido ou usado por motivos egoístas. Para que nossas motivações sejam corretas, precisamos nos manter próximas de Deus, com uma postura de verdadeira humildade.

Senhor Deus, dá-me a humildade necessária para que eu me sujeite à obra de teu Espírito em mim e ande perto de ti. Graças te dou porque teus pensamentos e planos são muito mais elevados que os meus.

21 de fevereiro

Leia o Salmo 93 e reflita

Nosso Deus é todo-poderoso

Mais poderoso que o estrondo dos mares, mais poderoso que as ondas que rebentam na praia, mais poderoso que tudo isso é o Senhor nas alturas.

SALMOS 93.4

O poder de Deus é maior que a força do mais intenso vendaval, do mais forte tornado, terremoto ou *tsunami*. "Os montes se derretem como cera diante do Senhor, diante do Senhor de toda a terra" (Sl 97.5).

Um dos aspectos mais maravilhosos de Deus é que ele compartilha tudo com você, inclusive esse poder. Mas você só o recebe quando abre espaço para Deus agir em sua vida.

Nosso Deus é todo-poderoso e, portanto, nada é impossível para ele em relação a você. Neste momento, talvez uma circunstância difícil em sua vida a esteja impedindo de ver uma saída, mas Deus vê a saída. Ele também vê um caminho para atravessar essa circunstância e a conduzirá até o fim. Não duvide disso. Não pense que só lhe resta render-se à escuridão em tempos difíceis. Essa é uma das maiores mentiras que o inimigo usa contra você.

Saiba onde encontrar sua fonte de poder. Assim, você não acreditará nas promessas falsas de ajuda que o mundo lhe oferece. Em Deus, você tem acesso a todo o poder de que necessita para ter a vida que ele lhe reservou. Confie nisso!

Deus de amor, como é reconfortante saber que tudo é possível para ti. Quando vierem as dificuldades, não quero me iludir com a ajuda enganosa que o mundo oferece. Quero recorrer a ti e receber teu poder.

A importância de engajar-se

Nenhum soldado se deixa envolver em assuntos da vida civil, pois se o fizesse não poderia agradar o oficial que o alistou.

2Timóteo 2.4

Não temos de nos alistar no exército de Deus, pois já nos alistamos ao entregar a vida a Jesus. Precisamos, contudo, nos engajar na guerra. As batalhas não estão se tornando menos frequentes nem menos intensas com o tempo. Pelo contrário, vêm aumentando em todos os aspectos. Não podemos simplesmente ignorar esse fato e ainda esperar que permaneceremos firmes.

Devemos tomar parte na guerra agora, pois o inimigo sabe que resta pouco tempo antes da volta do Senhor e está se esforçando ao máximo para realizar seus planos. A guerra está mais difícil que nunca. Podemos ver ataques incessantes contra a saúde, os sentimentos, os relacionamentos, o trabalho, as reputações, as finanças e a segurança de cada cristão. Esses ataques são epidêmicos e não podemos ignorá-los.

"Engajar-se" significa dedicar-se com afinco ou tomar parte em algo. Também significa comprometer-se voluntariamente. É assumir uma obrigação. É optar por envolver-se em algo. Você se comprometeu a tomar parte na batalha; reconheceu que uma guerra está sendo travada e compreendeu o chamado de Deus para orar.

Senhor, como guerreira de oração, quero me comprometer contigo a fim de enfrentar os planos do inimigo e orar para que tua vontade seja feita aqui na terra. Sei que não posso lutar com minhas próprias forças. Preciso de tua capacitação e de tuas forças para ser vitoriosa.

23 de fevereiro

Leia 1João 3.11-24 e reflita

Três escolhas fundamentais

Sabemos o que é o amor porque Jesus deu a vida por nós.

1João 3.16

Há três escolhas que precisamos fazer todos os dias em nossa caminhada com Deus:

1. *Aceitar o amor de Deus por nós.* Sim, aceitar o amor de Deus é uma escolha. Podemos *ler* sobre isso, *falar* disso e *pensar* nisso, mas não é o mesmo que *escolher* aceitá-lo. Escolher aceitar o amor de Deus significa aproximar-se dele, passar tempo em sua presença, abrir o coração para ele, querer conhecê-lo, entender quem ele é e desejar ser mais semelhante a ele.

2. *Expressar nosso amor por Deus em resposta a seu amor por nós.* Precisamos aprender a demonstrar nosso amor por ele de formas práticas, e não apenas senti-lo. Sem isso, não conseguimos amar os outros de maneira intensa, pois o processo de expressar amor por Deus é o meio que ele usa para nos encher com *mais* de seu amor.

3. *Amar os outros de forma que agrade a Deus.* Precisamos buscar a Deus para entender o que o agrada e optar por fazer isso em vez de ser motivadas por nossos próprios desejos. Amamos verdadeiramente os outros quando escolhemos amar a Deus.

Essas três escolhas mudarão o rumo de sua vida!

～

Querido Pai, como é maravilhoso o teu amor por mim!
Preciso de teu auxílio para apropriar-me diariamente dessa
dádiva preciosa e para expressar de modo verdadeiro e
prático meu amor por ti e por outros.

Unção do Espírito

Assim, continuamos a orar por vocês, pedindo a nosso Deus que os capacite a ter uma vida digna de seu chamado e lhes dê poder para realizar as coisas boas que a fé os motivar a fazer.

2Tessalonicenses 1.11

Deus lhe concedeu dons e um chamado para sua vida. Essa verdade nunca muda. No entanto, dons e chamado não são o mesmo que unção. A unção é um toque especial de Deus em nossa vida, a presença especial do Espírito Santo que acende a chama dos dons e do chamado a fim de que eles vivifiquem outras pessoas e cumpram o plano divino.

A unção pode ser perdida como resultado de desobediência ou pecado, como aconteceu com Sansão (Jz 16.20) e com o rei Saul (1Sm 15.16-26). Deus nos concede dons e chamado para que cumpramos nosso propósito, e ele não os toma de nós. Em contrapartida, a unção é um dom tão precioso que, se não o valorizarmos e se dermos as costas para os caminhos do Senhor, a perderemos.

A Bíblia diz: "O Santo lhes deu sua unção, e todos vocês conhecem a verdade" (1Jo 2.20). Deseje a unção divina naquilo que faz e tome cuidado para não criar empecilhos para ela. "Aconselhamos, incentivamos e insistimos para que vivam de modo que Deus considere digno, pois ele os chamou para terem parte em seu reino e em sua glória" (1Ts 2.12).

Senhor, necessito de tua unção para usar os dons e talentos que me deste. Mostra-me se há alguma rebeldia ou desobediência em meu coração que tem impedido teu Espírito de me dar poder e ajuda-me a viver de modo digno de teu chamado.

25 de fevereiro

Leia Filipenses 2.1-11 e reflita

Em nome de Jesus

> *Por isso Deus o elevou ao lugar de mais alta honra e lhe deu o nome que está acima de todos os nomes, para que, ao nome de Jesus, todo joelho se dobre [...] e toda língua declare que Jesus Cristo é Senhor, para a glória de Deus, o Pai.*
>
> FILIPENSES 2.9-11

Não é qualquer pessoa que pode usar o nome de Jesus e ser ouvida por ele. Jesus deu a nós, que estabelecemos um relacionamento com ele, autorização e direito de usar seu nome para apresentar nossos pedidos diante do trono de Deus. Disse: "Vocês pedirão diretamente ao Pai e ele atenderá, porque pediram em meu nome. Vocês nunca pediram desse modo. Peçam em meu nome e receberão, e terão alegria completa" (Jo 16.23-24). Essa é uma promessa maravilhosa, e seu significado pleno deve criar raízes profundas em nossa mente e em nosso coração.

Quando Deus ressuscitou Jesus e o fez sentar-se à direita dele acima de todos os poderes malignos, seu nome também foi elevado "muito acima de qualquer governante, autoridade, poder, líder ou qualquer outro nome não apenas neste mundo, mas também no futuro. Deus submeteu todas as coisas à autoridade de Cristo e o fez cabeça de tudo, para o bem da igreja" (Ef 1.21-22).

O nome de Jesus é maior que todos os outros nomes. Podemos pedir em nome de Jesus porque ele cumpriu perfeitamente a vontade de Deus e foi exaltado acima de todas as coisas.

Senhor Jesus, eu te agradeço por teu sacrifício na cruz, que me permite aproximar-me livremente do trono da graça de Deus e apresentar ali minhas súplicas. Teu nome é precioso para mim.

Amor eterno

Eu amei você com amor eterno, com amor leal a atraí para mim.

JEREMIAS 31.3

Deus a ama e a aceita de forma incondicional. Você precisa ter certeza desse fato se deseja experimentar liberdade, plenitude e sucesso verdadeiro. Isso porque a aceitação de Deus traz cura, realização, libertação, edificação, rejuvenescimento e serenidade. Enquanto não cremos plenamente na aceitação divina, continuamos lutando e vivemos preocupadas, ansiosas e cheias de incerteza. Não conseguimos encontrar paz.

O amor de Deus nunca morre; ele é eterno. Esse amor sempre está disponível para você. Nada pode separá-la do amor de Deus (Rm 8.38-39). Nós é que podemos colocar barreiras para recebê-lo por causa de nossas dúvidas e nossos temores.

Quando não acreditamos plenamente que Deus nos ama e aceita, agimos em função de nossas inseguranças. O amor de Deus nos faz sentir seguras de uma forma que o amor humano não consegue. Ao contrário do amor humano, o amor divino é infalível. É sem limites e restaura; o amor humano também pode restaurar, mas tem limites. Isso porque Deus é perfeito e as pessoas não. O amor de Deus é perdoador e não guarda mágoa dos erros. O amor humano, em geral, é exigente e mantém o registro das injustiças. Embora o amor humano possa fazer que nos sintamos melhor a respeito de nós mesmas, só o amor de Deus é capaz de nos transformar de fato.

Graças te dou, Senhor, por teu amor eterno que vence meus temores e minhas inseguranças e me liberta e dá verdadeira paz. Que esse amor continue a me transformar a cada dia.

27 de fevereiro

Leia Salmos 24.1-6 e reflita

Deus provê

> *A terra e tudo que nela há são do Senhor; o mundo e todos os seus habitantes lhe pertencem.*
>
> Salmos 24.1

Deus criou todas as coisas. Ele é o dono de tudo, e isso é mais que suficiente para suprir aquilo de que precisamos. Tudo em nosso mundo pertence a Deus, inclusive nós mesmas. Deus mostrou seu amor quando nos deu a terra. No entanto, ele quer que o busquemos como nosso Provedor.

Ele conhece todas as suas necessidades e é plenamente capaz de suprir todas elas, mas ele quer que você se aproxime dele em oração e peça. O Criador do universo deseja muito ter um relacionamento com você. Não está interessado em ser um Papai Noel ou um simples benfeitor. Deus ouve suas orações e atende a elas quando você ora com um coração sincero, que o ama.

Quando não conhecemos bem a Deus, dificilmente entendemos suas respostas. Pensamos que, se ele não respondeu como pedimos ao orar, foi porque não ouviu. A oração não determina o que Deus deve fazer. A oração é uma parceria com Deus em todos os aspectos de nossa vida.

Se vivêssemos sempre nos caminhos de Deus em vez de pensar que sabemos mais que ele, não teríamos falta de nada. Não permita que o medo de não ter o suficiente a faça duvidar de que Deus suprirá suas necessidades. Continue a pedir. Ele é seu Provedor e tem tudo aquilo de que você necessita.

*Muito obrigada, Senhor, por tua generosidade. Desenvolve
em mim confiança cada vez mais firme em tua provisão.
Entrego a ti todas as minhas ansiedades e preocupações,
certa de que tu agirás conforme teus bons propósitos.*

Leia Colossenses 1.3-14 e reflita

Uma nova cidadania

Ele nos resgatou do poder das trevas e nos trouxe para o reino de seu Filho amado.

Colossenses 1.13

Jesus nos tirou do reino das trevas e nos transportou para seu reino de luz. Fomos transferidas do território do inimigo para o reino de Deus. Isso dá novo significado à autoridade que recebemos para permanecer firmes em oração contra os poderes malignos que desejam guerrear contra o reino de Deus e seu povo e nos levar de volta para a escuridão.

Uma vez que entregamos a vida a Jesus Cristo, Paulo nos instrui: "Continuem a segui-lo. Aprofundem nele suas raízes e sobre ele edifiquem sua vida" (Cl 2.6-7). Ao nos aprofundarmos no relacionamento com Deus, recebemos plenitude, pois estamos em Jesus, "o cabeça de todo governante e autoridade" (Cl 2.10). Nele temos tudo de que precisamos.

A submissão ao Rei nos dá acesso a esse reino de luz para o qual fomos transportadas. "Pois ele nos ressuscitou com Cristo e nos fez sentar com ele nos domínios celestiais" (Ef 2.6). Que verdade maravilhosa! O mínimo que podemos fazer é continuar a segui-lo em grata obediência, pois fomos resgatadas e ganhamos nova cidadania e um lugar de honra em seu reino.

Senhor Deus, que alegria saber que não faço mais parte de um reino de trevas. Eu te agradeço porque me resgataste e me transportaste para teu reino de luz. Ajuda-me a aprofundar minhas raízes em Cristo e viver de modo digno de minha cidadania em teu reino.

29 de fevereiro

Leia João 3.16-21 e reflita

Como o amor de Deus muda sua vida

Porque Deus amou tanto o mundo que deu seu Filho único, para que todo o que nele crer não pereça, mas tenha a vida eterna.

João 3.16

Além do presente supremo da eternidade no céu, o amor de Deus muda sua vida de várias maneiras:

- *O amor de Deus a atrai para junto dele.* "Guiei Israel com meus laços de amor. Tirei o jugo de seu pescoço e eu mesmo me inclinei para alimentá-lo" (Os 11.4).
- *O amor de Deus paga por seus pecados.* "É nisto que consiste o amor: não em que tenhamos amado a Deus, mas em que ele nos amou e enviou seu Filho como sacrifício para o perdão de nossos pecados" (1Jo 4.10).
- *O amor de Deus lhe dá acesso a ele.* "Sabemos quanto Deus nos ama e confiamos em seu amor. Deus é amor, e quem permanece no amor permanece em Deus, e Deus nele" (1Jo 4.16).
- *O amor de Deus liberta você do medo.* "Esse amor não tem medo, pois o perfeito amor afasta todo medo. Se temos medo, é porque tememos o castigo, e isso mostra que ainda não experimentamos plenamente o amor" (1Jo 4.18).
- *O amor de Deus lhe dá sucesso verdadeiro.* "Mas, apesar de tudo isso, somos mais que vencedores por meio daquele que nos amou" (Rm 8.37).

Querido Pai, muito obrigada por tudo que teu amor me proporciona.
Acima de tudo, sou grata porque agora vivo em tua presença.

Deus conhece você

Ó Senhor, tu examinas meu coração e conheces tudo a meu respeito. [...] mesmo de longe, conheces meus pensamentos.

Salmos 139.1-2

Deus vê tudo o tempo todo. Nada do que você pensa ou faz lhe é oculto. Ele vê onde você está e aonde vai. Vê também aonde você *deveria* ir e sabe como conduzi-la até lá. "Virá o dia em que tudo que está encoberto será revelado, e tudo que é secreto será divulgado" (Mt 10.26). "Ó Deus, tu sabes como sou tolo; é impossível esconder de ti meus pecados" (Sl 69.5).

Deus não mantém um registro de tudo que você faz para usá-lo contra você mais adiante; não usa seus erros para ameaçá-la, nem guarda uma lista deles para castigá-la. Deus não olha para você com julgamento e condenação, mas sim com grande carinho. Vê até as lágrimas que você derrama. Davi disse: "Conheces bem todas as minhas angústias; recolheste minhas lágrimas num jarro e em teu livro registraste cada uma delas" (Sl 56.8).

Deus a conhece melhor do que você mesma. Ele vê os planos do inimigo para destruí-la. E, quando ouve suas orações, vê as respostas que ele próprio lhe dará antes que você as receba. Não pense que o Senhor não vê seu sofrimento, suas lutas, seu medo e suas circunstâncias. Os olhos de Deus estão sobre você com muito amor.

Senhor, como é bom saber que tu me conheces melhor que eu mesma!
Quando eu me sentir confusa, angustiada ou ansiosa, peço que
me ajudes a lembrar que teus olhos estão sempre sobre mim e
que teu olhar é cheio de graça, compaixão e misericórdia.

2 de março

Leia João 1.1; 10.1-18 e reflita

Palavra, Porta e Bom Pastor

No princípio, aquele que é a Palavra já existia. A Palavra estava com Deus, e a Palavra era Deus.

JOÃO 1.1

No evangelho de João, Jesus é chamado de "a Palavra", e ele também define a si mesmo da seguinte forma: "Sim, eu sou a porta. Quem entrar por mim será salvo. [...] Eu sou o bom pastor. Conheço minhas ovelhas, e elas me conhecem" (Jo 10.9,14).

- *Jesus é a Palavra.* Estava com Deus e o Espírito Santo desde o princípio, e o mundo foi criado por meio dele. É Palavra viva e ativa, que veio ao mundo como homem para habitar conosco e atender à nossa maior necessidade. Inteiramente Deus e inteiramente homem, foi enviado como um presente do amor de Deus a nós.
- *Jesus é a Porta.* É o único meio pelo qual podemos entrar no reino de Deus, tanto na terra como na eternidade. Também é a porta aberta para tudo de que necessitamos na vida. Quando todas as portas parecem estar fechadas para nós, precisamos lembrar quem Cristo é.
- *Jesus é o Bom Pastor.* Ele disse que daria sua vida pelas ovelhas. Conhece suas ovelhas e as chama pelo nome. Veio ao mundo com a plena intenção de entregar sua vida por você e por mim. Não há amor maior que esse.

Senhor Jesus, tu és a Palavra que transforma minha vida; tu és a Porta de acesso ao Pai e a tudo de que necessito; tu és o Bom Pastor, aquele que entregou a vida por mim, uma de tuas ovelhas. Eu te agradeço, louvo e adoro por tudo que és e por tudo que fazes por mim.

O Espírito da verdade

Quando vier o Espírito da verdade, ele os conduzirá a toda a verdade. Não falará por si mesmo, mas lhes dirá o que ouviu e lhes anunciará o que ainda está para acontecer.

João 16.13

O Espírito Santo é chamado Espírito da verdade. Ele nos dá capacidade de discernir entre verdade e mentira. Embora haja engano por toda parte em nosso mundo, nós acreditamos na verdade de Deus e vivemos de acordo com ela.

O Espírito pode lhe dar conhecimento de determinado assunto. Seu coração e sua mente podem ser iluminados de modo sobrenatural. Quando você recebe esse tipo de entendimento, sabe que não surgiu por acaso; é algo que vem de Deus. Não queremos ser como aquelas pessoas que "estão sempre em busca de novos ensinos, mas jamais conseguem entender a verdade" (2Tm 3.7). Queremos conhecer a verdade, e o Espírito da verdade nos ensinará.

Sempre há decisões a tomar que exigem discernimento e que não dão espaço para interpretações equivocadas. Nesses momentos é preciso, acima de tudo, ouvir a voz mansa e suave do Espírito da verdade dizendo o que é real ou não. Peça ao Espírito que guie você em toda verdade e lhe dê entendimento. Algum dia, pode fazer diferença entre a vida e a morte.

Senhor, eu te agradeço porque me concedes discernimento neste mundo cheio de confusão e mentiras. Guarda-me de todo engano e de toda ilusão e guia-me sempre no caminho da verdade.

4 de março

Leia 1Crônicas 29.10-20 e reflita

Seja autêntica

> *Eu sei, meu Deus, que examinas nosso coração e te regozijas quando nele encontras integridade.*
>
> 1CRÔNICAS 29.17

Quando construímos muros ao nosso redor para nos proteger de mágoas e decepções, criamos barreiras para que outros vejam a luz de Deus dentro de nós e seu poder operando em nossa vida. Com sabedoria e prudência, devemos aprender a não nos esconder e a ser autênticas em tudo que fazemos.

Também é fácil criar uma fachada para receber aceitação ou para impressionar outros. Mas não há como relacionar-se de fato com Deus nem com outros enquanto usamos máscaras. Deus conhece nosso coração, portanto é inútil tentarmos fingir algo para lhe causar uma boa impressão. Ele já nos ama exatamente do jeito que somos. E, se obtivermos popularidade e admiração por meio de nossas máscaras, saberemos, lá no fundo, que não somos aceitas de verdade. As pessoas gostarão apenas da imagem que projetamos, e não de nossa verdadeira identidade.

Ser íntegra significa depender de Deus para ter uma vida coerente com os valores dele. E ser autêntica significa ser quem você diz que é em todas as coisas e, principalmente, em sua fé. Confie que Deus lhe dará um coração puro e honesto, para que as pessoas vejam a graça divina agindo em você.

Senhor Deus, quero que te alegres quando olhares para meu coração e encontrares ali a integridade que teu Espírito desenvolveu em mim. Ensina-me a refletir de modo autêntico e honesto a beleza de tua santidade.

Demonstre o amor de Deus

Amem as pessoas sem fingimento. Odeiem tudo que é mau. Apeguem-se firmemente ao que é bom.

ROMANOS 12.9

Existem muitas maneiras de oferecer o amor de Deus a outros. Aqui estão três exemplos:

1. *Seja sincera.* Não finja amar os outros quando não for verdade. Se não tiver amor por alguém em seu coração, ore por essa pessoa todos os dias, e Deus lhe dará amor por ela. Não se contente apenas em *dizer* que ama alguém. *Demonstre* isso. Peça ao Senhor que encha seu coração com o amor dele e lhe mostre como compartilhá-lo.

2. *Odeie o mal.* Nossa sociedade se encontra tão repleta de perversidade que podemos nos tornar insensíveis ao mal. Ore: "Deus, que eu me entristeça com tudo que te entristece. Que eu odeie todos os atos e palavras pecaminosos ou desprovidos de amor". Essa é uma forma de demonstrar amor por Deus e pelo próximo, pois quando você tem valores espirituais os outros se sentem seguros perto de você.

3. *Apegue-se ao bem.* Não basta apenas sentir repulsa pelo mal; precisamos tomar a decisão ativa de nos apegar ao Senhor e a tudo que é bom. O bem é tudo aquilo motivado pelo amor de Deus. Apegue-se ao amor de Deus em seu coração e permita que ele seja o guia em tudo que você faz.

Senhor, quero demonstrar teu amor por outros sem fingimento, rejeitando tudo que é mau e apegando-me ao bem que vem somente de ti.

6 de março

Leia 1Timóteo 2.1-6 e reflita

Chamada para interceder

Em primeiro lugar, recomendo que sejam feitas petições, orações, intercessões e ações de graças em favor de todos.

1Timóteo 2.1

O trabalho crucial da intercessora é pôr-se diante de Deus em favor de alguém ou de alguma situação. Quando oramos, criamos uma ponte entre as necessidades de outros e os derramamentos da misericórdia de Deus.

Ser uma intercessora é um chamado celestial; o próprio chamado confirma sua autoridade para cumpri-lo.

Paulo orou pelos efésios para que Deus lhes desse "sabedoria espiritual e entendimento" a fim de que crescessem no conhecimento de Deus (Ef 1.17). Queria que o coração dos efésios fosse iluminado para que conhecessem "a esperança concedida àqueles que ele chamou e a rica e gloriosa herança que ele deu a seu povo santo" (v. 18). Nosso chamado para interceder faz parte de nossa herança e vocação cristã.

Não somos chamadas porque *nós* somos grandes, mas sim porque *Deus* é grande. Deus não chama indivíduos poderosos nem "sábios aos olhos do mundo" (1Co 1.26). "Pelo contrário, Deus escolheu as coisas que o mundo considera loucura para envergonhar os sábios, assim como escolheu as coisas fracas para envergonhar os poderosos" (v. 27). Escolheu coisas "tidas como insignificantes, e as usou para reduzir a nada aquilo que o mundo considera importante" (v. 28).

Senhor Deus, ensina-me a ser uma verdadeira intercessora. De mim mesma, não tenho poder algum, mas tu me capacitas para cumprir meu chamado. Muito obrigada pelo privilégio de orar por outros.

Leia Hebreus 6.13-20 e reflita

Confiança e esperança

Essa esperança é uma âncora firme e confiável para nossa alma.

HEBREUS 6.19

Para ter esperança, precisamos tomar a decisão de crer em Deus. Precisamos escolher depositar nossa esperança no Senhor. Isso significa tirar nosso foco das pessoas e situações e voltá-lo inteiramente para Deus. Significa confiar que Deus está no comando. Não quer dizer que paramos de orar, mas sim que, toda vez que oramos, confiamos que Deus ouve e responderá à maneira dele, no tempo dele.

Ter esperança é desejar algo com a expectativa de alcançá-lo. Quando colocamos nossa esperança no Senhor, temos a expectativa de que ele virá nos ajudar. "Mas, se esperamos por algo que ainda não temos, devemos fazê-lo com paciência e confiança" (Rm 8.25). Podemos perseverar na esperança porque cremos em Deus.

A esperança é uma âncora para a alma (Hb 6.19). Nossa alma só permanece em paz nas tempestades quando confiamos no Senhor. Paulo também afirma que devemos nos alegrar na esperança (Rm 12.12). Essa é uma decisão que tomamos diante de orações que demoram a ser respondidas e de situações que parecem não ter solução, e Deus honra essa decisão e nos concede alegria enquanto esperamos por respostas.

Querido Pai, quero depositar todas as minhas esperanças em ti, pois sei que sempre tens em mente o que é melhor para mim. Dá-me perseverança na oração, paz e alegria enquanto aguardo o teu agir.

8 de março

Leia João 14.1-7 e reflita

Jesus é o caminho

Jesus disse: "Eu sou o caminho, a verdade e a vida. Ninguém pode vir ao Pai senão por mim".

JOÃO 14.6

Jesus é o único caminho para alcançarmos nosso verdadeiro destino. Só por meio dele podemos chegar a um lugar onde teremos um relacionamento próximo com Deus e encontraremos a paz, o descanso, a esperança e o amor que sua presença nos traz.

Andar fora do caminho de Deus produz morte em nós. Jesus, porém, nos deu um caminho para um novo nascimento. Fomos geradas e recebemos vida física, mas precisamos nascer de novo para ter vida espiritual (Jo 3.6).

Quando você aceita Jesus, seu espírito adquire vida. Você experimenta as coisas do cotidiano de uma forma nova e dinâmica. Vê tudo de maneira diferente.

Jesus disse: "Quem não nascer de novo, não verá o reino de Deus" (Jo 3.3). Sem Jesus, há muitas coisas que não conseguimos ver, pois só existem no âmbito espiritual. São coisas boas e admiráveis. O reino de Deus é um lugar de bênçãos no qual só entramos se tivermos renascido no espírito ao aceitar Jesus como Senhor.

Mesmo que você tenha aceitado o Senhor anos atrás, ainda tem muito que aprender sobre ele. Somos salvas de imediato da morte espiritual, mas a salvação que vem do Senhor age em nós a vida inteira, a fim de que entendamos cada vez mais tudo que Jesus fez e permaneçamos em seus caminhos.

Senhor Jesus, eu te agradeço porque abriste para nós o livre acesso à comunhão com o Pai. Quero desfrutar plenamente essa dádiva e anunciá-la a outros a fim de que saibam que tu és o único caminho.

Você foi perdoada

Logo, todo aquele que está em Cristo se tornou nova criação. A velha vida acabou, e uma nova vida teve início!

2Coríntios 5.17

Ser perdoada não é pouca coisa. Ser purificada e resgatada por meio do sangue de Jesus derramado na cruz em nosso favor significa que você foi perdoada de todos os seus pecados passados *antes* de tê-lo aceitado como Salvador. E agora você pode se *arrepender e confessar* quaisquer pecados subsequentes diante de Deus e encontrar perdão (Ef 1.7). Portanto, o inimigo não tem nenhum direito sobre você. Jesus pôs fim à capacidade do inimigo de mantê-la cativa, pois você não está mais separada de Deus (Ef 4.8-10).

Você é uma nova pessoa, e o inimigo não pode condená-la por seu passado. Não deixe que o inimigo diga que você não tem o direito de orar e esperar uma resposta de Deus porque você é imperfeita ou porque falhou. Essas palavras *não* são revelação de Deus para sua vida; são palavras do adversário de sua alma, que tenta desanimá-la, humilhá-la e destruí-la.

Se você tem pecados não confessados em sua vida, confesse-os com um coração arrependido diante de Deus. E, sempre que o inimigo tentar desencorajá-la de orar, agradeça a Deus porque sua autoridade em oração não depende de sua própria perfeição, mas daquilo que Jesus realizou com perfeição na cruz, porque *ele* é perfeito.

Senhor Deus, muito obrigada porque me deste uma nova vida, na qual nenhum pecado pode me separar de teu amor. Examina meu coração, mostra se há algo que não é de teu agrado e concede-me arrependimento e perdão.

10 de março
Leia o Salmo 41 e reflita

Compartilhe com os necessitados

Como é feliz aquele que se importa com o pobre! Em tempos de aflição, o
Senhor o livra.

Salmos 41.1

A felicidade está ligada à nossa generosidade. As pessoas com olhar generoso sempre procuram quem está necessitado, e Deus as recompensa.

Quando aceitamos Cristo como nosso Salvador e Senhor, sua luz passa
a brilhar em nós e por meio de nós. Os outros veem essa luz e são atraídos
para ela, mesmo que não saibam o que é. Quando não compartilhamos
nossas bênçãos com outros, impedimos que a luz do Senhor seja plenamente revelada em nós. Ela continua a existir, mas não pode ser vista com
o mesmo fulgor. Podemos pedir a Deus que nos ajude a contribuir generosamente, a fim de que sua luz brilhe aos outros por nosso intermédio.

Essa contribuição envolve não apenas dinheiro, mas tudo que é necessário. Se você não tem dinheiro, pode doar seu tempo, dando carona, fazendo
uma entrega ou ajudando em alguma tarefa que a pessoa não consiga fazer
sozinha. Existem muitas maneiras de atender às necessidades dos outros;
peça a Deus que lhe mostre como fazê-lo. Dê sem esperar nada em troca.
Concentre-se na realidade de que dar agrada ao Senhor.

Nunca sinta que não tem nada para dar, pois isso nunca é verdade.
Você tem o Senhor, a fonte de provisão inesgotável.

Senhor, a quem devo ajudar hoje? De que maneira posso contribuir?
Mostra-me como ser luz ao compartilhar tuas dádivas com
generosidade, assim como tu és generoso comigo.

Sabedoria divina

Se algum de vocês precisar de sabedoria, peça a nosso Deus generoso, e rece-berá. Ele não os repreenderá por pedirem.

TIAGO 1.5

Pessoas sem sabedoria divina não são capazes de discernir coisas impor-tantes. Por isso, tomam decisões insensatas. Quando pedimos ao Espírito Santo, porém, ele nos concede a sabedoria de que precisamos.

A verdadeira sabedoria vem somente de Deus, por meio do poder de seu Espírito. E a sabedoria divina produz bom senso do melhor tipo. A presença do Espírito Santo em sua vida permite que você adquira co-nhecimento de certas coisas que, de outro modo, não teria como saber.

Você já orou em relação a uma decisão crítica em sua vida e, em certo momento, soube exatamente o que fazer? Essa é uma forma de direção do Espírito Santo. No entanto, não podemos jamais nos tornar autocon-fiantes, pois receber sabedoria divina não significa que sabemos de tudo. Significa que podemos conhecer aquilo que Deus quer que conheçamos.

Foi profetizado acerca de Jesus que "o Espírito de sabedoria e discer-nimento" estaria sobre ele (Is 11.2). Esse mesmo Espírito está em você. Portanto, você pode ser sábia, e não insensata, ao ser guiada pelo Espírito em suas decisões e escolhas.

Senhor Deus, concede-me tua sabedoria para que eu possa tomar decisões acertadas, conforme teus valores, e ter bom senso em todos os afazeres diários. Muito obrigada porque não preciso depender de meu próprio entendimento, mas posso buscar tua direção.

12 de março

Leia Isaías 44.6-20 e reflita

A cegueira da idolatria

Quanta estupidez e ignorância! Seus olhos estão fechados, e ele não consegue ver, sua mente está fechada, e não consegue compreender.

ISAÍAS 44.18

Ser idólatra é exaltar algo além de Deus. Nosso mundo está cheio de idolatria. Priorizamos trabalho, consumo, entretenimento e prazer acima de Deus. Aqueles que adoram ídolos estão cegos para a verdade e não conseguem compreender a estupidez de suas escolhas.

Quando, porém, uma pessoa toma a decisão de andar com Cristo, Deus abre seus olhos e conduz sua mente e seu coração de volta para ele sempre que ela começa a se afastar. No entanto, é preciso permanecer atenta e debaixo da direção do Senhor, orando para que os ídolos do mundo não a enganem.

A Bíblia diz que não devemos nos deixar corromper pelo mundo (Tg 1.27). Também diz que, se procurarmos ter amizade com o mundo, nos tornaremos inimigas de Deus. Certamente não queremos isso para nossa vida.

Se existe algum ídolo em sua vida que começou a cegá-la, peça a Deus por redenção. Mesmo que você tenha feito escolhas infelizes, pode arrepender-se, voltar-se para Deus e desfrutar seu perdão e suas bênçãos.

Senhor, abre meus olhos para os ídolos que tenho levantado em minha vida, por mais sutis que sejam e por melhores que pareçam. Lança tua luz sobre meu entendimento e toca meu coração de modo que meus pensamentos e sentimentos sejam inteiramente dedicados a ti. Tu és o único Deus verdadeiro. Tu és o meu Deus.

Leia João 14.1-14 e reflita

Novos planos

Quem crê em mim fará as mesmas obras que tenho realizado, e até maiores, pois eu vou para o Pai.

João 14.12

Quando oferecemos a Jesus tudo que possuímos, ele nos dá tudo que *ele* tem. Por ser filha de Deus, você faz parte da família de Deus. E, como tal, recebe o poder do nome de Jesus. Isso significa que você pode receber tudo aquilo de que necessita se orar em nome de Jesus.

Deus a vê como uma filha querida à qual ele deseja conceder muitas boas dádivas. Para que isso aconteça, porém, é preciso abrir mão de seus próprios planos, projetos, ideias, preconceitos, prioridades e senso de justiça. Por mais nobres que pareçam, eles nasceram de um coração enganoso, que pensa apenas em si mesmo. Em lugar disso tudo, é preciso, com a ajuda do Espírito, adotar os propósitos, as prioridades e a justiça de Deus, que são perfeitos e eternos.

Enquanto nos apegarmos ao nosso ego, perderemos a oportunidade de aproveitar tudo de bom que Deus reservou para nós. Ele quer nos encher de poder para darmos continuidade à obra de compaixão e misericórdia realizada por Cristo aqui na terra. Quer nos mostrar como abrir mão de nossos "tesouros" sem valor permanente para que ele nos dê seus presentes mais valiosos e duradouros. Ele tem novos planos para nós.

Senhor Jesus, ajuda-me na difícil tarefa de abrir mão de meus próprios planos e projetos, para que eu possa abraçar tudo que tens em mente para mim. Concede-me, segundo te parecer melhor, a capacitação e os recursos necessários para realizar a tua obra onde me colocares.

14 de março

Leia o Salmo 112 e reflita

Bênçãos para as próximas gerações

Como é feliz aquele que teme o Senhor e tem prazer em obedecer a seus mandamentos! Seus filhos serão bem-sucedidos em toda a terra; uma geração inteira de justos será abençoada.

Salmos 112.1-2

Não vivemos em um vácuo. Aquilo que fazemos, ou deixamos de fazer, pode afetar nossa família em vários aspectos, inclusive no âmbito espiritual. Portanto, embora cada pessoa seja responsável diante de Deus por seu relacionamento com ele, ainda há inúmeras bênçãos e benefícios que podem resultar naturalmente de nossa obediência a Deus.

Quando andamos perto de Deus, recebemos dele amor, sabedoria, paciência, perseverança, esperança e muitas outras dádivas que podem ter efeitos benéficos sobre nossos filhos e netos e outros membros das próximas gerações. Esse fato deve ser motivação adicional para procurarmos caminhar com Deus em todas as áreas de nossa vida, pedindo que ele nos ajude a remover do coração qualquer rancor, amargura ou dúvida.

Uma das formas práticas de abençoarmos nossos descendentes é contando-lhes tudo que Deus fez por nós. Não devemos manter em segredo os milagres que Deus realizou em nossa vida, mas sim transmiti-los à próxima geração visando fortalecer sua fé e confiança no Senhor. "Não esconderemos essas verdades de nossos filhos; contaremos à geração seguinte os feitos gloriosos do Senhor, seu poder e suas maravilhas" (Sl 78.4).

Querido Pai, são tantas as tuas bênçãos em minha vida! Ajuda-me a compartilhar esse tesouro com as gerações seguintes e falar de teu poder e de tuas maravilhas.

Não confie nos bens

Com amor, Jesus olhou para o homem e disse: "Ainda há uma coisa que você não fez. Vá, venda todos os seus bens e dê o dinheiro aos pobres. Então você terá um tesouro no céu. Depois, venha e siga-me".

MARCOS 10.21

É fácil buscar segurança em dinheiro e posses e deixar de lado o pleno compromisso com Deus. Não é errado possuir bens, se os recebemos de Deus de acordo com os propósitos dele, mas a busca pelas coisas materiais pode nos separar de tudo que Deus tem para nós.

Um jovem rico, que dizia obedecer a todos os mandamentos, queria saber o que poderia fazer para herdar a vida eterna (Mc 10.17-20). Jesus respondeu com as palavras de Marcos 10.21. O jovem rico ficou triste, "pois tinha muitos bens" (Mc 10.22). A riqueza havia se tornado um ídolo para ele.

Jesus não disse que toda riqueza é má. Deus não nos proíbe de possuir bens materiais. Ao longo de toda a Bíblia, ele abençoou muitos de seus amados de modo material. Mas ele não quer que essas coisas nos controlem. Elas jamais podem se tornar mais importantes do que seguir Jesus. É impressionante como o dinheiro nos afasta das coisas de Deus, se assim o permitirmos.

Graças te dou, Senhor, pelas bênçãos materiais que me concedes. Não permitas, porém, que eu me apegue a elas como fonte de segurança e satisfação. Quero que tu sejas o centro de minha vida espiritual e material.

16 de março

Leia 2Samuel 7.14-16 e reflita

Nosso Pai celestial

Eu serei seu pai, e ele será meu filho. Se ele pecar, eu o corrigirei e disciplinarei com a vara, como qualquer outro pai faria.

2SAMUEL 7.14

Reconhecer Deus como seu Pai celestial é diferente de apenas estar ciente de que ele é seu Pai celestial. Sabemos que Deus é nosso Pai porque a Bíblia nos revela esse fato. Ele deseja se relacionar conosco desse modo. Mas será que *você*, sem sombra de dúvida, sabe que Deus é um Pai que a ama, valoriza, se importa com você, cuida de você, a sustenta, protege, tira sua dor e a restaura como um bom pai deveria fazer? Sem essa certeza no íntimo de sua alma, será difícil entender como o Senhor a vê.

Quando entendemos de fato quem é o Pai celestial, conseguimos entender quem nós somos. A boa notícia é que seu Pai não apenas pode ser conhecido, mas *deseja* que você o conheça.

Jesus instruiu os discípulos a relacionar-se com Deus chamando-o de Pai celestial (Mt 6.8-9). Logo, precisamos começar nossas orações reconhecendo que Deus é nosso Pai que está no céu. Se quiser que sua vida dê certo, comece cada dia orando: "Muito obrigada, Pai celestial, por este dia".

A base de todo o seu relacionamento com Deus é o fato de você ser filha dele. Isso implica que você depende dele para tudo e, porque ele é seu Pai, pode confiar que ele a sustentará e protegerá. Afinal, não é isso que um bom pai faz?

Querido Pai, muito obrigada porque me acolheste em tua família com tanto carinho. Quero ser uma boa filha, que dê muitas alegrias ao teu coração.

Apenas o começo

Jesus disse: "Eu sou a ressurreição e a vida. Quem crê em mim viverá, mesmo depois de morrer. Quem vive e crê em mim jamais morrerá".

João 11.25-26

Aceitar Jesus é apenas o começo; é preciso lembrar-se diariamente de *tudo* que ele fez por você e aceitar esses fatos.

Aceitar Jesus como Filho de Deus e seu Salvador lhe proporciona salvação eterna. Quando morrer, você passará a eternidade com o Senhor. Se isso fosse tudo, já seria maravilhoso o bastante!

No entanto, Jesus realizou muito mais. É necessário compreender claramente *a amplitude* do que Cristo conquistou na cruz e, portanto, do que fez por você. Por exemplo, talvez você saiba que ele a livrou da morte e do inferno, mas sabe e crê de todo o coração que ele também tem poder para sustentá-la em meio aos desafios de cada dia?

Jesus a salvou para estar com Deus eternamente e servir a seus propósitos em tudo que você faz. Salvou-a das consequências de viver longe do Senhor e de seus caminhos.

Ele "entregou sua vida para nos libertar de todo pecado, para nos purificar e fazer de nós seu povo, inteiramente dedicado às boas obras" (Tt 2.14). Cristo a purifica para que você realize as boas obras que Deus já preparou para você. Entender, de fato, que ele a ama a tornará mais desejosa de fazer o que agrada a Deus.

Senhor Jesus, a salvação que me deste foi apenas o começo de uma bela jornada contigo. Traze à minha lembrança as tuas obras em meu favor e cria em mim o desejo de agradar-te e servir-te em todas as áreas de minha vida.

18 de março

Leia Marcos 11.20-24 e reflita

Removendo barreiras

Então Jesus disse aos discípulos: "Tenham fé em Deus. Eu lhes digo a verdade: vocês poderão dizer a este monte: 'Levante-se e atire-se no mar', e isso acontecerá. É preciso, no entanto, crer que acontecerá, e não ter nenhuma dúvida em seu coração. Digo-lhes que, se crerem que já receberam, qualquer coisa que pedirem em oração lhes será concedido".

MARCOS 11.22-24

Relacionamentos familiares são algo muito delicado que, com frequência, gera conflitos. Podemos aplicar essa passagem a situações em que há resistência entre membros da família para expressar ou receber amor. Esse tipo de barreira pode parecer tão impossível de remover quanto uma montanha. E, no entanto, Jesus disse que há como remover esse obstáculo se tivermos fé em seu poder e em sua vontade. Aprender a amar e receber amor e ajudar outros a fazê-lo é sempre a vontade de Deus.

Ore para que Deus lhe mostre se existe resistência de sua parte a amar ou receber amor de alguém em sua família. Peça que ele remova essas barreiras. Isso trará bênção para sua vida e para a vida das pessoas ao seu redor.

Senhor, tu conheces minhas áreas de dificuldade nos relacionamentos familiares. Peço que removas as barreiras que me impedem de amar outros e de receber o amor deles. Promove harmonia e paz em nossa família, para que possamos caminhar e crescer juntos debaixo de tua graça.

Leia Romanos 6 e reflita

Liberdade e luz

Sabemos que nossa velha natureza humana foi crucificada com Cristo, para que o pecado não tivesse mais poder sobre nossa vida e dele deixássemos de ser escravos.

Romanos 6.6

Jesus disse que não veio ao mundo para julgar ou condenar pessoas, mas para salvá-las e libertá-las. Quando vivíamos no reino das trevas, o pecado controlava nossa vida e não tínhamos liberdade de escolher fazer o bem. Jesus nos libertou de tudo que nos escravizava, e a liberdade que ele nos deu é definitiva. Graças à sua morte e ressurreição, nunca seremos escravas novamente.

Quem é escravo do pecado vive na escuridão, mas nós jamais voltaremos a andar nas trevas. Mesmo quando atravessamos tempos sombrios ou situações tenebrosas, a luz de Deus está sempre à nossa frente. Jesus é a luz do mundo, e quem o segue não andará na escuridão (Jo 8.12). Essa luz em nós nunca será apagada.

Nós, que amamos a Deus, queremos que a luz de Cristo exponha tudo em nosso interior que tem a ver com as trevas, pois as obras das trevas nos impedem de realizar nosso pleno potencial na jornada espiritual.

Jesus veio para lhe dar liberdade. O inimigo vem para roubá-la e destruí-la. Jesus veio para lhe dar sua luz e também a vida eterna. O inimigo vem para lhe dar trevas e morte. Escolha receber o dom da vida que *Deus* tem para você.

Senhor, eu te agradeço pela liberdade que me deste em Cristo. Quero usá-la para te servir e te agradar e para compartilhar a luz da salvação com aqueles que ainda são escravos do pecado. Ilumina minha vida para que eu seja fonte de bênção.

20 de março

Leia Salmos 62.1-4 e reflita

Suas expectativas

Em silêncio diante de Deus, minha alma espera, pois dele vem minha vitória.
SALMOS 62.1

Quanto mais expectativas temos em relação a outras pessoas, mais nos frustramos. E, quando vivemos em função das expectativas dos outros, jamais encontramos satisfação, pois atrelamos nossa felicidade à aprovação alheia.

Livre-se do maior número possível de expectativas. As mudanças que você gostaria que ocorressem em outras pessoas, ou que você mesma procura realizar para agradar outros, estão fadadas ao fracasso e trarão desapontamentos para todas as partes envolvidas.

Em vez de esperar que outros mudem ou de tentar mudar a si mesma com suas próprias forças, peça a Deus para efetuar quaisquer mudanças necessárias. Ele fará um trabalho muito melhor, pois, como disse o sábio em Eclesiastes: "E sei que tudo que Deus faz é definitivo; não se pode acrescentar ou tirar nada" (Ec 3.14).

Peça ajuda a Deus para aceitar outras pessoas — e a si mesma! — como são e peça crescimento. Quando as mudanças acontecerem, você saberá que foi obra do Espírito. Deposite suas maiores expectativas em Deus.

Tu sabes, Senhor, como tenho facilidade de formar expectativas em relação a outros ou de tentar viver em função daquilo que eles esperam de mim. Mostra-me como esperar somente em ti, certa de que realizarás as mudanças necessárias no devido tempo.

Leia Ezequiel 36.22-38 e reflita

O que significa ter o Espírito Santo?

Eu lhes darei um novo coração e colocarei em vocês um novo espírito. [...]
Porei dentro de vocês meu Espírito, para que sigam meus decretos e tenham
o cuidado de obedecer a meus estatutos.

EZEQUIEL 36.26-27

A habitação do Espírito dentro de você tem várias implicações importantes.

Significa que você pertence a Deus. O Espírito Santo é a garantia de que você foi resgatada por Deus e pertence a ele. "Vocês, porém, não são controlados pela natureza humana, mas pelo Espírito, se de fato o Espírito de Deus habita em vocês. E, se alguém não tem o Espírito de Cristo, a ele não pertence" (Rm 8.9).

Significa que estará com Jesus após a morte. O Espírito que ressuscitou Jesus dos mortos fará o mesmo com você. "E, se o Espírito de Deus que ressuscitou Jesus dos mortos habita em vocês, o Deus que ressuscitou Cristo Jesus dos mortos dará vida a seu corpo mortal, por meio desse mesmo Espírito que habita em vocês" (Rm 8.11).

Significa que tem auxílio na oração. O Espírito nos ajuda a orar com eficácia, mesmo quando não sabemos o que pedir. "E o Espírito nos ajuda em nossa fraqueza, pois não sabemos orar segundo a vontade de Deus, mas o próprio Espírito intercede por nós com gemidos que não podem ser expressos em palavras" (Rm 8.26).

Senhor Deus, muito obrigada pelas ricas bênçãos resultantes da habitação
de teu Espírito em mim. Mostra-me como viver de modo coerente com essa
realidade, lembrando-me de suas implicações para os desafios de hoje.

22 de março

Leia Lucas 6.12-19 e reflita

Passar tempo com Deus

> *Certo dia, pouco depois, Jesus subiu a um monte para orar e passou a noite orando a Deus.*
>
> LUCAS 6.12

Para nos tornarmos tudo que Deus quer que sejamos, precisamos passar tempo com ele em oração. A comunicação de Jesus com Deus Pai era constante. Era de onde vinha seu poder, e esse mesmo poder nos é concedido quando falamos com Deus Pai em nome de Jesus. Somos capacitadas da mesma forma que o Filho, ou seja, pelo Espírito Santo, mediante a oração.

Nosso relacionamento com Deus deve ser de amor — desejo de estar com ele —, assim como era o de Jesus com seu Pai celestial. Jesus não apenas pedia coisas. Tinha o desejo de andar e falar com Deus e estar em sua presença. Duvido que Jesus orasse por *obrigação*; ele o fazia por amor.

Tenho desejo de orar a meu Pai celestial em nome de Jesus porque não consigo viver sem a presença dele em minha vida. Há um vazio em nossa alma que não pode ser preenchido por nada, exceto por Deus. Ele nos dá seu Espírito Santo quando aceitamos Cristo, mas espera que nos aproximemos dele para uma renovação diária. Não é que o Espírito Santo se torne fraco em nossa vida; nós é que ficamos fracas sem uma renovação frequente. A maneira de satisfazer nossas necessidades espirituais — e todas nós as temos, quer as reconheçamos, quer não — é passar tempo com nosso Pai celestial em oração.

Querido Pai, cria em mim o desejo cada vez maior de desfrutar tua companhia em oração e quietude. Quero ser nutrida por tua Palavra e revigorada por tua presença.

A Palavra de Deus

Pois a palavra de Deus é viva e poderosa. É mais cortante que qualquer espada de dois gumes, penetrando entre a alma e o espírito, entre a junta e a medula, e trazendo à luz até os pensamentos e desejos mais íntimos.

HEBREUS 4.12

A menos que nos concentremos em Deus todos os dias, acabamos nos voltando para nós mesmas. A fim de que nosso coração se fortaleça na fé, é necessário que a Palavra de Deus faça parte de nossa rotina diária.

A Palavra de Deus é viva. Quando vivemos conforme a Palavra, somos revigoradas. Uma vez que a Bíblia é inspirada pelo Espírito Santo, ele a torna mais clara em nossa mente e alma conforme lemos. A cada nova leitura, ele traz mais entendimento a nosso espírito. Isso só acontece, porém, quando nascemos de novo espiritualmente. O Espírito Santo nos dá entendimento que não tínhamos antes de nossos olhos espirituais terem sido abertos.

A Palavra de Deus é poderosa, mas não devemos simplesmente *ler* a Palavra; devemos *praticá-la*. Paulo disse: "Pois o simples ato de ouvir a lei não nos torna justos diante de Deus, mas sim a obediência à lei é que nos torna justos aos olhos dele" (Rm 2.13).

Senhor Deus, preciso de tua ajuda para me aprofundar no estudo de tua Palavra, a fim de entendê-la corretamente e aplicá-la à vida diária. Que ela traga à luz todos os meus pensamentos e desejos, para que sejam conformados à tua vontade.

24 de março

Leia Salmos 119.9-16 e reflita

Busque direção específica

Guardei tua palavra em meu coração, para não pecar contra ti.

SALMOS 119.11

Quanto mais você guardar a Palavra de Deus na mente, mais ouvirá a voz de Deus lhe falando ao coração. Ele jamais a guiará a um caminho que não seja totalmente condizente com as Escrituras.

Deus é bastante específico. Quando instruiu Moisés em relação a ofertas, festas, sábados, cuidado com o tabernáculo, rituais de limpeza, normas para o sacerdócio e muitas outras coisas, apresentou instruções detalhadas. Todo mundo sabia exatamente o que devia fazer, e também o que não devia fazer. Nada foi deixado ao acaso. Deus deu a promessa da bênção caso obedecessem, e a promessa do castigo caso se rebelassem (Lv 26).

Deus também é bastante específico em relação ao que ele deseja que você faça. Por isso ele lhe falará ao coração sobre coisas relevantes para sua situação individual, particularidades não mencionadas de forma literal na Bíblia. Por exemplo, Deus não diz especificamente na Palavra qual emprego escolher ou qual casa comprar, mas ele lhe falará ao coração acerca dessas decisões quando você orar e pedir que ele lhe mostre.

Se quisermos sucesso em nossa vida pessoal, devemos ouvir as instruções específicas do Espírito para nós.

Senhor, eu te agradeço pelas instruções de tua Palavra. Mostra-me como aplicá-las de modo específico às minhas circunstâncias e decisões, para que eu nunca me desvie de teus planos e propósitos para mim.

Leia João 4.1-10 e reflita

Fonte de água viva

Se ao menos você soubesse que presente Deus tem para você e com quem está falando, você me pediria e eu lhe daria água viva.

João 4.10

Teremos de passar a vida inteira crescendo no conhecimento do Senhor para entender tudo que Jesus fez por nós. Sei disso porque ando com Jesus há décadas, e até hoje ele continua a me revelar mais a seu respeito e me permite compreender melhor as muitas dádivas que me concedeu em seu sacrifício de amor.

Entre essas inúmeras bênçãos, Jesus lhe dá uma fonte eterna de água viva que brota dentro de você. Ela procede do Espírito Santo que habita em seu interior e lhe proporciona um manancial contínuo de vida.

Quando Jesus pediu água à mulher à beira do poço em Samaria, ela perguntou por que ele, sendo judeu, pediu água a uma samaritana. Jesus disse à mulher que, se ela soubesse quem ele era, pediria "água *viva*". E explicou: "Quem bebe desta água logo terá sede outra vez, mas quem bebe da água que eu dou nunca mais terá sede. Ela se torna uma fonte que brota dentro dele e lhe dá a vida eterna" (Jo 4.13-14). Essa fonte eterna de vida brota do Espírito presente naqueles que creem.

Sem Jesus e o Espírito Santo, mesmo que você acredite em Deus, terá apenas aparência de religiosidade (2Tm 3.5). Precisamos, contudo, de verdadeira piedade, do poder real de Deus fluindo livremente em nossa vida.

Senhor Deus, minha fonte eterna, dá-me de beber de tua água viva a cada dia para que eu tenha verdadeiro vigor espiritual, e não apenas aparência de religiosidade.

26 de março

Leia Romanos 7.14-25 e reflita

Naturezas conflitantes

Quero fazer o bem, mas não o faço. Não quero fazer o que é errado, mas, ainda assim, o faço.

ROMANOS 7.19

Precisamos reconhecer que, por conta própria, somos incapazes de obedecer às leis divinas. Somos fracas demais. Nem sempre conseguimos fazer a coisa certa, mesmo quando queremos. Com frequência, acabamos fazendo justamente aquilo que não desejamos. Mesmo alguém forte na fé como o apóstolo Paulo lutava com esse problema.

Depois que aceitamos a Cristo, temos um conflito interior entre a velha natureza pecaminosa e a nova natureza redimida. A carne tem seus desejos distorcidos, enquanto a mente renovada deseja servir às leis de Deus. Jesus indagou: "Por que vocês me chamam 'Senhor! Senhor!', se não fazem o que eu digo?" (Lc 6.46). Se chamamos Jesus de "Senhor", precisamos pedir a ajuda dele para aprender a discernir entre certo e errado. E somente por meio da leitura da Palavra de Deus conseguimos enxergar o que fazemos de errado. Embora possamos escolher fazer o que é certo, é o poder do Espírito Santo que nos capacita a isso.

Jesus nos liberta para que vivamos no poder do Espírito Santo. Cabe a nós escolher ler a Palavra de Deus e orar para que o Espírito Santo a vivifique em nosso coração e nos capacite a seguir os caminhos do Senhor.

Graças te dou, Senhor, porque a obra de Jesus Cristo é a resposta para o conflito que ainda existe dentro de mim. Ajuda-me a despir-me da velha natureza e revestir-me inteiramente da nova natureza que tenho em ti.

O fim do mal

O diabo [...] foi lançado no lago de fogo que arde com enxofre, onde já estavam a besta e o falso profeta. Ali serão atormentados dia e noite, para todo o sempre.

ApoCALIPSE 20.10

Deus é o criador de todas as coisas, mas não criou o mal. Criou, sim, belos seres angelicais. Lúcifer, um desses seres, se rebelou contra o Senhor e convenceu outros anjos a acompanhá-lo. Ele e seus seguidores caíram na terra e tornaram-se Satanás e seus demônios (Is 14.12-14).

Satanás estava tão cheio de si que o orgulho o motivou a fazer uma escolha terrível. Perdeu sua posição no reino de Deus, pois adorou a si mesmo em vez de adorar o Senhor. Por escolha, Satanás passou a ser inimigo de Deus e a raiz de toda a maldade que existe.

Deus não é a origem do mal no mundo nem em sua vida. O mal existe por causa da escolha de indivíduos, sociedades e nações de rebelar-se contra Deus e rejeitar seu amor. Para combatê-lo, recorremos ao poder de Deus. Quando andamos com Deus e o servimos com dedicação, conquistamos território do inimigo e contribuímos para expandir o reino de Deus, um reino de paz, justiça, graça e bondade.

Não precisamos, portanto, nos desesperar diante da maldade. Estamos lutando contra um inimigo derrotado. Sabemos que Deus está no controle e, um dia, colocará todas as coisas em ordem e lançará o inimigo no lago de fogo.

~

Senhor Todo-poderoso, quando a maldade do mundo me desanimar, peço que me ajudes a lembrar que tu és soberano e estás encaminhando a história para o novo céu e a nova terra permeados por tua presença.

28 de março

Leia Salmos 81.8-16 e reflita

Ouça as advertências

Ó meu povo, ouça minhas advertências; quem dera você me escutasse, ó Israel!

SALMOS 81.8

Josias foi um dos grandes reis de Judá. Seguiu a lei de Deus e realizou importantes reformas. Também buscou o Senhor e removeu de seu reino falsos deuses e ídolos. Mas ele não ouviu quando Deus lhe falou por meio de Neco, rei do Egito. Embora Neco o tivesse alertado de que Deus estava com ele, e não com Josias (e, portanto, que Josias não deveria enfrentá-lo), o rei de Judá não aceitou a advertência. Se Josias tivesse perguntado a Deus, teria ouvido em seu coração uma palavra vinda do Espírito Santo, dizendo-lhe que Deus estava falando por meio do rei do Egito e avisando-o para não guerrear. Mas Josias não perguntou e, por isso, foi morto na batalha (2Cr 35.20-24).

Quantas vezes essa mesma situação ocorre conosco? Quantas vezes um aviso é transmitido por meio de alguém a quem não damos atenção, e os resultados são desastrosos?

Devemos ouvir com atenção os avisos de outros e, então, compará-los com o que a Bíblia ensina, pedindo que o Espírito nos revele se de fato são advertências de Deus. Nem todo conselho é uma palavra do Senhor, mas é bom ter humildade e maturidade para aceitar que, por vezes, Deus revela sua vontade dessa maneira.

Senhor Deus, peço que mantenhas meus ouvidos e meu coração abertos para as advertências que envias por intermédio de outros em minha vida. Dá-me sabedoria e discernimento para que eu seja capaz de identificar as mensagens que vêm de ti.

Palavra que habita em nós

Que a mensagem a respeito de Cristo, em toda a sua riqueza, preencha a vida de vocês.

COLOSSENSES 3.16

Eis alguns bons motivos para permitir que a Palavra de Deus habite em você:

- Para que suas orações sejam ouvidas e respondidas (Pv 28.9; Jo 15.7).
- Para receber cura e livramento (Sl 107.20).
- Para receber tudo que Deus planejou para você (Sl 84.11).
- Para ter paz (Sl 119.165).
- Para ter o alimento da alma (Mt 4.4).
- Para perceber a presença de Deus (Sl 15.1-2).

Permitir que a Palavra habite em nós significa criar espaço em nossa rotina diária para não apenas ler, mas também meditar sobre o significado das Escrituras, estudá-las com o auxílio de recursos adicionais (dicionários, notas de estudo, concordâncias etc.) e deixar que Deus nos fale ao coração por meio daquilo que aprendemos.

É extremamente importante compreender, porém, que a leitura da Palavra de Deus não nos torna justos. A justiça vem apenas por meio da fé em Cristo (Fp 3.9). A Palavra, de si mesma, não nos salva. No entanto, ela é o alimento essencial de todos que são novas criaturas em Cristo.

Querido Deus, quero desfrutar todos os benefícios da presença de tua Palavra em meu coração e em meus pensamentos. Ajuda-me a refletir em profundidade sobre teus ensinamentos e promessas e transmiti-los fielmente a outros.

30 de março

Leia Tiago 1.16-18 e reflita

Boas dádivas

> *Toda dádiva que é boa e perfeita vem do alto, do Pai que criou as luzes no céu. Nele não há variação nem sombra de mudança.*
>
> TIAGO 1.17

Só somos capazes de receber tudo que Deus tem para nós quando entendemos tudo que ele fez por nós em Cristo. Ele nos amou a ponto de lavar com seu sangue todos os nossos pecados (Ap 1.5). Ele é a Palavra Viva e é nosso Salvador. Libertou-nos das consequências de nossos pecados, falhas, erros e ignorância e nos tornou suas filhas amadas. Nele encontramos tudo de que precisamos (1Co 8.6).

Cristo veio como luz ao mundo, para que jamais tivéssemos de viver em trevas (Jo 12.46). E, uma vez que Cristo nos salvou, temos o Espírito Santo dentro de nós (Rm 8.9). Ele é o selo e o sinal de que pertencemos a Deus e de que ele está sempre conosco. Graças a tudo que Deus fez por nós, viveremos para sempre com ele.

Nosso Pai de amor reparte conosco sua paz, seu poder, seu Espírito e sua plenitude. Cristo é a inesgotável fonte de água viva em nós (Jo 4.10) e é o pão do céu que alimenta nossa vida (Jo 6.48). É o bom pastor que nos conduz com carinho (Jo 10.14). Ele é o caminho, a verdade e a vida (Jo 14.6). É nosso alicerce (1Co 3.11). É o Deus imutável, do qual podemos depender eternamente (Hb 13.8). Nele, temos bênçãos incontáveis.

> *Senhor, não tenho palavras para expressar como sou grata pelas dádivas de valor incalculável que me concedes. Quanto amor e quanta bondade! Ajuda-me a demonstrar gratidão por meio de minhas ações e escolhas diárias.*

A prática de agradecer

Façam tudo sem queixas nem discussões.

FILIPENSES 2.14

Algumas pessoas têm o hábito de se queixar. Encontram poucos motivos de gratidão e reclamam de tudo em vez de olhar para as coisas boas da vida. Sentem-se infelizes e insatisfeitas.

Depender de Deus e agradecer por tudo que ele nos dá e tudo que faz por nós a cada dia gera um coração agradecido. Também nos abre as portas para as muitas bênçãos divinas reservadas para nós. Quando Deus encontra um coração disposto a agradecer, ele o enche de amor, paz, alegria, beleza e poder. Em outras palavras, ele o enche com sua presença. E quem não precisa disso?

Se desejamos desfrutar mais os benefícios da presença de Deus, devemos começar com a prática da gratidão por dádivas específicas. Não se trata apenas de dizer "Obrigada por tudo, Senhor". Precisamos olhar ao redor e reconhecer que tudo que temos, desde o alimento diário até as forças para trabalhar, é presente de Deus.

Em vez de concentrar-se nas dificuldades e queixar-se delas, criando um ambiente de descontentamento ao seu redor, escolha sempre a gratidão. Sua vida será mais saudável, alegre e produtiva!

Deus de amor, bondade e generosidade, quero estar mais atenta para todos os teus presentes e desenvolver o hábito da gratidão. Perdoa-me quando dou lugar a um espírito murmurador e insatisfeito e ajuda-me a ser mais agradecida em todas as circunstâncias, pois tu és sempre bom.

1º de abril

Leia Hebreus 11.8-10 e reflita

Direção divina

Pela fé, Abraão obedeceu quando foi chamado para ir à outra terra que ele receberia como herança. Ele partiu sem saber para onde ia.

HEBREUS 11.8

Para viver na vontade do Senhor é preciso caminhar com ele passo a passo, fazendo o que você sabe ser a vontade dele a cada dia. Por exemplo, é sempre da vontade de Deus que o adoremos, que oremos sem cessar, estudemos sua Palavra e lhe rendamos graças. É sempre da vontade de Deus que vivamos no temor do Senhor e sejamos encorajadas pelo Espírito Santo (At 9.31).

Se você deseja descobrir os planos de Deus para seu futuro, escute atentamente a orientação do Espírito à medida que caminha com ele. Quando você conta com o Espírito para cada passo, ele a conduz até onde precisa ir a fim de avançar para o futuro que ele lhe reservou. Não conhecemos todos os detalhes do porvir. No entanto, sabemos que o futuro que Deus tem para nós é muito melhor que qualquer um de nossos planos.

Abraão não sabia para onde estava indo quando saiu na jornada para a qual Deus o chamou. Mas ele sabia que seguir a direção de Deus e fazer a vontade dele era a única forma de viver. Sua vida se tornou uma das histórias de maior sucesso de todos os tempos. E tudo que Abraão fez foi seguir fielmente a direção do Senhor.

Senhor, quero estar aberta para receber tua direção e seguir teus planos, um passo de cada vez. Preciso de teu auxílio para discernir tua vontade e cumpri-la com um coração obediente.

Influência transformadora

O reino dos céus é como o fermento usado por uma mulher para fazer pão. Embora ela coloque apenas uma pequena quantidade de fermento em três medidas de farinha, toda a massa fica fermentada.

MATEUS 13.33

Deus conhece seu futuro. Você não é um acidente nem uma surpresa para ele, e seu futuro já está planejado. Só você mesma pode levantar obstáculos para que esse futuro se realize, ao deixar de buscar a orientação de Deus.

E Deus não apenas planejou seus dias, mas pensa em você o tempo todo. Ele tem um interesse pessoal em sua vida, e os pensamentos dele são sempre voltados na sua direção. A prova de que ele sempre está com você é a presença do Espírito Santo em sua vida. Será que Deus pensa mais em você do que você pensa nele?

Jesus disse que o reino dos céus é como a minúscula semente de mostarda que cresce e se torna a maior das hortaliças (Mt 13.31-32). O reino dos céus também é como o fermento que se espalha e transforma a vida das pessoas (Mt 13.33). É desse modo que o reino de Deus se insere em sua vida. Por meio do poder do Espírito em você, ele cresce e exerce influência transformadora em todas as partes de seu ser, alcançando sua mente, suas emoções e seu caráter. O Espírito Santo sempre o guiará para a transformação.

Graças te dou, Senhor, porque já escreveste todos os meus dias e pensas em mim o tempo todo. Que verdade extraordinária! Quero submeter-me cada vez mais à influência transformadora de teu Espírito, para que ele permeie toda a minha vida.

3 de abril

Leia Josué 1.6-9 e reflita

Regras para o seu bem

> *Relembre continuamente os termos deste Livro da Lei. Medite nele dia e noite, para ter certeza de cumprir tudo que nele está escrito. Então você prosperará e terá sucesso em tudo que fizer.*
>
> JOSUÉ 1.8

As leis e os mandamentos de Deus estão na Bíblia porque ele nos ama e deseja o melhor para nós. Deus nos dá regras para o nosso próprio bem.

Assim como qualquer pai amoroso, Deus estabelece limites. Pais que permitem que os filhos façam o que bem entendem formam crianças instáveis, inseguras e descontroladas. Quando se comportam mal, não sofrem as consequências e, por isso, acreditam que não há problemas em quebrar regras. Ninguém quer ter por perto crianças desse tipo. Elas, por sua vez, sentem esse afastamento e sua personalidade é influenciada por ele. Com o tempo, seu comportamento se torna cada vez pior, o que produz ainda mais rejeição. Tudo isso acontece porque os pais não amam os filhos a ponto de instituir regras.

Como filhas de Deus, também precisamos de limites a fim de viver bem. As leis instituídas por Deus a libertam para cumprir os planos e os propósitos que ele tem para você. Na Palavra, você descobrirá o que funciona, o que não funciona e o que jamais funcionará. Evitará quaisquer caminhos que possam prejudicá-la e andará em segurança. Entenderá que as regras da Bíblia são para o seu bem.

Senhor, eu te agradeço porque te preocupas comigo a ponto de estabelecer regras que visam o meu bem. Desenvolve em mim um coração cada vez mais obediente e grato por esse amor cuidadoso.

Livres do poder do pecado

E, por causa de sua glória e excelência, ele nos deu grandes e preciosas promessas. São elas que permitem a vocês participar da natureza divina e escapar da corrupção do mundo causada pelos desejos humanos.

2Pedro 1.4

Todos os seres humanos estão sujeitos a pecar. Quem não crê nisso está fadado a cair. "Pois todos pecaram e não alcançam o padrão da glória de Deus" (Rm 3.23). No entanto, temos a opção de recusar nossa natureza pecaminosa e participar da natureza divina. Deus nos concedeu os meios de escapar da corrupção causada pelos desejos humanos. Nossa velha natureza quer as coisas sempre do seu jeito. Mas podemos escolher desejar o que *Deus* quer.

Quando as pessoas ignoram a verdade e adotam uma visão distorcida de Deus e da Bíblia para justificar a si mesmas, acabam fazendo o que bem entendem. Ao rejeitar o Senhor e suas leis, entregam-se a seus próprios estilos de vida autodestrutivos. Mas Deus nos deu um caminho para nos tornarmos semelhantes a ele e escaparmos disso tudo. Quando recebemos Jesus, passamos a estar "mortos para o poder do pecado e vivos para Deus em Cristo Jesus" (Rm 6.11). Não precisamos permitir que o pecado continue a dominar nossa vida, pois podemos escolher não dar lugar a ele (Rm 6.12). Estamos livres do seu poder.

Senhor Deus, muito obrigada pela liberdade que me concedeste para que eu ande conforme teus preceitos e não dê espaço para o pecado. Peço que teu Espírito me ajude a escolher sempre teus caminhos, lembrando-me de tuas grandes e preciosas promessas.

5 de abril

Leia 1 Tessalonicenses 4.1-8 e reflita

Chamadas para a santidade

Pois Deus nos chamou para uma vida santa, e não impura.

1 TESSALONICENSES 4.7

Deus nos chama para sermos santas como ele é santo. Talvez você esteja pensando: "Mas isso é impossível!". Concordo. Não podemos ser santas por nós mesmas, mas somente pelo poder do Espírito Santo operando em nós. Paulo disse que Deus nos chamou para a santidade, e não para a impureza (1Ts 4.7). Também disse que, se rejeitamos as regras para uma vida santa, rejeitamos a Deus, "que lhes dá seu Espírito Santo" (1Ts 4.8). Em outras palavras, rejeitamos tudo aquilo de que precisamos para ser santas.

A promessa de que Deus habitará entre nós e será nosso Pai deve ser suficiente para levarmos uma vida dedicada e agradável a Deus, purificando-nos "de tudo que contamina o corpo ou o espírito, tornando--nos cada vez mais santos porque tememos a Deus" (2Co 7.1). Quando reconhecemos tudo que o Senhor fez por nós, fazemos o necessário para viver em santidade, como lhe é agradável. "E todos que têm essa esperança se manterão puros, como ele é puro" (1Jo 3.3). Ser serva de Deus nos conduz a uma vida de santidade (Rm 6.22), e uma vida de santidade é nosso bem mais valioso. Quando buscamos a santidade, experimentamos grande segurança e bênção.

Senhor, não sou capaz de andar em santidade com minhas próprias forças. Preciso do poder de teu Espírito a cada momento, para viver de modo agradável a ti em todos os aspectos. Mostra-me como depender de ti cada vez mais a fim de ser uma serva dedicada e santa.

A alegria de adorar

Tudo que há na terra te adorará; cantará louvores a ti e anunciará teu nome em cânticos.

SALMOS 66.4

Não consigo enumerar as vezes em que entrei na igreja, cantei músicas de louvor e adoração junto com outras pessoas ali e senti a dureza de meu coração abrandar, minha atitude negativa mudar e alegria pura surgir dentro de mim. Na verdade, só conheci a alegria verdadeira depois que a vivenciei na adoração. A alegria do Senhor nasceu em meu coração como o sol, trazendo cura, edificação, profundidade, calma, segurança e redenção.

Não posso nem desejo viver sem essa alegria em meu coração. Fico deslumbrada com a presença de Deus e tudo que ele é. Não importa mais o que eu enfrentei ou em que circunstâncias me encontrei.

Tive percepção da presença de Deus muitas vezes ao longo da vida, e cada uma delas foi transformadora. Mas sempre me lembrarei com carinho da primeira vez, quando saí das trevas do passado e dos hábitos de pensamentos negativos que ameaçavam destruir minha vida e entrei na luz fulgurante do Senhor.

Você precisa da mesma experiência de deixar de lado suas preocupações e seus problemas e estar na presença do Senhor, permitindo que o amor divino a purifique e a encha de paz e alegria.

Ó Deus, como é bom te adorar e me alegrar em tua presença! Muito obrigada porque tu és maior que todos os meus medos, inquietações e ansiedades. És digno de toda glória, honra e poder!

7 de abril

Leia o Salmo 95 e reflita

A voz do Senhor

Quem dera hoje vocês ouvissem a voz do Senhor!

SALMOS 95.7

Aprender a ouvir a voz de Deus é fundamental para permanecer na vontade dele. E não pense nem por um momento que não é possível ouvir Deus. Se o demônio pode induzi-la a fazer algo errado, Deus certamente pode lhe dizer para fazer algo certo. E o Espírito Santo lhe dará a capacidade de saber a diferença.

As promessas de Deus para nós se cumprem à medida que vivemos conforme sua vontade. Nele temos provisão, vitória, bênçãos e o alívio necessário. Quanto mais amadurecemos no Senhor, mais dependentes dele nos tornamos.

Deus abre e fecha portas em sua vida. Quando você busca a vontade divina acima de todas as coisas, ele fecha a porta para tudo que não é do agrado dele. Se você está prestes a fazer algo que não deve, não terá a paz de Deus. Ficará inquieta, perturbada ou com o coração pesado. Se uma decisão que está prestes a tomar é da vontade de Deus, terá paz e alegria, mesmo que esse passo de fé lhe pareça assustador. O Espírito intercede por nós segundo a vontade de Deus (Rm 8.27). Ele conhece a vontade de Deus porque é Deus, e guiará você a orar de acordo com a vontade dele. Deixe o Espírito agir e você ouvirá a voz do Senhor.

Senhor, torna-me cada dia mais atenta à tua voz e sensível à tua direção.
Quero permanecer próxima de ti, em total dependência da
ação de teu Espírito, para fazer tua vontade hoje.

Livre-se dos pesos

Livremo-nos de todo peso que nos torna vagarosos e do pecado que nos atra-palha, e corramos com perseverança a corrida que foi posta diante de nós.
HEBREUS 12.1

Deus quer que você se separe de tudo que o separa dele. Isso inclui rebel-dia, más influências, práticas nocivas e bens materiais que não glorificam a Deus.

Não somos perfeitas. Todas nós, até as mais dedicadas, somos passíveis de nos envolver com coisas que desagradam a Deus. Contudo, quanto mais andamos com o Senhor, mais nos tornamos cientes do que o entristece. E, quanto mais conhecemos a Deus, menos queremos entristecê-lo.

Separar-nos de coisas que não glorificam a Deus é uma questão de reverência. Com isso afirmamos que temos o temor de Deus em nosso coração. E temer a Deus significa que estamos cientes das consequências de não temê-lo. A pior delas é a separação de Deus. Ninguém que já sen-tiu o amor, a paz e a presença transformadora de Deus quer se distanciar dele.

Não podemos nos apegar a nada que não seja agradável a Deus. De-vemos pedir a ele que nos mostre tudo de que precisamos nos separar. Às vezes não nos damos conta dos pecados que permitimos em nossa vida enquanto não pedimos a Deus para trazê-los ao nosso conhecimento.

Quando Deus lhe revelar algo, peça ajuda para se livrar de tudo em sua vida que não pertence a ele. Essas coisas são apenas pesos.

Senhor, mostra-me se há algo em minha vida que te desagrada e que me prejudica de algum modo. Ajuda-me a deixar para trás tudo que atrapalha minha caminhada contigo.

9 de abril

Leia Tiago 4.1-6 e reflita

Rejeite o orgulho

> *Contudo, ele generosamente nos concede graça. Como dizem as Escrituras: "Deus se opõe aos orgulhosos, mas concede graça aos humildes".*
>
> TIAGO 4.6

O orgulho é a principal característica do inimigo. Quando somos orgulhosas, alinhamo-nos aos planos dele. Uma vez que fomos criadas à imagem de Deus, jamais devemos pensar em nós mesmas como tendo *menos* valor do que Deus nos atribui, mas também não devemos pensar em nós mesmas como *mais* importantes que os outros. "Não se considerem melhores do que realmente são" (Rm 12.3). O orgulho nos leva a nos comparar com outros, quando deveríamos nos comparar apenas com os padrões de Deus. "Se vocês se consideram importantes demais para ajudar os outros, estão apenas enganando a si mesmos" (Gl 6.3).

Deus quer que vivamos "de maneira digna da vocação" que recebemos, seja qual for essa vocação, mas ele não quer que permitamos nem mesmo uma partícula de orgulho a esse respeito (Ef 4.1). Não devemos nos atormentar com autocrítica nem nos lamentar pelo que pensamos carecer. Isso também é um tipo de orgulho. A verdade é que não somos mais valiosas por causa do que fazemos; antes, nosso valor vem daquilo que Jesus realizou por nós.

Senhor, peço que reveles todo tipo de orgulho em meu coração. Concede-me arrependimento das ocasiões em que tenho sido orgulhosa e fortalece-me para que eu resista à tentação de comparar--me com outros. Muito obrigada porque minha identidade e meu valor estão firmemente arraigados em ti.

Oração e amor

Assim, podemos identificar quem é filho de Deus e quem é filho do diabo.
Quem não pratica a justiça e não ama seus irmãos não pertence a Deus.
1João 3.10

Jesus disse que aqueles que amam seus irmãos em Cristo são filhos de Deus. Uma das coisas que o Espírito Santo produz em nós é um amor que não tínhamos antes de conhecer o Senhor.

Quando não há amor em nosso coração, é como se nem sequer estivéssemos vivas. "Quem não ama continua morto. Quem odeia seu irmão já é assassino. E vocês sabem que nenhum assassino tem dentro de si a vida eterna" (1Jo 3.14-15).

No que depender de você, viva em harmonia com sua família espiritual. Não estou dizendo que você tem de ser a melhor amiga de todos os membros do corpo de Cristo, mas esforce-se ao máximo para viver em paz com eles. Algumas pessoas procuram mais motivos para tratar os outros sem amor do que para demonstrar o amor de Deus. Você precisa ser diferente, pois está a serviço do Senhor e, portanto, precisa representá-lo bem.

Embora não possamos tornar uma pessoa diferente daquilo que ela escolhe ser, podemos orar por ela. Quando alguém tratá-la sem amor, ore para que Deus convença essa pessoa do pecado. Ao orar pelos outros, você age por amor a Deus. Enquanto você ora, ele produz em você amor até pelas pessoas mais difíceis. Amor e oração andam juntos.

Senhor, sei que somente tu podes produzir verdadeiro amor em
meu coração. Torna-me disposta a amar até mesmo aqueles que me
ofendem e ajuda-me a orar por eles com sinceridade.

11 de abril

Leia João 4.21-26 e reflita

Adore em espírito e em verdade

Pois Deus é Espírito, e é necessário que seus adoradores o adorem em espírito e em verdade.

João 4.24

Existem certas bênçãos que Deus deseja lhe dar e que você só pode receber por meio da adoração.

A adoração é o pleno reconhecimento da verdade suprema: Deus é o altíssimo, o todo-poderoso Criador de tudo que existe, o Pai celestial de amor, graça e misericórdia. Seu Filho Jesus entregou a vida por nós e depois ressuscitou para provar que é Deus e que também seremos ressuscitados.

Quanto mais você conhece Deus, mais deseja adorá-lo. E, toda vez que o adora, você o conhece melhor. Além disso, sua adoração determina à imagem de quem você será formada. Você se torna mais parecida com o Senhor conforme o adora.

A adoração deve ser contínua e permanente, como o ar que respiramos. A única maneira de manter a adoração viva em nosso coração é fazer dela um estilo de vida. O Espírito Santo a guiará a adorar a Deus sempre que seu coração ou sua mente estiverem dispostos.

Deus quer que o adoremos de todo o coração, firmes na verdade que ele nos revelou.

Senhor, peço o auxílio de teu Espírito para desenvolver um modo de vida inteiramente voltado para a adoração grata e reverente. Ensina-me a prestar-te culto de todo o coração, com tudo que há em mim.

Separação e compaixão

Quando viu as multidões, teve compaixão delas, pois estavam confusas e desamparadas, como ovelhas sem pastor.

MATEUS 9.36

Assim como a levedura fermenta toda a massa do pão enquanto ela cresce, a influência das pessoas pecaminosas com quem você se associa se espalha por você. Não pense que você conseguirá impor sua moralidade aos incrédulos, pois isso não funciona. Peça a Deus que lhe conceda verdadeira compaixão pelos que estão vivendo em pecado, mas separe-se das práticas pecaminosas.

Quanto mais prezamos nossa caminhada com o Senhor e queremos agradar a Deus, mais vivemos na pureza para a qual ele nos chama. Paulo disse: "Não participem dos feitos inúteis do mal e da escuridão; antes, mostrem sua reprovação expondo-os à luz" (Ef 5.11). Isso não significa, contudo, que devemos tratar outros com indiferença ou rispidez. Não precisamos agir como legalistas que afastam as pessoas da vida transbordante que o Senhor lhes oferece. Muitos deixam de receber Jesus por causa dos gestos frios e severos de cristãos que são melhores em criticar e julgar do que em mostrar o amor de Deus.

Peça a Deus que lhe mostre como rejeitar inteiramente as coisas impuras e desagradáveis a ele e, ao mesmo tempo, compadecer-se com amor daqueles que se entregam a essas práticas e buscar levá-los a Cristo.

Senhor Jesus, tu és absolutamente santo e sem pecado, mas ao estar conosco aqui na terra demonstraste imensa compaixão pelos pecadores. Ajuda-me a seguir teu exemplo ao interagir com aqueles que ainda não te conhecem.

13 de abril

Leia Deuteronômio 32.9-14 e reflita

Como Deus vê você

Pois o povo de Israel pertence ao SENHOR; Jacó é sua propriedade especial.
DEUTERONÔMIO 32.9

Muitos cristãos nãos sabem como Deus os vê. Pensam no que outras pessoas dizem a respeito deles ou se afundam em autocrítica. Não deixe que isso lhe aconteça, pois não vem do Senhor e só a enfraquece.

Não permita que o inimigo coloque em sua cabeça pensamentos sobre o que você não é. Em vez disso, pense sobre o que você pode ser. Não se concentre no que você acha que deveria ser. Pense no que Deus diz que você é.

Eu poderia escrever mais mil palavras a esse respeito, mas a essência seria a mesma. Leia o parágrafo anterior novamente. Escreva-o num cartão e coloque-o em seu espelho, no criado-mudo, na porta da geladeira. É algo muito importante. Você não pode se tornar tudo que Deus a criou para ser se duvidar do que ele diz a seu respeito.

Não deixe que o inimigo lhe diga que você não é boa o suficiente, santa o suficiente, amável o suficiente ou que você simplesmente não é suficiente. Não permita que o inimigo tenha a satisfação de convencê-la de que você jamais poderá se tornar tudo que Deus a criou para ser. Não é verdade. Concentre-se em agradar a Deus e em descobrir o chamado dele para sua vida. Identifique esse chamado. Ore a respeito dele. Dedique-se a ele. É isso que Deus quer ver você fazendo hoje.

Senhor Deus, muito obrigada porque sou escolhida e aceita por ti de modo incondicional e porque tens um chamado para mim. Preciso de tua ajuda para me enxergar todos os dias como tu me vês.

Uma carta de amor

A lei do Senhor é perfeita e revigora a alma. Os decretos do Senhor são dignos de confiança e dão sabedoria aos ingênuos. Os preceitos do Senhor são justos e alegram o coração. Os mandamentos do Senhor são límpidos e iluminam a vida.

Salmos 19.7-8

Quando você lê mensagens de uma pessoa querida, elas a tocam profundamente e trazem mudanças visíveis em seu coração e em sua alma. Você aprecia cada palavra e procura um significado sutil nas entrelinhas. O mesmo se aplica à carta de amor que Deus enviou a você. Quanto mais a lê e procura significados mais profundos, mais entende o amor que existe no coração de Deus.

Precisamos ser alimentadas diariamente com a Palavra de Deus, em todos os momentos, porque ela nos sustenta a alma. Não podemos viver sem ela. A Palavra de Deus nos edifica e nos transforma de dentro para fora.

Quando você lê a Palavra de Deus, ela lhe esclarece a mente e lhe fortalece a alma. Aumenta-lhe a fé. Dá-lhe orientação e direção. Encoraja-a e lhe oferece esperança. Conforta-a e declara seu valor, dignidade e propósito. Concede-lhe sabedoria, entendimento e conhecimento. Ajuda-a a encontrar a restauração e a plenitude de vida que Deus tem para você.

Deus lhe deu sua Palavra porque a ama. Tenha isso sempre em mente ao ler a Bíblia.

Senhor, muito obrigada porque tua Palavra não é apenas um conjunto de regras e instruções; ela é uma carta de amor vibrante, que transforma meu ser interior, revigora minha alma, dá sabedoria para as questões da vida e fortalece minha confiança em ti.

15 de abril

Leia Hebreus 4.14-16 e reflita

Aceitável em Cristo

> *Assim, aproximemo-nos com toda confiança do trono da graça, onde rece-*
> *beremos misericórdia e encontraremos graça para nos ajudar quando for*
> *preciso.*
>
> HEBREUS 4.16

Oração é o ato de se comunicar com Deus. Ao orar, você compartilha seu coração com o Senhor. Isso quer dizer que não existe oração errada ou ruim.

Se você pensa: "Tenho impressão de que não sou boa o suficiente para que Deus ouça minhas orações, quanto mais para responder", você não está sozinha. A maioria de nós tem essa impressão. Mas isso não é ruim. Deixe-me explicar o motivo.

A partir do momento em que você aceita Jesus, Deus vê a justiça de Cristo em você. Ele envia o Espírito Santo para habitar em seu interior e, então, você pode se aproximar do Senhor. Pode falar com ele e ouvi-lo falar a seu coração. O Espírito Santo a ajuda a orar; Deus ouve suas orações e lhe responde, não porque você merece, mas por aquilo que *Jesus* fez.

Isso se chama graça.

Nenhuma de nós é boa o bastante para merecer tudo que Deus tem para nós. É o fato de estarmos em Cristo que nos torna aceitáveis. Você precisa compreender isso, pois, do contrário, o inimigo virá com suas mentiras e a convencerá do oposto, na tentativa de impedi-la de orar. Fale com Deus, certa de que, pela graça, você pode sempre se aproximar dele.

Senhor, como é maravilhosa a tua graça, que me permite aproximar-
-me de teu trono majestoso com súplicas, intercessões, louvores e
adoração. Muito obrigada pelo sacrifício de amor de Jesus
que me deu esse livre acesso.

16 de abril

Leia 2Timóteo 3.1-5 e reflita

Os últimos dias

Saiba que nos últimos dias haverá tempos muito difíceis.

2Timóteo 3.1

Em 2Timóteo 3.1-5, Paulo descreve uma situação muito familiar. É difícil duvidar que já estamos nos últimos dias. E, quando você vê esse tipo de impiedade florescendo ao seu redor, é importante saber que ela foi prevista.

Mas só porque foi previsto na Bíblia que os dias serão maus e que as pessoas farão coisas terríveis, não quer dizer que não devemos orar. Precisamos continuar a orar por nossos filhos, nossa família e pelas pessoas que Deus põe em nosso coração. Devemos orar mais que nunca para que os cristãos sejam protegidos.

Mesmo quando as coisas se tornarem difíceis, lembre-se de que há uma "coroa de justiça" (2Tm 4.8) reservada para você no céu. Em Jesus você é completamente absolvida, e a justiça dele lhe é atribuída. O inimigo foi derrotado quando Jesus ressuscitou dos mortos, pois a morte e o inferno não puderam impedi-lo.

Peça a Deus que lhe mostre a verdade sobre o que está acontecendo no mundo. Não se contente em apenas ler jornais ou assistir aos noticiários, pois dizem só o que querem que você saiba. Nenhum lhe dará a verdade total. Somente Deus pode lhe mostrar essa verdade, pois ela só pode ser vista da perspectiva dele. Ele conhece o início e o fim, e todas as coisas entre os dois extremos.

*Senhor Deus, estamos vivendo tempos maus e difíceis e preciso de
teu socorro e de tuas forças para não desanimar em minhas orações.
Muito obrigada porque conheces todas as coisas, do início
ao fim, e nada foge de teu controle.*

17 de abril

Leia Gênesis 28.10-22 e reflita

Para os dias de solidão

Além disso, estarei com você e o protegerei aonde quer que vá. [...] Não o deixarei enquanto não tiver terminado de lhe dar tudo que prometi.

GÊNESIS 28.15

Alguns dias, nosso coração experimenta a dor do vazio e da solidão. Chegamos à conclusão de que somos invisíveis para os outros. Apesar desses sentimentos, porém, sabemos que Deus nos deu uma vida preciosa e que não devemos gastá-la pensando apenas em nós mesmas.

À medida que Deus nos preenche com sua presença, recebemos forças e capacitação para estender a mão a outros, como ele nos estende sua mão mesmo quando não lhe damos atenção.

Deus está com você hoje, fazendo-lhe companhia e protegendo-a. Ele a conduzirá exatamente ao destino que ele já preparou. E ele conhece suas necessidades. Sabe em que pontos da jornada você precisa de outros para andar ao seu lado. Confie que ele suprirá os relacionamentos de que você precisa. Confie, também, que ele usará você para acabar com a solidão de outros.

Quando vier a solidão, peça a Deus que lhe abra os olhos para enxergar pessoas ao seu redor que estejam precisando de amizade e afeto. Deus já está suprindo todas as suas necessidades. Permita-se ser usada para suprir as necessidades de outros.

Deus querido, quando vierem os momentos de solidão, quero me lembrar de tua presença constante. Tu cuidas de mim e supres todas as minhas necessidades. Confio em tua promessa de nunca me abandonar. Mostra-me como posso ministrar àqueles que estejam se sentindo solitários.

Interceda pelos mais jovens

Portanto, não se preocupem com o amanhã, pois o amanhã trará suas próprias inquietações. Bastam para hoje os problemas deste dia.

Mateus 6.34

Todas nós temos apreensões quanto ao que o futuro reserva. Se você tem filhos, sobrinhos ou netos, é provável que se preocupe particularmente com aquilo que eles enfrentam hoje ou enfrentarão quando forem mais velhos. Sabemos que existem muitos perigos neste mundo e precisamos pedir a Deus que nos mostre como podemos orar por nossas crianças e jovens.

A Bíblia diz que o Espírito nos ajuda quando não sabemos como orar (Rm 8.26). Precisamos do auxílio do Espírito, pois Deus conhece o futuro e sabe dos desafios que se apresentarão para as gerações seguintes, coisas que talvez nem sejamos capazes de imaginar e que não temos como controlar. É grande fonte de ânimo e paz saber que podemos colocar nossas crianças e jovens nas mãos de Deus, confiando em seu amoroso cuidado e proteção, certas de que nada foge de seu controle soberano.

Não deixe a ansiedade tomar conta de seu coração quando você pensar em seu próprio futuro e no futuro das próximas gerações. Busque o Deus que sabe de todas as coisas, pedindo que ele conceda a medida necessária de sabedoria, astúcia, força e perseverança diante de todos os desafios. E experimente a paz de descansar no cuidado dele.

Senhor, só tu sabes a dimensão e seriedade dos desafios que as próximas gerações terão de enfrentar. Protege nossas crianças e jovens debaixo de tuas asas de amor e terno cuidado.

19 de abril

Leia Provérbios 22.1-4 e reflita

Uma boa reputação

A boa reputação vale mais que grandes riquezas; ser estimado é melhor que prata e ouro.

PROVÉRBIOS 22.1

Todas nós estamos expostas a ataques à nossa reputação. A Palavra diz que devemos esperar perseguição quando andamos com Cristo (1Pe 2.21). Ainda assim, nossa vida entre os que não creem deve ser exemplar, a fim de que, quando eles tentarem nos acusar de algo, sejam envergonhados porque não encontraram motivo verdadeiro para falar mal de nós (Tt 2.8).

Seremos alvo de zombaria em razão de nossos padrões elevados e de nosso desejo de agradar a Deus. Sempre haverá alguém que tentará nos fazer tropeçar e desobedecer às instruções do Senhor. Temos de clamar a Deus por ajuda, para que sejamos fortes e destemidas, mas sobretudo para que tenhamos graça e capacidade de resistir aos ataques do inimigo. Podemos descansar na certeza de que Deus atenderá e protegerá nossa reputação.

Ele proverá integridade para que nossa vida diária seja pura e reta. Preservará o bom nome que nos deu para que sejamos embaixadoras dignas de anunciar as boas-novas da salvação. Ele nos protegerá de mentiras, calúnias e difamação, cobrindo-nos com o sangue precioso de Cristo.

Senhor Deus, sei que não posso proteger minha reputação com minhas próprias forças, nem com boas intenções. Necessito de teu auxílio e proteção para levar uma vida íntegra que honre teu nome e seja bom testemunho para aqueles que ainda não te conhecem.

Leia Romanos 3.21-26 e reflita

A dádiva da graça

Pois todos pecaram e não alcançam o padrão da glória de Deus, mas ele, em sua graça, nos declara justos por meio de Cristo Jesus, que nos resgatou do castigo por nossos pecados.

ROMANOS 3.23-24

Graça é um socorro imerecido, concedido a nós para que nosso relacionamento com Deus fosse restaurado. É a suspensão da pena de morte, algo que nos isentou de pagar o preço por nossa desobediência às leis de Deus. É um presente oferecido a nós porque Jesus pagou o preço e nós o aceitamos pela fé (Rm 3.24).

Pela graça de Deus fomos salvas das consequências de termos escolhido nossos próprios caminhos e desprezado os caminhos de Deus. Não se trata de algo que podemos fazer sozinhas (Ef 2.8). E não se trata de algo que podemos alcançar por meio de pensamento positivo. Não estou dizendo que pensamentos felizes e esperançosos sejam inúteis. São bons, mas não bastam. Os pensamentos bons não nos salvam das consequências eternas de nossas ações. Não nos levam a ter um relacionamento correto e íntimo com Deus. Não nos conduzem à eternidade na presença de Deus.

Não somos salvas por fazer tudo de modo perfeito. Isso é impossível, por mais que tentemos (Gl 5.4-5). Somos salvas porque Jesus fez tudo perfeitamente e escolhemos aceitá-lo pela fé.

A graça nunca é concedida com base no que fizemos. É dádiva do amor de Deus por nós.

Senhor, o que seria de mim sem tua graça? Sou imensamente agradecida porque não dependo de minha bondade ou perfeição para ser salva e santificada, mas apenas de tua graça.

21 de abril

Leia o Salmo 13 e reflita

Até quando?

Até quando, SENHOR, te esquecerás de mim? Será para sempre? Até quando esconderás de mim o teu rosto?

SALMOS 13.1

Se você orou por algum assunto e ainda não viu resposta, lembre-se que orar não é dizer a Deus o que ele deve fazer. É contar ao Senhor o que você deseja que ele faça e entregar a questão nas mãos dele, esperando-o agir como ele quiser.

O rei Davi, o homem segundo o coração de Deus, se perguntou por quanto tempo ficaria triste porque o Senhor não parecia ouvi-lo. No final, decidiu confiar na misericórdia divina e louvar a Deus por todas as coisas boas que havia feito a ele (Sl 13). Também precisamos confiar na misericórdia divina e louvar a Deus por todas as coisas boas que ele faz em nossa vida.

Enfurecer-se com o Senhor por ele não atender a uma oração é dar as costas à única possibilidade de vivenciar um milagre. Seria melhor achegar-se ao Senhor com louvores por ele ser o onipotente e onisciente Deus do universo que supre qualquer necessidade. A confiança em Deus abre os olhos para enxergar que, mesmo quando seus pedidos de oração parecem complicados ou extremos, o Senhor tem poder para mudar todas as coisas.

Orar é derramar seu coração diante de Deus. Embora ele saiba o que está lá dentro, quer ouvi-la conversar com ele. Em sua soberania, o Senhor determinou que primeiro você deve orar, e depois disso ele se moverá em resposta à sua oração.

Pai querido, concede-me paciência e confiança em ti para que eu persevere em oração mesmo quando as respostas não são visíveis.

De todo o coração

Jesus respondeu: "Ame o Senhor, seu Deus, de todo o seu coração, de toda a sua alma e de toda a sua mente".

MATEUS 22.37

Deus quer que o amemos de todo o coração, de toda a alma e de toda a mente. E também é desse modo que devemos adorá-lo. A coisa mais importante que fazemos na terra é adorar a Deus. Afinal, você nasceu para glorificá-lo.

À medida que você se derrama em adoração a Deus, ele se derrama sobre você. Conforme você abre seu coração para Deus em louvor, ele amplia sua capacidade de receber amor, paz, alegria e poder. Quando você permite que a alegria do Senhor cresça em seu coração, ele afasta o medo, a ansiedade e a dúvida. Conforme você ajusta sua mente e se concentra em Deus, ele remove toda confusão e lhe dá clareza. À medida que você põe de lado sua fraqueza e se preocupa em adorar ao Senhor, ele a renova, ilumina e liberta.

Na mesma proporção em que você oferece a Deus tudo que há em seu interior, ele enche sua vida com o Espírito dele e satisfaz sua carência por intimidade. Conforme você ergue suas mãos e seu coração para Deus, ele a eleva sobre as circunstâncias que a preocupam. E, quando você quebra seu silêncio e adora a Deus em alta voz, ele quebra as cadeias que a aprisionam.

Senhor, quero adorar-te não apenas com palavras, mas com ações, escolhas e atitudes. Que teu Espírito me encha cada vez mais a fim de que eu viva cada dia para tua glória.

23 de abril

Leia 1Coríntios 2.10-16 e reflita

A mente de Cristo

E nós recebemos o Espírito de Deus, e não o espírito deste mundo, para que conheçamos as coisas maravilhosas que Deus nos tem dado gratuitamente.

1Coríntios 2.12

O sistema do mundo é ímpio. Pessoas ímpias não buscam a Deus. O deus delas é o apetite, a luxúria, o desejo, a ambição, o orgulho e o poder. Querem ter o controle das coisas e farão tudo a seu alcance para obtê-lo, inclusive mentir, trair, destruir e matar. (Conhece alguém assim?) O deus delas é o inimigo de Deus e de todos os cristãos.

Quem se conforma ao sistema do mundo está se aliando ao inimigo de Deus. Não me refiro ao belíssimo mundo físico que Deus criou e todas as coisas boas que nele há. Estou falando do espírito no mundo que se opõe a Deus e é controlado pelo espírito do anticristo. Não devemos nos aliar a ele. É verdade que o inimigo cega o entendimento das pessoas, mas não crer em Deus continua sendo uma escolha pessoal.

Aquele cujo entendimento foi cegado jamais verá a beleza do Senhor. Deus quer que resistamos ao modo de pensar contrário a Cristo. E, para resistir ao espírito deste mundo, precisamos ter mente renovada e clareza de pensamento. Agradeça a Deus todos os dias porque ele nos dá a mente de Cristo.

Senhor, muito obrigada porque tu me concedes a mente de Cristo, com entendimento, clareza e disposição de obedecer. Preciso de tua ajuda para não me conformar a este mundo nem pensar como aqueles que adoram seus próprios deuses. Quero apreciar as coisas maravilhosas que me ofereces gratuitamente.

Perdão e oração

Se eu não tivesse confessado o pecado em meu coração, o Senhor não teria ouvido.

Salmos 66.18

A menos que pratiquemos o perdão, Deus não ouvirá nossas orações. Não é que ele não possa ouvir nossa oração, mas ele escolhe não ouvi-la. Às vezes, quando pensamos que já perdoamos determinada pessoa ou ofensa, nosso coração sorrateiramente volta a abrigar o ressentimento. Isso acontece porque a mágoa pode ter raízes bastante profundas, principalmente se a ofensa foi grave ou se ela se prolongou por muito tempo.

Se você está com dificuldade de perdoar alguém, peça auxílio a Deus e ele a ajudará. Ao perdoar, você se torna livre da tortura gerada pelo rancor, usada pelo inimigo para enfraquecê-la.

Você não quer que suas orações deixem de ser respondidas nem que as bênçãos que Deus lhe reservou sejam interrompidas. Quer agir com base no poder concedido pelo Deus Todo-poderoso a quem você serve. Portanto, peça ao Senhor que lhe revele qualquer rancor em seu coração, a fim de que você se livre dele.

Jesus nos oferece completo perdão por nossos pecados, por isso devemos confessar diante de Deus todas as nossas transgressões e, assim, receber o perdão. Uma vez que o Senhor nos perdoou, devemos perdoar uns aos outros.

Senhor, sonda meu coração e mostra-me se há algum rancor ou ressentimento do qual preciso abrir mão. Perdoa-me por nutrir esse sentimento e ajuda-me a perdoar essa pessoa. Não quero que nada seja empecilho em meu relacionamento contigo.

25 de abril

Leia Isaías 42.1-10 e reflita

Libertação

Você será luz para guiar as nações: abrirá os olhos dos cegos, libertará da prisão os cativos, livrará os que estão em calabouços escuros.

ISAÍAS 42.6-7

Quando Deus nos liberta, ele nos desembaraça de tudo que controla nossa vida e que não vem dele.

A libertação permite que você se torne quem é de fato; não a transforma em alguém diferente. Ela a emancipa de qualquer coisa negativa do passado que ainda influencia sua vida. Se lembranças do passado exercem um efeito negativo em sua vida hoje, você precisa se desembaraçar delas.

Se não houvesse necessidade de libertação, por que Jesus viria como Libertador? E por que ele teria libertado tantas pessoas e dito a seus discípulos que seriam capazes de fazer o mesmo ou coisas ainda maiores?

A libertação ocorre de várias maneiras. Você pode encontrar libertação e liberdade na oração. Também pode descobri-las na presença de Deus quando está adorando. A libertação pode vir durante a leitura da Bíblia, quando Deus lhe abre os olhos para a verdade dele sobre sua situação. Pode ocorrer quando alguém ora por você. Também é possível que se manifeste durante ou após um período de jejum e oração.

Peça a Deus que revele em que áreas de sua vida você precisa de libertação.

Deus Pai, mostra-me em que aspectos ainda sou escrava de hábitos de ação e de pensamento que não agradam a ti e concede-me libertação. Obrigada por enviares teu Filho para ser nosso Libertador.

Palavras que glorificam a Deus

Se quiser desfrutar a vida e ver muitos dias felizes, refreie a língua de falar maldades e os lábios de dizerem mentiras.

1PEDRO 3.10

Nossas palavras podem criar obstáculos na caminhada com Deus. Por isso, antes de abrir a boca, devemos pedir sabedoria divina. Felizmente, Deus pode mudar nosso coração de forma a influenciar nossas palavras.

Quando temos a Palavra de Deus viva em nós e o Espírito Santo ativa esse poder, nosso coração é regenerado e renovado. Como consequência, coisas boas fluem de nosso ser interior e se refletem em nossas palavras. Quando nos abrimos para a verdade da Palavra de Deus, ganhamos vida espiritual. Nossa vida é renovada diariamente.

Jesus disse que devemos orar: "Seja feita a tua vontade, assim na terra como no céu" (Mt 6.10). Devemos desejar fazer a vontade do Pai, exatamente como Jesus desejava. Quando entregamos a vida a Jesus e nascemos de novo no Espírito, recebemos uma nova identidade e nos tornamos uma nova pessoa. Nossa antiga natureza diz: "Meu jeito é melhor". Nossa nova natureza diz: "O jeito de Deus é o melhor".

Quando nos deleitamos no Senhor, nossa vontade se torna a vontade dele. Alinhamos nosso coração ao de Deus e sujeitamos nossa vontade à dele para sermos eficazes na oração. Isso significa que devemos orar para que nossas palavras sempre glorifiquem a Deus.

Querido Deus, trabalha em meu interior, para que minhas palavras reflitam tua presença em mim. Ensina-me a orar e falar de maneira que te agrade e te glorifique.

27 de abril

Leia Efésios 6.12-13 e reflita

Nossa armadura

Portanto, vistam toda a armadura de Deus, para que possam resistir ao inimigo no tempo do mal. Então, depois da batalha, vocês continuarão de pé e firmes.

EFÉSIOS 6.13

A Bíblia não ordenaria que vestíssemos toda a armadura de Deus para resistir ao mal se fosse possível resistir sem a armadura.

Continuar "de pé e firmes" significa permanecer em oposição às forças e aos planos do mal. Refere-se àquele que se mantém em pé após a batalha e está preparado para o próximo confronto. Ficar firme contra as forças do diabo certamente não significa ficar parada sem fazer nada. Se fosse para cruzar os braços até a volta de Jesus, por que precisaríamos lutar contra o inimigo? Por que Jesus nos daria armas espirituais para resistir às forças malignas se ele não quisesse que as usássemos?

Não travamos uma guerra contra pessoas, mas contra uma hierarquia espiritual de poderes invisíveis. As forças malignas são poderes invisíveis com estruturas e níveis de autoridade específicos. Não devemos usar nossa armadura apenas para nos proteger e nos defender, mas também para lançar ataques contra essas forças. Com isso, fechamos as portas para o inimigo e abrimos as portas para que a vontade de Deus seja feita na terra. Promovemos o avanço do reino de Deus.

Senhor dos Exércitos, mostra-me como devo revestir-me diariamente de toda a armadura que me deste para combater as forças malignas. Dependo inteiramente de teu poder para lutar.

Olhe no retrovisor

Certamente a bondade e o amor me seguirão todos os dias de minha vida, e viverei na casa do Senhor para sempre.

Salmos 23.6

A bondade e o amor de Deus são sinais de seu interesse constante, profundo e infalível por nós.

Em nossa jornada diária, devemos olhar no espelho retrovisor de nossa vida e ver a bondade de Deus de um lado e o amor de Deus do outro, acompanhando-nos o tempo todo. Podemos confiar que eles estarão sempre presentes até o dia de nosso encontro com o Senhor.

Pouco tempo trás, enquanto dirigia à noite, notei que um veículo que saiu do estacionamento depois de mim continuava a me seguir, fazendo o mesmo trajeto. Comecei a ficar preocupada, mas, todas as vezes que olhava no espelho retrovisor, eu dizia: "Obrigada, Senhor, porque tua bondade e teu amor me seguirão todos os dias de minha vida". Aquele carro me acompanhou até perto de minha casa, mas, quando entrei à direita em minha rua, ele virou à esquerda. Provavelmente o motorista era apenas um vizinho, mas naquele momento de preocupação a imagem mental da bondade e do amor me seguindo transmitiu grande paz.

Agora, todas as vezes que enfrento dificuldades, lembro-me dessa imagem. Ela me traz grande conforto. Espero que você também imagine um espelho retrovisor e veja a bondade e o amor de Deus seguindo-a todos os dias de sua vida.

Sou grata, Senhor, por tua bondade e por teu amor, que me acompanham todos os dias. Quero me lembrar sempre dessas dádivas e compartilhá-las com outros.

29 de abril

Leia Deuteronômio 30.11-20 e reflita

Quatro escolhas sábias

> *Agora ouçam! Hoje lhes dou a escolha entre a vida e a morte, entre a prosperidade e a calamidade.*
>
> DEUTERONÔMIO 30.15

Sua vida é feita de escolhas, e Deus quer que elas sejam sábias:

1. *Escolha obedecer às leis de Deus.* Você pode sofrer escravidão interior caso viva em contínua desobediência a Deus. Escolha viver nos caminhos dele.

2. *Escolha clamar por liberdade.* Deus quer nos libertar de qualquer coisa que nos impeça de ser mais semelhantes a ele. Aos filhos de Israel em cativeiro no Egito, o Senhor disse que viu sua opressão, escutou seu clamor, sabia do sofrimento que enfrentavam e, por isso, desceu para livrá-los (Êx 3.7-8). Ele fará o mesmo por você.

3. *Escolha louvar a Deus por quem ele é e pelo que fez.* Quando o apóstolo Paulo estava preso, não ficou reclamando. Em vez disso, orou e louvou a Deus (At 16.25-26). O louvor abriu as portas da prisão e quebrou as correntes dos prisioneiros, e pode fazer o mesmo por você hoje. Ele invoca a presença de Deus, na qual sempre encontramos liberdade.

4. *Escolha ter uma fé que derruba fortalezas.* Ter fé em Deus e em sua Palavra traz poder suficiente para derrubar fortalezas do inimigo em sua vida. Peça a Deus que a ajude a permanecer firme nessa fé.

Senhor Deus, mostra-me como fazer escolhas que promovam liberdade, vida e intimidade cada vez maior contigo.

Leia Provérbios 27.17 e reflita

Amigas e irmãs

Como o ferro afia o ferro, assim um amigo afia o outro.

PROVÉRBIOS 27.17

Em alguns momentos da vida, é natural querermos cultivar amizade com mulheres tementes a Deus, mais velhas e mais sábias, com as quais possamos compartilhar o que se passa em nosso coração. É bom e saudável ser amiga de alguém que está um pouco adiante na jornada, que já passou por aquilo que você está vivendo hoje. É uma dádiva preciosa ter alguém que divida experiências, a fim de lhe dar clareza sobre sua própria história.

As Escrituras dizem repetidamente que a pessoa sábia aceita instrução e busca bons conselhos (Pv 19.20). Elas advertem que "planos fracassam onde não há conselho, mas têm êxito quando há muitos conselheiros" (Pv 15.22).

Se você não tem uma mentora ou discipuladora, alguém que a ajude a crescer na fé, peça que o Senhor coloque em sua vida uma irmã em Cristo que esteja disposta a investir em você, a desafiá-la e a acreditar em seu potencial.

E lembre-se de que talvez Deus também a esteja chamando para andar com alguém mais jovem, que poderá se beneficiar de tudo que ele já lhe ensinou até aqui. Deus muitas vezes nos dá o privilégio de consolarmos, fortalecermos e instruirmos à medida que também somos consoladas, fortalecidas e instruídas.

*Senhor, coloca em minha vida irmãs em Cristo que me
ajudem a crescer em fé, sabedoria e maturidade. Que eu
também possa compartilhar generosamente aquilo
que tens me ensinado ao longo do caminho.*

1º de maio

Leia Salmos 92.1-5 e reflita

Motivos de louvor

É bom dar graças ao SENHOR e cantar louvores ao Altíssimo.

SALMOS 92.1

Louve a Deus como seu Criador e Pai celestial, que ama você incondicionalmente e para sempre. Louve a Jesus por ter entregado a vida em seu favor, de modo que você possa viver em completo perdão e ter refúgio seguro e glorioso eternamente com ele no céu. Louve-o pela salvação, redenção, cura, providência, proteção e libertação. Adore-o pelo dom do Espírito Santo que vive em você e age por seu intermédio.

Louve a Deus por sua Palavra, que lhe dá firme alicerce e é uma carta de amor a ser lida ao longo de toda a vida. Louve-o por sua bondade. Adore-o por ele ser todo-poderoso. Louve-o por ser o mesmo ontem, hoje e para sempre. Adore-o, ele que é a luz infalível neste mundo de trevas. Louve-o por ele ter um grande propósito para sua vida, por estar sempre ao seu lado e por jamais abandonar você.

Comece por aí!

Se isso tudo não despertar algo em seu coração, volte ao mais básico: o fato de que Deus lhe deu vida e você acordou esta manhã.

A adoração é a atitude apropriada diante da grandeza do Senhor, mas só o exaltaremos de modo apropriado quando entendermos plenamente quão grandioso ele é.

Senhor Deus, eu te louvo por tuas intervenções poderosas e por tuas dádivas generosas. Eu te adoro porque és grande, majestoso e sublime, mas estás sempre perto daqueles que te temem. Tu és digno de todo o louvor!

Venha o teu reino

Pois o reino de Deus já está entre vocês.

No reino de Deus, a vida triunfa sobre a morte, a luz domina as trevas, e os poderes satânicos destruidores são subjugados pelo governo divino.

Quando Jesus foi crucificado e ressuscitou, quebrou todo o poder do inferno e estabeleceu o governo de Deus na terra. Agora, além de termos vida com ele por toda a eternidade, também recebemos mais vida no presente.

O reino de Deus é um reino espiritual. Jesus afirmou que seu reino não é deste mundo (Jo 18.36). Ele vem do Senhor, que está no céu. Também declarou: "É mais fácil um camelo passar pelo buraco de uma agulha que um rico entrar no reino de Deus" (Mt 19.24). Isso significa que não é possível colocar a riqueza material deste mundo acima do Senhor e ainda esperar entrar em seu reino. Jesus é o Rei do reino de Deus. O inimigo governa no reino terreno do materialismo.

Quando oramos "Venha o teu reino", pedimos a Deus que estabeleça seu governo dentro de nós, para que nos submetamos inteiramente a ele. Também pedimos que estabeleça seu reino onde quer que estejamos. A consequência, então, é que a vontade do Senhor se realiza na terra da mesma maneira que é feita sem questionamento no céu.

Senhor e Rei, peço que estabeleças teu governo firmemente dentro de mim, concedendo-me um coração disposto a obedecer e a anunciar as boas-novas de teu reino de justiça e paz.

3 de maio

Leia Salmos 32.3-5 e reflita

Obstáculos para a oração

Enquanto me recusei a confessar meu pecado, meu corpo definhou, e eu gemia o dia inteiro.

SALMOS 32.3

Todas nós sabemos que nosso coração abriga pensamentos, sentimentos e atitudes que não agradam a Deus. Por causa disso, supomos que Deus está descontente conosco e, portanto, que não merecemos respostas às nossas orações.

De fato, nunca fomos merecedoras de suas bênçãos. Fomos perdoadas de todos os pecados do passado pela graça de Deus (Ef 1.7). Depois que aceitamos Jesus, fomos perdoadas, por sua misericórdia, dos pecados subsequentes.

Quando nos desviamos de seus caminhos — e todas nós fazemos isso uma hora ou outra — e não confessamos nosso pecado nem nos arrependemos de tê-lo cometido, cria-se uma distância entre nós e Deus e torna-se impossível ele responder às nossas orações. O pecado não confessado acarreta consequências, e Deus, que não recompensa mau comportamento mas deseja abençoar, aguarda até lamentarmos nossa falta e recorrermos a ele em busca de perdão.

Não permita que a desobediência aos caminhos de Deus erga um muro entre você e ele. Apresente imediatamente seu pecado a Deus, pedindo arrependimento no coração, para mostrar que lamenta muito e não pretende cometê-lo outra vez. Esse é o gesto que Deus aguarda para voltar a responder às nossas orações.

Pai de amor, busco tua ajuda para receber arrependimento, confessar meus pecados e aceitar teu generoso perdão. Mostra-me em que áreas levantei obstáculos para o relacionamento contigo e remove-os com tua graça.

É pela graça!

Assim diz o SENHOR a Zorobabel: Não por força, nem por poder, mas pelo meu Espírito, diz o SENHOR dos Exércitos.

ZACARIAS 4.6

O profeta Zacarias levou uma palavra de Deus a Zorobabel, governador de Judá e responsável pela reconstrução do templo. Zacarias disse que a reconstrução não se daria por poder humano nem pela força de um exército, mas pelo Espírito Santo de Deus operando por meio deles. Zorobabel devia apropriar-se dessa graça de Deus para encarar um desafio de proporções gigantescas.

Essa é uma lição poderosa para todas nós, e jamais devemos esquecê-la.

Também devemos nos apropriar da graça divina quando nos virmos diante de grandes desafios. Devemos recorrer com fé à Palavra de Deus e convidar o Espírito Santo a operar poderosamente por nosso intermédio. Então, quando estivermos certas da vontade de Deus, podemos nos apropriar da graça para vencer a oposição aparentemente invencível do inimigo. O adversário não terá poder algum contra nós, pois não pode nos dizer que não merecemos a graça de Deus — já sabemos disso. Não pode nos dizer que não somos poderosas o suficiente para conquistar a vitória por conta própria — também já sabemos disso.

Deus é poderoso e cheio de graça, e ele realizará seus propósitos em nós, para nós e por nós.

~

Deus Todo-poderoso, quando eu me vir diante de adversidades e desafios que parecem intransponíveis, quero buscar forças em ti e lembrar que só serei vitoriosa por tua graça.

5 de maio

Leia Isaías 58.4-14 e reflita

Jejum agradável a Deus

De que adianta jejuar, se continuam a brigar e discutir? Com esse tipo de jejum, não ouvirei suas orações.

Isaías 58.4

Na Bíblia, as pessoas jejuavam e oravam antes de tomar decisões importantes. Ester chamou os judeus a jejuar e orar para salvar o povo da destruição. Os apóstolos operaram sinais e maravilhas enquanto a igreja jejuava e orava.

Os discípulos de Jesus estavam determinados a fazer da oração e do ensinamento da Palavra uma prioridade (At 6.4). Essa também deve ser a nossa prioridade. Mas nossa oração pode aumentar em poder quando também jejuamos. O jejum é uma arma poderosa para derrubar as fortalezas do inimigo.

O jejum deve vir acompanhado de uma atitude correta do coração. Não se trata de jejuar para obter algo para si, mas sim para declarar total dependência de Deus e confiança nele. Leia Isaías 58.6-14 e veja que tipo de jejum agrada ao Senhor. Essa passagem a inspirará e a encorajará.

Além de abster-se de alimentos por períodos curtos (uma refeição que seja), você também pode jejuar de outras coisas (entretenimentos, internet, redes sociais), a fim de demonstrar maior comprometimento com Deus e criar espaço para ouvir a voz dele.

Peça a Deus que lhe mostre como jejuar de modo agradável a ele.

Senhor, preciso de sabedoria para jejuar corretamente, não apenas como um ritual ou tentativa de obter algo, mas como expressão de meu profundo amor por ti e total confiança em tua provisão. Mostra-me como agradar-te por meio dessa disciplina espiritual.

Perseverar na fé

Meu justo viverá pela fé; se ele se afastar, porém, não me agradarei dele.
Hebreus 10.38

Nossa fé não serve apenas como escudo protetor; ela também é uma de nossas armas poderosas contra o inimigo.

Devemos ter fé que Deus ouve as nossas orações e responde a elas. Isso não significa que ordenamos a Deus o que fazer. Não ditamos o modo como Deus responde às nossas orações nem o momento em que ele o faz. Não temos fé em nossa fé, imaginando que controlamos as coisas com ela. Não obrigaremos Deus a fazer nada que não seja da vontade dele. Ter fé significa confiar que Deus sabe o que é melhor para nós e que responderá conforme seu amor e sua bondade.

Peça a Deus força para suportar situações difíceis com esperança no coração e fé inabalável, mesmo durante a tempestade. A Bíblia diz: "Mas, quando pedirem, façam-no com fé, sem vacilar, pois aquele que duvida é como a onda do mar, empurrada e agitada pelo vento. Ele não deve esperar receber coisa alguma do Senhor" (Tg 1.6-7). Quando vivemos pela fé, perseveramos apesar de toda oposição.

Devemos permanecer firmes na fé, pois "a fé mostra a realidade daquilo que esperamos; ela nos dá convicção de coisas que não vemos" (Hb 11.1).

Senhor, fortalece minha fé e perseverança, para que eu possa orar com plena confiança em teu amor e tua bondade e esperar com paciência por tuas respostas.

7 de maio

Leia Marcos 14.32-42 e reflita

Ore como Jesus

Aba, Pai, tudo é possível para ti. Peço que afastes de mim este cálice. Contudo, que seja feita a tua vontade, e não a minha.

MARCOS 14.36

Imite Jesus quando orar. Ele entendia a oração como forma de comunhão com seu Pai celestial. Não era um dever. Era uma necessidade.

- *Jesus orava pela manhã.* "No dia seguinte, antes do amanhecer, Jesus se levantou e foi a um lugar isolado para orar" (Mc 1.35).
- *Jesus orava à noite.* "Jesus subiu a um monte para orar e passou a noite orando a Deus" (Lc 6.12).
- *Jesus orava sozinho.* "Depois de mandá-las para casa, Jesus subiu sozinho ao monte a fim de orar. Quando anoiteceu, ele ainda estava ali, sozinho" (Mt 14.23).
- *Jesus não fazia coisa alguma sem antes orar.* "O Filho não pode fazer coisa alguma por sua própria conta. Ele faz apenas o que vê o Pai fazer. Aquilo que o Pai faz, o Filho também faz" (Jo 5.19).

Devemos orar como Jesus orava: dia e noite, em comunhão, com ações de graças, sujeitando-se humildemente à vontade do Pai.

Querido Jesus, muito obrigada porque não apenas nos instruíste a orar, mas também deste o exemplo de como devemos fazê-lo. Sou grata, ainda, porque conheces minhas fraquezas e dificuldades em orar e me dás o auxílio do Espírito.

Verdadeira adoração

Este povo me honra com os lábios, mas o coração está longe de mim. Sua adoração é uma farsa, pois ensinam doutrinas humanas como se fossem mandamentos de Deus.

MARCOS 7.6-7

Deus quer que sua adoração seja pessoal e sincera. Ele quer que venha de todo o seu coração.

Em Marcos 7.6-7, Jesus cita as palavras de Isaías, de centenas de anos antes, e, como o profeta do Antigo Testamento, não aprova a adoração manifestada por pessoas que pronunciavam palavras de louvor, mas cujo coração estava distante dele. A verdadeira adoração flui do coração dedicado; do contrário, não passamos de hipócritas.

Se estamos apenas fazendo movimentos, cantando ou recitando palavras que ouvimos, tudo não passa de atuação ou imitação de uma tradição morta. Somos chamadas a adorar a Deus com louvor genuíno, que flui do coração. Devemos ter tanta gratidão e reverência por Deus a ponto de o louvor nos ocorrer naturalmente.

Contudo, se você se sente incapaz de adorar a Deus em razão de dor, depressão, raiva, falta de perdão ou qualquer mentira que o inimigo lhe contou, interrompa essa paralisia dizendo com sinceridade: "Deus Pai, eu adoro a ti acima de todas as coisas. Jesus, tu és Senhor dos céus e da terra, e eu te louvo por me salvares e libertares". Depois, cante um hino de adoração, mesmo que, naquele momento, não sinta vontade de adorar. Isso não é hipocrisia. É resistir ao inimigo.

Espírito Santo de Deus, peço que, mesmo nos momentos de dificuldade, tu me capacites para que eu louve e adore com o coração puro e sincero que só tu podes me dar.

9 de maio

Leia o Salmo 57 e reflita

O Senhor é nosso refúgio

Tem misericórdia de mim, ó Deus, tem misericórdia! Em ti me refugio. À sombra de tuas asas me esconderei, até que passe o perigo.

SALMOS 57.1

As pessoas más não temem a Deus. Davi disse do perverso: "O pecado do ímpio sussurra ao seu coração; ele não tem o menor temor de Deus. Em sua cega presunção, não percebe quão grande é sua perversidade. Tudo que diz é distorcido e enganoso; não quer agir com prudência nem fazer o bem. Mesmo à noite, trama maldades; suas ações nunca são boas, e não se esforça para fugir do mal" (Sl 36.1-4)

No entanto, não precisamos temer o perverso, pois Deus nos protege quando fazemos dele o lugar seguro ao qual recorremos. Enquanto Davi fugia de Saul, seu perseguidor implacável, orou as palavras do Salmo 57. Davi pôs sua esperança na misericórdia de Deus, e Deus o protegeu. Davi disse a Deus: "Meu coração está firme em ti, ó Deus, meu coração está firme; por isso canto louvores a ti!" (Sl 57.7).

Se nossa hora não tiver chegado, Deus nos livrará da morte. Lembrando-se do amor e da misericórdia de Deus, o salmista anunciou com fé: "Não morrerei; pelo contrário, viverei para contar o que o SENHOR fez" (Sl 118.17).

Deus nos livra por seu amor para que anunciemos seus grandes feitos e glorifiquemos seu nome.

Senhor, eu te agradeço porque és meu refúgio seguro, onde posso me esconder até que passe o perigo. Livra-me das tramas dos ímpios, não permitas que eu tropece e preserva minha vida para que eu te louve e anuncie a outros tua bondade.

Manifestações de amor

Pois estou sempre consciente do teu amor e tenho vivido de acordo com a tua verdade.

Salmos 26.3

O amor assemelha-se ao vapor. Não podemos ver o vapor, mas às vezes sentimos os efeitos dele. Por exemplo, só percebemos o vapor da gasolina quando se produz uma faísca e ocorre uma explosão. Podemos, então, observar os efeitos dele. E, quanto mais aprendemos sobre vapores, mais reconhecemos que estão ao nosso redor.

O mesmo se aplica ao amor de Deus. Quando aceitamos a Cristo, os receptores de nosso cérebro, de nosso coração e de nosso espírito são ativados. E, a cada novo reconhecimento, ocorre uma explosão de alegria em nós gerada por aquilo que sempre esteve presente, mas que só conseguimos ver a partir daquele momento.

Quando finalmente entendemos o amor de Deus de uma forma que nunca fomos capazes de imaginar, há uma espécie de explosão em nosso coração, detonada pelos sinais desse amor em toda parte. Vemos o amor de Deus na beleza da criação. Sentimos o amor de Deus em sua graça e misericórdia e nas coisas que acontecem para nosso bem.

Depois que a faísca do reconhecimento do amor de Deus por nós é produzida, ele continua a explodir em nosso coração, despertando nossos sentidos todos os dias e tocando-nos com mais intensidade que no dia anterior.

Senhor, torna-me cada vez mais perceptiva e sensível para as inúmeras manifestações diárias de teu amor. Que eu possa identificar tua presença e teu cuidado até mesmo nas dádivas mais sutis com as quais tu me cercas.

11 de maio

Leia Mateus 7.9-11 e reflita

Bons presentes

Portanto, se vocês, que são maus, sabem dar bons presentes a seus filhos, quanto mais seu Pai, que está no céu, dará bons presentes aos que lhe pedirem!

MATEUS 7.11

A Bíblia diz que todas as dádivas perfeitas vêm do Pai das luzes (Tg 1.17). Para recebê-las, precisamos primeiro buscar o Senhor e seu reino. Temos de compreender o que são as dádivas divinas e ficar abertas para recebê-las.

Duas dádivas extremamente importantes, das quais muitas vezes nos esquecemos, são o *amor* e a *graça* de Deus. Precisamos nos lembrar de recebê-las todos os dias.

Não conseguimos viver com êxito sem a dádiva do *amor*. O amor de Deus não é um mero sentimento ou uma simples emoção. É seu Espírito em nós. Quando aceitamos Jesus, recebemos o amor divino e nada é capaz de mudar isso.

A *graça* se manifesta quando Deus não nos dá o castigo que merecemos, concedendo, em vez disso, coisas boas que não merecemos. As coisas boas que nos acontecem não dependem de nossos esforços, mas de nossa humildade em aceitar a misericórdia e a graça de Deus (Rm 9.16). A graça se evidencia quando o Senhor retira nossa fraqueza e manifesta sua força em nós (2Co 12.9). É assim que a graça nos basta. Ela faz as coisas, e não nós.

Abra suas mãos e aceite hoje essas duas belas dádivas.

Graças te dou, Senhor, pelas inúmeras dádivas de tua bondade, especialmente por teu amor e por tua graça. Meu coração transborda de alegria quando penso em tua generosidade e em teu cuidado.

Orações que perduram

Cada um tinha uma harpa e taças de ouro cheias de incenso, que são as orações do povo santo.

APOCALIPSE 5.8

Você não é fraca; é filha do Rei, e ele é forte em você mediante o poder do Espírito. Há uma vocação em sua vida que não tem nada a ver com sexo, idade, sucesso, nível educacional, raça, cor, cultura ou partido político. Somos todas filhas de Deus sob um único sangue — o sangue de Cristo.

Você nunca está sozinha na batalha. Há "espíritos enviados para cuidar daqueles que herdarão a salvação" (Hb 1.14), ou seja, para cuidar de nós. Temos uma herança no Senhor. Há anjos que nos ajudam. Há o Espírito Santo, que está em nós e nos capacita.

Muitas pessoas se sentiram assustadas como nós diante da oposição do inimigo. No entanto, elas lutaram com coragem, pois sabiam que ele também é o inimigo de Deus e que a vitória pertence ao Senhor. Talvez não sejamos reconhecidas como grandes guerreiras de oração na terra, mas Deus vê nossos esforços.

Quando oramos, nossas orações não evaporam no ar. Elas perduram! Isso significa que nossas orações não duram apenas alguns segundos. Elas continuam. Elas existem diante de Deus e seguem adiante realizando a vontade dele. Não é maravilhoso? O que fazemos como guerreiras de oração permanece além de nossa vida na terra.

Senhor, quando eu me sentir atemorizada diante do inimigo ou desanimada com as circunstâncias, desejo me lembrar de que não estou só. Tu estás comigo na batalha, e minhas orações têm efeito duradouro. Muito obrigada.

13 de maio

Leia 2Reis 23.21-27 e reflita

Derrube os altares

> *Nunca antes houve um rei como Josias, que se voltasse para o Senhor de todo o coração, de toda a alma e de todas as forças, e obedecesse a toda a lei de Moisés. E nunca mais houve um rei como ele.*
>
> 2Reis 23.25

A maior evidência de nosso amor e devoção a Deus é nossa adoração. Ela mostra que todo o nosso foco está nele, e não em nós mesmas nem nas pessoas e coisas ao redor.

O temente rei Josias restaurou a adoração a Deus primeiramente lendo a Palavra de Deus em voz alta para os sacerdotes e para o povo (2Rs 23.2). Então, comprometeu-se a seguir a Deus e guardar seus mandamentos de todo o coração e de toda a alma (2Rs 23.3). Em seguida, destruiu tudo que era profano na terra. Limpou o templo de todas as coisas usadas para a adoração de falsos deuses e ídolos (2Rs 23.4). Derrubou os altares que reis antes dele não haviam removido e expulsou os sacerdotes que praticavam idolatria (2Rs 23.5-20).

Nós também devemos derrubar os altares idólatras em nosso coração e destruir tudo que é profano em nossa vida. Também devemos nos livrar de todos os falsos deuses e ídolos. Devemos pedir ao Espírito Santo que limpe nosso coração de tudo que não vem dele, de modo que possamos nos dirigir a Deus em adoração com todo o coração, toda a alma e todas as forças.

Senhor Deus, és o único Deus vivo e verdadeiro, e quero adorar somente a ti. Mostra-me quais são os ídolos de meu coração e dá-me forças para derrubar os altares que construí ao dedicar-lhes o tempo, os recursos e os esforços que deveria oferecer somente a ti.

No rumo certo

Tua palavra é lâmpada para meus pés e luz para meu caminho
SALMOS 119.105

Antes de decolar, o piloto de um avião precisa ter um plano de voo, com os dados necessários para o trajeto. Além disso, deve ser capaz de entender as informações do painel de instrumentos e confiar nelas. Mudanças nas condições atmosféricas podem atrapalhar a visibilidade e o controle, tornando difícil enxergar com clareza e manobrar a aeronave. Nem sempre o piloto é capaz de dizer exatamente para onde está indo, e não se pode confiar em impressões. Para evitar acidentes, precisa ter instrumentos confiáveis, que o mantenham no devido rumo e altitude.

A mesma coisa acontece em sua vida. Para voar num curso constante e na direção correta, passando ao largo dos perigos da vida, você deve ter pleno conhecimento e compreensão do plano de voo e do painel de instrumentos. A Bíblia é esse painel e lhe oferece o plano básico de voo. Não basta apenas saber como interpretá-lo e entendê-lo; você também tem de aprender a confiar nele e segui-lo com precisão. Desse modo, você será guiada em segurança para onde precisa ir, sem acidentes.

Confie nos recursos que Deus já lhe deu para mantê-la no rumo certo.

Querido Deus, peço que desenvolvas em mim confiança inabalável em tua direção e em tuas instruções. Ajuda-me a usar os instrumentos que me deste para permanecer no rumo correto. E, quando eu me sentir perdida ou à mercê dos ventos, guia-me em segurança até o destino que já definiste.

15 de maio

Leia Deuteronômio 32.48-52 e reflita

Obediência à Palavra

Você verá a terra de longe, mas não entrará na terra que dou ao povo de Israel.

Deuteronômio 32.52

Moisés desobedeceu a Deus e, como consequência, não teve permissão de entrar na terra prometida. Apesar de Moisés ter orado pedindo para atravessar o Jordão e ver a terra da promessa, Deus disse que, por causa de sua desobediência, ele teria de permanecer onde estava e morrer ali (Nm 20.1-13).

Nós também devemos obedecer a Deus a fim de ingressar em tudo que ele preparou para nós. O pecado enfraquece e encurta nossa vida, enquanto a obediência a fortalece e a estende. Não podemos tomar posse de tudo que Deus tem para nós, a menos que façamos o que ele nos pede. Você não chegará ao lugar correto se não ouvir a voz de Deus na Palavra dele e obedecer-lhe.

A obediência à Palavra de Deus traz grande recompensa; a desobediência ou a rejeição às leis divinas nos impede de entrar nos lugares que Deus preparou para nós.

O inimigo de nossa alma vem para roubar a Palavra ou para tentar nos convencer a duvidar dela. Somos facilmente atraídas por influências externas. E, quando as coisas começam a dar certo em nossa vida, esquecemos que Deus nos fala por meio das Escrituras. Devemos pedir forças a Deus para resistir a esses ataques e permanecer obedientes à Palavra.

Senhor, sei que é fundamental para minha caminhada contigo que eu siga tua Palavra. Necessito, contudo, da capacitação de teu Espírito. Desenvolve em mim a obediência que te agrada e que me permite ver o cumprimento de todas as tuas boas promessas.

Você foi resgatada

Não tema, pois eu o resgatei; eu o chamei pelo nome, você é meu.

ISAÍAS 43.1

Não importa o que você tenha feito, o poder do perdão divino é suficiente para resgatá-la. O inimigo quer nos levar a acreditar que nossos pecados são terríveis demais, que nos afastamos demais de Deus. A Bíblia diz: "Todo aquele que invocar o nome do Senhor será salvo" (Rm 10.13). Portanto, clame ao Senhor e declare sua fé no nome dele. Todos nós pecamos e não alcançamos o padrão da glória de Deus, "mas ele, em sua graça, nos declara justos por meio de Cristo Jesus, que nos resgatou do castigo por nossos pecados" (Rm 3.24).

Quando você ainda estava distante de Jesus, ele morreu por você e a resgatou do castigo merecido (Rm 5.8). Em lugar de seus trapos imundos, ela a cobriu com um lindo manto de justiça. O amor de Deus é alto como os céus, e a fidelidade dele chega até as nuvens (Sl 57.10). Deus buscou você e conquistou seu coração de maneiras que você nem é capaz de imaginar. Ele a chamou pelo nome, e você pertence a ele.

Qualquer que seja a batalha diante de você hoje, lembre-se que Deus já lhe deu vitória em Cristo. Você foi resgatada para sempre.

Eu te agradeço, Deus de amor, porque me resgataste de uma vez por todas do castigo por meus pecados. Não desejo que coisa alguma me afaste de ti. Reafirmo que creio em teu nome e aceito a dádiva da redenção em Cristo.

17 de maio

Leia Marcos 6.45-52 e reflita

Um coração sensível

> *Ainda não tinham entendido o milagre dos pães. O coração deles estava endurecido.*
>
> MARCOS 6.52

O Senhor não quer que nosso coração se endureça contra ele de maneira alguma. Endurecemos o coração sempre que nos recusamos a ouvir aquilo que Deus nos diz quando estamos a sós com ele em oração e no estudo da Palavra. "Hoje, se ouvirem sua voz, não endureçam o coração" (Hb 4.7). Também endurecemos o coração quando enxergamos com clareza nas Escrituras aquilo que devemos fazer e não fazemos. "Quem sempre se recusa a aceitar a repreensão será destruído de repente, sem que possa se recuperar" (Pv 29.1).

Nosso coração é duro quando resistimos de alguma forma à Palavra de Deus. Jesus havia acabado de operar um milagre diante de seus discípulos ao usar cinco pães e dois peixes para alimentar uma multidão imensa. Ainda assim, quando se viram em perigo, não conseguiram compreender que o poder de Cristo também se aplicava às necessidades deles.

Se os discípulos, que estavam com Jesus todos os dias e testemunhavam seus muitos milagres, tinham um coração endurecido, quais são as chances de *nosso* coração estar endurecido também? Você precisa pedir ao Espírito de Deus que trabalhe em se coração de modo a torná-lo cada vez mais sensível a ele.

Senhor, ainda tenho em mim a tendência pecaminosa de resistir a ti e endurecer meu coração para tuas instruções e tua repreensão. Torna-me cada vez mais sensível à tua Palavra e maleável à ação de teu Espírito.

Prove e veja que o Senhor é bom

Provem e vejam que o Senhor é bom! [...] os que o temem terão tudo de que precisam. [...] aos que buscam o Senhor nada de bom faltará.

Salmos 34.8-10

Nem sempre é fácil confiar que Deus nos proporcionará sustento, principalmente quando não conseguimos enxergar como nossa necessidade será suprida. Estive nessa situação muitas vezes na vida, e Deus agiu de uma forma que eu nunca havia imaginado ou sonhado.

Quando estamos convencidas de que Deus nos ama e olhamos para ele com amor e reverência no coração, nada nos falta. Deus é generoso e se agrada em nos dar aquilo de que necessitamos.

Você já tentou oferecer a uma pessoa algo que ela não aceitou, embora necessitasse bastante? É frustrante e insultante, como um tapa no rosto. De igual modo, é uma afronta a Deus não aceitar o que ele nos proporciona.

Jesus nos instruiu: "Busquem, em primeiro lugar, o reino de Deus e a sua justiça, e todas essas coisas lhes serão dadas" (Mt 6.33). Significa que, quando recorremos a Deus, ele nos dá tudo de que necessitamos. Quando não aceitamos tudo que Deus tem para nós, é como dizer: "Vou conseguir sozinha o que quero. Não preciso de ti".

Precisamos crer que Deus nos ama e supre nossas necessidades quando o buscamos diligentemente.

Querido Pai, não tentarei mais suprir minhas próprias necessidades, pois confio em tua provisão. Experimentei inúmeras vezes quanto tu és bom.

19 de maio

Leia Deuteronômio 17.14-20 e reflita

Conhecimento que fortalece

Quando sentar-se no trono para reinar, copiará esta lei para si num rolo [...]. Trará essa cópia sempre consigo e a lerá todos os dias enquanto viver. Assim, aprenderá a temer o SENHOR, seu Deus, cumprindo todos os termos desta lei e destes decretos.

DEUTERONÔMIO 17.18-19

Quando você está sendo guiada pelo Espírito Santo, essa direção nunca implicará oposição à Palavra de Deus; haverá sempre um alinhamento com o que as Escrituras dizem.

Devemos ter fé para agradar a Deus (Hb 11.6). E não é possível ter uma fé firme sem ler a Palavra, ouvi-la, conhecê-la e confiar nela. As promessas de Deus são muitas, e para recebê-las você deve crer em Deus e no que a Palavra diz a respeito delas.

O termo grego *logos* se refere à mensagem completa, a Bíblia em sua totalidade. O termo grego *rhema* é uma parte da mensagem, a palavra falada na comunicação da mensagem. É um versículo da Bíblia que o crente usa como arma na batalha espiritual. Você deve possuir ambos, *logos* e *rhema*. Por isso você precisa ler a Bíblia inteira diversas vezes e conhecer versículos específicos que Deus desperta em seu coração. Isso fará que sua fé cresça e você confie plenamente na verdade da Palavra. Deus honra aqueles que aprendem sua Palavra e vivem de acordo com ela.

Senhor, necessito de teu auxílio ao ler tua Palavra, a fim de conhecê-la cada vez melhor e colocá-la em prática com fé e temor reverente.

Abrigo em tempos de aflição

O Senhor é abrigo para os oprimidos, refúgio em tempos de aflição.
Salmos 9.9

Ao depositarmos nossa confiança em Deus, ele nos protege dos perigos mais do que imaginamos. Mesmo quando enfrentamos problemas, não podemos permitir que a confiança vacile, pois, no meio da adversidade, ele fará coisas grandiosas em nós e por nosso intermédio.

Deus é um lugar seguro para o qual você pode sempre correr quando estiver em perigo. Ele jamais abandona quem o busca. Isso não significa que não acontecerá nenhum problema, mas o problema não nos destruirá nem durará para sempre. Deus sabe tudo que se passa ao nosso redor mesmo quando nós não o sabemos.

Quando recorremos ao Senhor em busca de proteção, ele garante que seus planos para nós serão bem-sucedidos, e não os planos do inimigo. Mas não devemos dar ouvidos ao adversário nem aceitar suas sugestões só para ver até que ponto Deus está nos protegendo.

Deus não disse que jamais cairíamos. Disse que, quando tropeçarmos, ele nos erguerá do chão (Sl 37.23-24). Estamos sujeitas a provações, dificuldades e problemas, mas, sem Deus, a situação seria muito pior.

Quando temos consciência da presença contínua de Deus conosco e vivemos na segurança e na paz que ele nos dá, não apenas nossos dias são mais tranquilos, mas também dormimos melhor durante a noite.

Eu te agradeço, ó Pai, porque és meu abrigo seguro.
Conheces cada detalhe de todos os meus dias, e nada foge
de teu controle. Como é bom saber que posso
descansar em ti com segurança e paz!

21 de maio

Leia Atos 2.14-24 e reflita

Uma mensagem do Senhor

> *"Nos últimos dias", disse Deus, "derramarei meu Espírito sobre todo tipo de pessoa. Seus filhos e suas filhas profetizarão [...] todo aquele que invocar o nome do Senhor será salvo."*

ATOS 2.17,21

Essa profecia de Joel, citada por Pedro em Pentecostes, também é para nós que cremos em Deus hoje. Podemos esperar que Deus fale conosco e use cada uma de nós para anunciar a palavra dele a outras pessoas.

Talvez aconteça de você estar orando e ter a impressão de que está recebendo uma palavra do Senhor para outra pessoa. Ao ter essa sensação, certifique-se de buscar a Deus em primeiro lugar, antes de dizer qualquer coisa a alguém. Peça para ele lhe dar convicção total de que essa impressão vem dele, e não de sua própria alma.

Ao compartilhar uma mensagem que você sente que Deus falou ao seu coração, as pessoas precisam sentir a magnitude desse pronunciamento. Além disso, certifique-se de que você deve mesmo transmitir a mensagem a essa pessoa. Pode ser apenas um impulso para que você ore por ela. Não faça nada até confirmar que a palavra que ouviu veio de Deus.

Por fim, lembre-se sempre de que a palavra de Deus a alguém só deve ser transmitida com o amor de Deus em seu coração.

Senhor, desenvolve em mim uma atitude de profunda humildade e uma aguçada sensibilidade à direção de teu Espírito. Não desejo transmitir a outros apenas minhas ideias e impressões. Quero ser um instrumento fiel que anuncia somente tua palavra.

Seja uma intercessora

E vocês nos têm ajudado ao orar por nós. Então muitos darão graças porque Deus, em sua bondade, respondeu a tantas orações feitas em nosso favor.
2CORÍNTIOS 1.11

Ao orar como intercessora, você está servindo a Deus de forma direta e pessoal. Quando você ora por outros, realiza a vontade de Deus para eles, promove o avanço do reino de Deus em oração, faz as obras das trevas retrocederem, correntes serem quebradas e escravos do inimigo serem libertos. E mais, promove restauração onde ela é necessária, faz a cura e a plenitude se arraigarem onde há enfermidade e sofrimento, traz consolo onde há aflição, cultiva esperança onde há desesperança, revela Jesus àqueles que estão imobilizados por armadilhas de falsos deuses e ídolos e propaga o amor de Deus a pessoas que nem sabem que ele existe.

Sempre que você orar por suas próprias necessidades e por aquilo que pesa em seu coração, peça a Deus que lhe dê direção, trazendo à sua mente uma pessoa, um grupo de pessoas ou uma situação. Ele trará a seu coração o desejo de orar por determinada pessoa ou circunstância. O Espírito Santo em você a ajudará a interceder, e você saberá quando Deus a está chamando para orar intensamente por alguém ou por algo, pois sentirá fervor a esse respeito durante sua oração.

Deus de amor, obrigada pelo privilégio de interceder por outros diante de teu trono de graça. Dirige-me em minhas súplicas, para que sejam sempre segundo tua vontade. Fortalece minha fé para que outros possam ser abençoados e sustentados por meio dessas orações.

23 de maio

Leia Salmos 61.1-4 e reflita

Um coração sobrecarregado

Dos confins da terra clamo a ti, com meu coração sobrecarregado.

SALMOS 61.2

Alguns dias, nossa vida parece um trem descarrilhado. Ficamos com a nítida sensação de que não temos controle algum sobre os acontecimentos. As circunstâncias externas e as emoções dentro de nós são tão intensas que temos a impressão de que vamos explodir.

Felizmente, nosso Deus tem poder para fazer qualquer coisa, até mesmo mudar nossos sentimentos e nossas circunstâncias. Mesmo quando nos sentimos sobrecarregadas, quando parece que não vamos suportar, nenhum fardo é pesado demais para ele. Nada está além de seu controle e de sua capacidade de colocar tudo em ordem.

O salmista passou por momentos parecidos e escreveu: "Meu inimigo me perseguiu; derrubou-me no chão e obrigou-me a morar em trevas, como as do túmulo. Vou perdendo todo o ânimo; estou tomado de medo" (Sl 143.3-4). Mas seu discurso não terminou aí. Ao ler o salmo todo, você verá que ele dirigiu todas as súplicas ao Senhor, ciente de que Deus o preservaria por amor a seu nome.

Quando sentir-se sobrecarregada, faça como o salmista: apresente ao Senhor tudo que está pesando em seu coração, crendo que seu Deus não apenas é todo-poderoso, mas que ele deseja remover seus fardos e ajudá-la a alçar voo.

Pai de amor, ouve minha súplica e responde, pois és fiel e justo. Não te demores, Senhor, pois me sinto sobrecarregada e preciso de teu socorro. Preserva minha vida por amor de teu nome.

Vigie seu coração

O coração humano é mais enganoso que qualquer coisa e é extremamente perverso; quem sabe, de fato, o quanto é mau?

JEREMIAS 17.9

Seu coração não é confiável e, por isso, precisa ser vigiado de perto. "Acima de todas as coisas, guarde seu coração, pois ele dirige o rumo de sua vida" (Pv 4.23). Você não pode supor que coisas ruins jamais encontrarão abrigo ali. Portanto, faça um esforço especial para acumular bons tesouros em seu coração (Mt 12.35).

Além de encher o coração com a Palavra de Deus, preencha-o também com adoração e louvor. Desse modo, sempre haverá tesouros dentro dele. Davi diz: "Cantarei o teu amor e a tua justiça, SENHOR; com cânticos te louvarei. Buscarei viver de modo inculpável [...]. Viverei com integridade em minha própria casa" (Sl 101.1-2). Em seguida, declara algo fundamental para conservar o coração puro: "Não olharei para coisa alguma que seja má e vulgar. Odeio todos que agem de forma desonesta; não terei nada a ver com eles. Rejeitarei ideias perversas e me manterei afastado de todo mal" (v. 3-4). Em outras palavras, Davi não permitiria que seus olhos fitassem qualquer coisa desagradável a Deus, não toleraria transgressões às leis divinas, não deixaria que nada de perverso habitasse em seu coração e recusaria toda impiedade.

Essa é uma lição para todos que desejam conservar o coração puro diante de Deus.

∼

Senhor, obrigada porque estás continuamente purificando meu coração. Ajuda-me a ser vigilante, rejeitar a perversidade e manter-me afastada de todo mal.

25 de maio

Leia Provérbios 31.8-9 e reflita

Impacto sobre o mundo

Fale em favor daqueles que não podem se defender; garanta justiça para os que estão aflitos.

PROVÉRBIOS 31.8

Por vezes, sentimos um desejo ardente no coração de causar algum impacto sobre o mundo em que vivemos. Nessas horas, é animador saber que, embora sejamos pequenas, Deus é grande, e a presença dele em nosso coração nos dá força suficiente para realizarmos qualquer coisa que ele nos chame a fazer.

De uma forma ou de outra, todas nós queremos deixar um legado que influencie gerações futuras do reino de Deus. Nossa vida não passa de uma névoa (Tg 4.14) e, no entanto, por meio do poder de Deus, as empreitadas às quais nos dedicamos podem exercer influência muito depois que tivermos deixado este mundo.

Deus pode nos usar para trazer justiça às nações, para pregar as boas-novas a ricos e pobres, para consolar os aflitos, ministrar aos prisioneiros e iluminar a vida daqueles que estão andando em trevas.

Mesmo que nosso impacto neste mundo não seja imediatamente visível, Deus o verá e saberá de sua extensão, pois foi ele que o planejou. Portanto, coloque-se à disposição do Senhor, para a missão que ele tem para você neste dia, por menor que pareça. Quer você perceba quer não, mesmo nos trabalhos aparentemente mais corriqueiros, você estará colaborando para a obra maior do reino.

*Que grande honra poder participar da obra de teu reino, Senhor!
Capacita-me para que eu fale em favor daqueles que não têm
como se defender e para que eu promova tua justiça para
os aflitos e necessitados.*

Escolha a fé

Quando minha mente estava cheia de dúvidas, teu consolo me deu esperança e ânimo.

Salmos 94.19

A fé é uma escolha espiritual de sua nova natureza em Cristo; a dúvida é uma escolha de sua velha natureza. Mas nem sempre consideramos a dúvida uma escolha. Embora seja verdade que haja momentos nos quais ela surge, não precisamos viver nesse estado. É possível escolher ter fé em Deus e em sua Palavra.

Simão Pedro era um dos discípulos mais chegados de Jesus e o viu operar muitos milagres. No entanto, Jesus disse a Pedro que Satanás queria testá-lo, mas que ele orou para que a fé de Simão não falhasse (Lc 22.31-32). Se Pedro precisou de orações para se manter firme na fé, quanto mais nós!

Sempre que sentir dúvida, leia nas Escrituras sobre homens e mulheres de fé. As histórias dessas pessoas a inspirarão. Abraão, por exemplo, esperou anos para Deus cumprir a promessa de lhe conceder um filho. Durante a espera, sua fé se fortaleceu.

Ore para que você tenha uma fé que não vacile, mas que se fortaleça à medida que espera no Senhor por resposta para suas orações.

Ore, também, para que Deus seja o único objeto de sua fé. A vida não dá certo se você deposita sua fé nas coisas erradas. É impossível experimentar toda a liberdade, a plenitude e o sucesso verdadeiro que Deus tem para você sem fé nele e em sua Palavra.

Deus de misericórdia e graça, peço que desenvolvas minha fé nos tempos de espera e que me ajudes a fortalecer outros. Muito obrigada porque me dás esperança e ânimo nos momentos de dúvida. Ajuda-me a sempre escolher a fé.

27 de maio

Leia Efésios 5.15-20 e reflita

Como descobrir a vontade de Deus

Não ajam de forma impensada, mas procurem entender a vontade do Senhor.

EFÉSIOS 5.17

Quando você anda na vontade de Deus, a vida faz sentido e você experimenta satisfação. Eis alguns passos para descobrir o que Deus quer de você:

- *Diga a Deus que você vive para fazer a vontade dele.* "Como escravos de Cristo, façam a vontade de Deus de todo o coração" (Ef 6.6).
- *Peça a Deus que a capacite a fazer a vontade dele.* "E, agora, que o Deus da paz [...] os capacite em tudo que precisam para fazer a vontade dele" (Hb 13.20-21).
- *Ouça a voz de Deus falar a seu coração.* "Uma voz atrás de vocês dirá: 'Este é o caminho pelo qual devem andar', quer se voltem para a direita, quer para a esquerda" (Is 30.21).
- *Louve a Deus e dê graças por tudo.* "Sejam gratos em todas as circunstâncias, pois essa é a vontade de Deus para vocês em Cristo Jesus" (1Ts 5.18).
- *Peça a Deus que opere a vontade dele em sua vida para a glória dele.* "Mantenhamos o olhar firme em Jesus [...]. Por causa da alegria que o esperava, ele suportou a cruz sem se importar com a vergonha. Agora ele está sentado no lugar de honra à direita do trono de Deus" (Hb 12.2).

Senhor, peço que mantenhas meus ouvidos abertos para tua voz e meu coração sempre disposto a obedecer-te. Desejo cumprir tua vontade com alegria e gratidão, a fim de te honrar e glorificar com todo o meu ser.

A coroa da vida

Feliz é aquele que suporta com paciência as provações e tentações, porque depois receberá a coroa da vida que Deus prometeu àqueles que o amam.

TIAGO 1.12

Deus promete nos capacitar para aquilo que não podemos realizar sem ele, mas temos de declarar nossa dependência dele. Quando fazemos isso, somos recompensadas por viver em seus caminhos.

Tiago, irmão de Jesus, diz que nossa recompensa será a coroa da vida (Tg 1.12). A coroa da vida não é algo insignificante. Esse versículo fala de quando estivermos no céu com o Senhor. Há recompensas na eternidade que deixaremos de receber se continuarmos a ceder à tentação em vez de resistir. Todas nós temos acesso ao poder e à força para resistir à tentação se corrermos de imediato para Deus e se dependermos da força e do poder dele.

Quando atravessarmos tempos difíceis e, pela graça de Deus, não perdermos a fé a ponto de agir de modo insensato, ímpio ou egoísta, a experiência nos fará depender de Deus tão completamente que não necessitaremos de mais nada além dele.

Se reconhecermos a prova de nossa fé quando a tentação se apresentar e recorrermos a Deus, sentiremos a alegria de resistir ao inimigo de nossa alma. Se dependermos de Deus para agir em nós e nos aperfeiçoar, veremos que todas as nossas necessidades serão satisfeitas nele.

Obrigada, Senhor, porque tens recompensas reservadas para mim e, em tua graça, me concedes todo o necessário para resistir à tentação e receber a coroa da vida. Quanta bondade!

29 de maio

Leia 1Pedro 1.13-14 e reflita

A batalha em sua mente

Portanto, preparem sua mente para a ação e exercitem o autocontrole. Depositem toda a sua esperança na graça que receberão quando Jesus Cristo for revelado.

1Pedro 1.13

Sua mente é um campo de batalha. Mas, se você aceitou Jesus como seu Salvador, o Espírito Santo de Deus habita em você. Ele é o selo de que você pertence a Deus. Isso quer dizer que o inimigo não pode assumir o controle de seus pensamentos. No entanto, ele ainda pode mentir para você e travar uma batalha em sua mente.

Nela, expressamos nossa vontade e tomamos decisões que afetam nossa vida e a vida de outros. Por isso é um dos lugares prediletos do inimigo para usar suas mentiras e obter grandes vantagens.

O inimigo usa nossos sentimentos de culpa, condenação, medo, ansiedade, desespero e autodepreciação, bem como pensamentos negativos, a fim de nos atacar. Esses pensamentos e sentimentos residem em nós em razão de experiências passadas, recentes ou não. Em algum momento da vida, acreditamos nas mentiras do inimigo. E, uma vez que não estávamos cientes do que a Palavra de Deus diz a nosso respeito (ou, por não crer na Palavra de todo o coração), não discernimos a atuação do inimigo. Quando sabemos a verdade, porém, podemos vestir a armadura de Deus e usar a Palavra como nossa maior arma nos combates dentro de nossa mente.

Senhor Deus, guarda minha mente de todos os ataques e mentiras do inimigo. Não quero dar lugar a sentimentos negativos e pecaminosos. Protege meus pensamentos com o escudo de tua verdade, revelada nas Escrituras.

Instruções para a vida cristã — parte 1

Amem-se com amor fraternal [...] não parem de orar.

ROMANOS 12.10,12

Romanos 12 traz várias instruções para a vida cristã. Veja alguns exemplos:

- *Amem-se com amor fraternal* (v. 10). Amar os outros assim como você ama um irmão querido significa colocar as necessidades deles antes das suas e tratá-los com honra.

- *Jamais sejam preguiçosos* (v. 11). Isso significa ter zelo e dedicação em tudo que fazemos, não só em algumas coisas, quando temos vontade.

- *Sirvam ao Senhor com entusiasmo* (v. 11). Devemos pensar em tudo que fazemos como um serviço a Deus, e isso inclui nossos relacionamentos e nossa disposição de servir outros a fim de suprir suas necessidades.

- *Sejam pacientes nas dificuldades* (v. 12). Esperar com paciência até ver Deus agir em meio a nossos problemas exige plena confiança nele. Isso inclui paciência em relacionamentos difíceis.

- *Não parem de orar* (v. 12). Orar a todo tempo sobre todas as coisas é o caminho para ter uma vida de comunhão contínua com Deus. Devemos orar não apenas por nossa vida e por aquilo de que precisamos, mas também pelas necessidades de outros e pelos desafios que enfrentam.

*Eu te agradeço, Senhor, porque não apenas mostras em tua Palavra
o que devo fazer, mas também me ajudas a seguir tuas instruções.
Desejo ser cada vez mais fiel a teus preceitos.*

31 de maio

Leia Romanos 12.13-18 e reflita

Instruções para a vida cristã — parte 2

> *Vivam em harmonia uns com os outros.*
>
> Romanos 12.16

Aqui estão mais alguns exemplos de instruções para a vida cristã em Romanos 12:

- *Quando membros do povo santo passarem por necessidade, ajudem com prontidão. Estejam sempre dispostos a praticar a hospitalidade.* (v. 13). Peça a Deus que lhe mostre quais são as necessidades dos outros. É claro que você não é capaz de atender a todas as necessidades de cada pessoa, mas Deus pode.

- *Alegrem-se com os que se alegram* (v. 15). Mesmo quando tudo estiver dando errado em sua vida, alegre-se com outros. Resista à tendência de sentir inveja, pois ela é o oposto do amor.

- *Chorem com os que choram* (v. 15). Há muitas pessoas sofrendo que seriam abençoadas por seu amor e sua compaixão. Elas precisam que você demonstre empatia e chore com elas. Esse tipo de demonstração de amor pode mudar a vida de alguém.

- *No que depender de vocês, vivam em paz com todos* (v. 18). Faça todo o possível para evitar ofender as pessoas ou causar divisão e contenda. Peça a Deus que a ajude a ser sempre pacífica, cooperadora, cordial e agradável.

Senhor, ajuda-me a cultivar a hospitalidade, a empatia e a cordialidade, a fim de viver em harmonia com as pessoas e demonstrar teu amor por elas.

Leia Salmos 89.1-8 e reflita

O hábito da gratidão

Cantarei para sempre o teu amor, ó SENHOR! Anunciarei a tua fidelidade a todas as gerações.

SALMOS 89.1

Forme o hábito de agradecer a Deus por tudo que ele faz para mostrar que a ama pessoalmente.

Ele poupou você de um sofrimento? Proporcionou um encontro com pessoas que você precisava conhecer? Pôs beleza em seu caminho de maneira incrível? Respondeu às suas orações? Agiu numa situação para o seu bem? Permitiu que você se recuperasse? Ajudou-a a atravessar tempos difíceis? Falou ao seu coração? Fez você sentir a presença dele? Presenteou-a com uma paz inesperada em meio a uma crise? Trouxe-lhe uma grata surpresa? Guardou-a de um momento de aflição? Atendeu-a quando você mais precisava dele? Sustentou-a de forma inesperada? Mostrou-lhe na criação coisas que a encantaram? Pôs em seu coração compaixão por uma pessoa difícil? Fortaleceu-a quando você imaginou que não seria mais capaz de prosseguir?

Seja o que for, agradeça a Deus pelo amor dele sempre que vir ou se lembrar de algo. Diga-lhe que o amor dele significa muito para você. Peça que ele a ajude a reconhecer e aceitar seu amor por você de todas as formas. A gratidão pelo amor de Deus lhe renovará as forças, lhe dará novo ânimo e a encherá de motivos de louvor.

Deus de amor, tenho motivos de sobra para te agradecer e te louvar. Cria em mim o hábito de expressar essa gratidão ao longo do dia e capacita-me para que eu anuncie a outros a tua fidelidade.

2 de junho

Leia Salmos 34.17-22 e reflita

Deus está ao seu alcance

> *O SENHOR está perto dos que têm o coração quebrantado e resgata os de espírito oprimido.*
>
> SALMOS 34.18

Se Deus é amor e está em toda parte, significa que estamos cercadas por seu amor o tempo todo. Por que, então, não sentimos isso sempre?

Algumas pessoas aceitam o amor de Deus de todo o coração no momento em que compreendem quem ele é e o que fez. Outras demoram um pouco mais para aceitá-lo. Não imaginam que ele as ame da maneira como ama, por isso não reagem com total confiança à ação dele em sua vida.

Jamais teremos uma visão correta do amor de Deus se não entendermos quem ele é. Precisamos entender que Deus é amor e procurar as manifestações desse amor em sua Palavra e em nossa vida a fim de reconhecer e, portanto, descansar em seu amor devidamente.

É importante saber o que o amor de Deus pode e irá realizar em você. Se abrirmos o coração para que seu amor aja em nós, se nos comunicarmos com ele em oração, se aprendermos com ele todos os dias lendo sua Palavra e se lhe pedirmos que nos revele seu amor, seremos capazes de receber tudo que ele tem para nos oferecer.

Permaneça atenta à obra de cura e restauração proporcionada pelo amor de Deus em você. O amor divino está ao seu alcance porque Deus está ao seu alcance.

Querido Deus, sou imensamente grata porque estás perto de mim e me ouves quando clamo por auxílio. Quero aprender mais de ti e de teu grande amor e receber todas as bênçãos que ele proporciona.

Leia Efésios 5.21-33 e reflita

Proteção para o casamento

"Por isso o homem deixa pai e mãe e se une à sua mulher, e os dois se tornam um só". Esse é um grande mistério, mas ilustra a união entre Cristo e a igreja.
EFÉSIOS 5.31-32

O inimigo ataca onde quer que ele tenha chance, ou seja, onde encontra maior vulnerabilidade. Uma das áreas de vulnerabilidade é o casamento. Ele não gosta do casamento porque foi instituído por Deus e é por meio dele que os filhos nascem, são criados e Deus é glorificado na família. E o inimigo não quer que Deus seja glorificado, pois é obcecado com sua própria glória.

Se houver egoísmo por parte do marido ou da esposa, o inimigo trabalhará por meio dessa fraqueza. Sua estratégia predileta é causar discórdia entre os cônjuges para que magoem um ao outro com palavras e atos insensíveis e nem sequer pensem em culpar o inimigo por incitá-los.

A pessoa a quem mais amamos também pode nos magoar mais que qualquer outra, principalmente no casamento. Mas não devemos reagir a nosso cônjuge como se *ele* fosse o inimigo. Em vez disso, devemos ir a Deus em oração e pedir que ele nos mostre a verdade sobre o que está acontecendo.

Mesmo se você for a única a orar, poderá ver um milagre. Entregue seu marido nas mãos do Senhor. Ele tem um jeito único de falar ao nosso coração.

Senhor, coloco meu casamento em tuas mãos e peço que o protejas dos ataques do inimigo. Trabalha em meu coração para que ele não abrigue ressentimento, mágoa e raiva. Quero te glorificar no relacionamento com meu cônjuge.

4 de junho

Leia Romanos 15.1-6 e reflita

Mantenha-se esperançosa

Essas coisas foram registradas há muito tempo para nos ensinar, e as Escrituras nos dão paciência e ânimo para mantermos a esperança.

ROMANOS 15.5

Se não tivermos esperança no coração, daremos ouvidos às mentiras do inimigo e confiaremos em nossos medos e em nossas dúvidas. Precisamos que a verdade de Deus nos afaste dessas coisas. Visto que um dos propósitos da Bíblia é nos dar esperança, devemos dizer deliberadamente: "Depositei minha esperança em tua palavra" (Sl 119.81).

Pedro nos instruiu: "Consagrem a Cristo como o Senhor de sua vida. E, se alguém lhes perguntar a respeito de sua esperança, estejam sempre preparados para explicá-la [...] de modo amável e respeitoso" (1Pe 3.15-16). Não seremos capazes de falar a respeito de nossa esperança se não nos sentirmos esperançosas. Quando damos lugar ao desespero, significa que nossa esperança não está no Senhor nem em sua Palavra. Felizes são aqueles que colocam sua esperança em Deus, mesmo diante de orações não respondidas (Sl 146.5).

Permitir-se sentir falta de esperança pode parecer algo pequeno, mas logo pode se transformar em algo grande. A esperança é o que existe de maior em sua vida e contribui muito mais para o sucesso verdadeiro do que você pode pensar. Não saia de casa sem ela. Na verdade, não fique em casa sem ela também!

Senhor, quando as respostas de oração demorarem a vir e quando as circunstâncias parecerem insuportáveis, fortalece minha fé em ti por meio de teu Espírito e de tua Palavra e renova minha esperança.

O princípio da generosidade

Quem dá com generosidade se torna mais rico, mas o mesquinho perde tudo. O generoso prospera; quem revigora outros será revigorado.

PROVÉRBIOS 11.24-25

Embora essas palavras de Provérbios não sejam uma promessa, apresentam um princípio sobre o que acontece quando agimos com sabedoria e confiança na provisão de Deus. Quando as pessoas doam, algo se abre e começa a funcionar em sua vida, e bênçãos são liberadas para elas. Embora este seja um princípio geral, ele se aplica em medida muito maior aos cristãos.

Dar a Deus alegra o coração dele, e ele quer que nós nos alegremos em fazê-lo. O Senhor deseja que doemos pelo prazer de doar (Mt 6.1-4). Deus quer que doemos com liberalidade e atitude positiva. Quando fazemos isso, ele faz o mesmo por nós.

Tudo que damos a Deus contribui para uma vida melhor para nós aqui na terra. Lembre-se de que as leis divinas existem para nosso benefício. Dar ao Senhor o dízimo de tudo que temos cumpre o propósito dele, mas acaba servindo também para nosso benefício.

Peça ao Senhor que o ajude a dar a ele da maneira que ele deseja. Ore para que o Senhor oriente você neste passo de obediência. É um passo importante para poder receber tudo que ele reservou para sua vida.

Querido Pai, muito obrigada por tua bondosa provisão. Ajuda-me a seguir teu exemplo de generosidade e compartilhar essa provisão com outros, doando com um coração alegre e disposto.

6 de junho

Leia Mateus 14.22-33 e reflita

Ele acalma as tempestades

Jesus lhes disse: "Não tenham medo! Coragem, sou eu!".

Mateus 14.27

Eis o que a Bíblia diz a respeito daqueles que estão no meio de uma tempestade na vida e buscam o socorro do Senhor: "[Eles] foram tomados de pavor. [...] Em sua aflição, clamaram ao Senhor, e ele os livrou de seus sofrimentos. Acalmou a tempestade e aquietou as ondas. A calmaria os alegrou, e ele os levou ao porto em segurança" (Sl 107.26,28-30). Além de acalmar a tempestade, Deus nos leva aonde precisamos ir.

Jesus acalmou os ventos para seus discípulos quando eles estavam no barco no meio de uma violenta tempestade. Os discípulos temeram que o barco virasse, mas Jesus andou sobre a água na direção deles e, ao ver que estavam com medo, acalmou a tormenta. Jesus acalmou a tempestade porque amava os discípulos.

Deus ama tanto você que a salvará da destruição e não a deixará no lugar onde você está. Ele começa o processo de transformação em sua vida assim que você o convida a fazê-lo. E esse processo não é interrompido pelas tormentas da vida. Aliás, elas podem contribuir para seu crescimento na fé e para aumentar sua confiança no Senhor.

Seja qual for a tempestade que esteja caindo sobre sua vida, peça a Deus que a acalme. Ele ouvirá, pois ama você.

Senhor, tens conhecimento da tempestade pela qual estou passando e sabes de meus temores. Muito obrigada porque estás aqui comigo. Salva-me e leva-me em segurança até o porto que preparaste para mim.

Paz na família

Busque a paz e esforce-se para mantê-la.

SALMOS 34.14

Deus conhece todos os detalhes de sua vida e sabe das vezes que você foi injustiçada ou maltratada por alguém de sua família. Também sabe quando você foi injusta ou ríspida com algum de seus familiares. Quando não há paz na família, é difícil encontrar paz em outras áreas da vida.

Entregue a Deus toda a sua dor e raiva e busque forças no Espírito Santo para perdoar aqueles que a magoaram. E, quando ocorrerem novas ofensas, lembre-se das palavras do sábio: "O sensato não perde a calma, mas conquista respeito ao ignorar as ofensas" (Pv 19.11). Volte sua atenção inteiramente para Deus, e não para a ofensa cometida contra você.

Peça a Deus que lhe dê um coração disposto e apto a tratar seus familiares com profunda compaixão e a honrar os membros mais velhos de sua família, como é apropriado.

Ore, também, para que Deus cure as feridas emocionais de seus familiares e os restaure e fale ao coração deles sobre questões de relacionamento que precisam ser resolvidas. Peça que ele faça o mesmo por *você*. Deus pode tocar até no coração mais endurecido e trazer restauração até mesmo onde ela parece impossível.

Deus idealizou e instituiu a família como meio de glorificá-lo e, portanto, é o maior interessado em promover a paz entre seus membros.

Senhor, peço que me enchas de sabedoria e compaixão para lidar com os conflitos familiares conforme a instrução de tua Palavra, provendo paz e servindo de canal para a restauração que só tu podes efetuar.

8 de junho

Leia 2Reis 3 e reflita

A chave para receber direção

Enquanto o músico tocava, a mão do Senhor veio sobre Eliseu.

2Reis 3.15

O profeta Eliseu precisava ouvir a voz de Deus e receber orientação para transmiti-la aos reis de Israel e de Judá, e ele sabia que a adoração era a chave para que isso acontecesse. Como fica evidente em 2Reis 3.15, o Espírito Santo veio sobre Eliseu enquanto ele adorava ao som de música. A adoração prepara nosso coração para receber a mensagem de Deus.

Quando adoramos a Deus, abrimo-nos para o fluir do Espírito Santo em nós, trazendo para nossa vida a plenitude do caráter divino. Quando adoramos a Deus, sua presença está conosco poderosamente e somos capazes de ouvi-lo.

O Espírito Santo conhece as coisas de Deus. "Pois quem conhece os pensamentos de uma pessoa, senão o próprio espírito dela? Da mesma forma, ninguém conhece os pensamentos de Deus, senão o Espírito de Deus" (1Co 2.11). O Espírito Santo sabe como devemos adorá-lo. Quando adoramos a Deus, abrimos todo o coração a ele, e o Espírito é o canal pelo qual Deus se derrama sobre nós. Ele nos preenche com amor, alegria, paz, poder, com tudo que ele é. Desse modo, compartilha de si mesmo conosco.

Senhor, quero abrir meu coração a fim de que teu Espírito flua cada vez mais em mim, para que eu te adore como tu mereces e para que receba direção clara e todas as outras bênçãos da comunhão contigo.

Leia Tiago 4.7-10 e reflita

Resista ao diabo

Portanto, submetam-se a Deus. Resistam ao diabo, e ele fugirá de vocês.

Tiago 4.7

Como fazer o inimigo parar de nos atormentar? A Palavra de Deus diz que devemos resistir a ele, e ele fugirá de nós (Tg 4.7). Mas como resistimos a ele?

As palavras que vêm antes dizem: "submetam-se a Deus". No contexto militar, "submeter-se" significa obedecer ao capitão ou subordinar-se a ele. Ouvimos falar de soldados que são condenados por insubordinação. Isso significa que não obedeceram a seus superiores. Não queremos jamais ser condenadas por insubordinação a Deus. Queremos nos submeter a ele, assim como o bom soldado se submete a seu comandante.

Ao escrever às pessoas sobre os pecados que praticavam, Tiago estava dizendo que a amizade delas com o mundo as tornava inimigas de Deus. Elas pediam coisas para Deus, mas não as recebiam, pois pediam por motivos errados (Tg 4.1-5). Deus queria ser a prioridade no coração delas.

Deus também quer ser a prioridade em seu coração. Quando fazemos coisas que nos afastam dele, nossas orações não são respondidas.

O que nos afasta de Deus? O pecado. O mundanismo. O orgulho (Tg 4.6). Esses três costumam andar juntos. Mas o que pode pôr fim a isso tudo em nossa vida e nos dar forças para resistir ao inimigo?

A humildade.

Deus de amor, quero me submeter a ti humildemente. Dá-me tuas forças para que eu resista aos ataques do inimigo quando ele tentar me convencer a colocar outras coisas no centro de minha vida. Quero dar a ti absoluta prioridade em meu coração.

10 de junho

Leia Salmos 27.7-10 e reflita

Esteja sempre com Deus

Mesmo que meu pai e minha mãe me abandonem, o SENHOR me acolherá.
SALMOS 27.10

Deus toma conta de você. A mão dele está sempre sobre você, quer você a sinta, quer não. Se você mostrar gratidão todos os dias, o Senhor a conduzirá com amor pelo caminho que você deve seguir. Mesmo quando parecer que suas orações não são respondidas, não duvide que Deus as ouve e vê sua situação. Continue a orar e a olhar para ele.

Mesmo quando outros a abandonarem, Deus nunca a abandonará. Se você foi rejeitada ou abandonada por sua família, Deus agora é sua família e ele nunca a deixará. Deus está sempre ao seu lado, a não ser que você o exclua de sua vida. De fato, ainda que você o faça, ele não a abandonará, mas seu poder em sua vida se manifestará somente quando você confiar nele. Deus está sempre conosco, mas não intervém em nossa vida se não o convidarmos a fazê-lo.

O problema é que nem sempre nós estamos com ele.

Permitimos com frequência que distrações, tentações, ídolos do coração e preocupações façam parte de nossa vida. Algumas pessoas que rejeitam a companhia dele são as primeiras a culpá-lo por não fazer o que elas querem. Responsabilizam-no pelas dificuldades quando deveriam ter levado tudo a ele em oração. Deveriam ter confiado em seu amor e em sua obra na vida delas.

Não deixe que isso aconteça com você.

Senhor Deus, eu te agradeço porque sempre me acolhes em teus braços. Com o auxílio de teu Espírito, quero andar sempre contigo, levando todas as minhas preocupações a ti em oração.

Leia João 3.13-15 e reflita

Chega de reclamações

E, como Moisés, no deserto, levantou a serpente de bronze numa estaca, também é necessário que o Filho do Homem seja levantado, para que todo o que nele crer tenha a vida eterna.

João 3.14-15

Se você anda reclamando, não está sendo guiada pelo Espírito, e precisa mudar. Reclamar não é o mesmo que ir até Deus em oração e lhe contar as preocupações de seu coração. Em oração você busca entendimento, sabedoria e ajuda de Deus. Reclamar é algo que você faz em vez de levar suas preocupações a Deus.

Os israelitas se queixaram contra Deus e Moisés (Nm 21.5). Não buscaram a Deus humildemente para agradecer por sua provisão e pedir que continuasse a suprir suas necessidades. Diante dessas reclamações, "o Senhor enviou serpentes venenosas que morderam o povo, e muitos morreram" (Nm 21.6). Então eles se arrependeram de sua murmuração e pediram que Moisés orasse a Deus para tirar as serpentes do meio deles (Nm 21.7).

Deus respondeu à confissão e ao arrependimento deles e instruiu Moisés a fazer uma serpente de bronze e colocá-la num poste, para que todo aquele que fosse mordido olhasse para ela e sobrevivesse.

Jesus falou sobre essa serpente de bronze erguida no deserto e a comparou a si mesmo, quando fosse erguido na cruz (Jo 3.14-15).

Em vez de reclamar, contemple Jesus na cruz e agradeça a Deus por ele ter a solução para tudo que preocupa você.

Senhor, é muito fácil dar lugar à reclamação em minha vida, mas não quero ceder a essa propensão. Com tua ajuda, escolho uma atitude de gratidão e de plena dependência de ti.

12 de junho

Leia Salmos 107.33-38 e reflita

Tudo é possível para Deus

Também transforma os desertos em açudes e a terra seca em fontes de água.
SALMOS 107.35

Todas nós enfrentamos situações aflitivas por causa de uma decisão errada que tomamos, por atitudes e ações de outras pessoas ou por algo que nos acontece sem que tenhamos culpa alguma, e temos de arcar com as consequências.

Ao longo de uma caminhada de muitos anos com Deus, aprendi que, por mais impossível que uma situação me pareça, mesmo que eu não consiga ver como superá-la, ela não é impossível para Deus. Aprendi a confiar nele em todas as circunstâncias.

Nunca se esqueça de que, com Deus, nada é impossível, porque o Senhor é o Deus dos impossíveis para os que nele creem. O próprio Jesus disse que "tudo é possível para Deus" (Mt 19.26). Não há como ser mais claro que isso.

Deus pode transformar o deserto de nossa vida numa existência frutífera e produtiva quando vivemos em seus caminhos.

Uma das maiores garantias do amor de Deus é que ele age em tudo para o nosso bem quando o amamos e vivemos de acordo com os planos e propósitos que ele tem para nós (Rm 8.28). Não podemos ver tudo de bom que Deus reservou para nossa vida se não o amarmos o suficiente para orar, buscar sua ajuda e obedecer à sua vontade.

Ó Senhor, Deus dos impossíveis, eu te louvo e te adoro porque nada pode te impedir de cumprir teus bons propósitos. Grava essa realidade em minha memória, para que eu confie cada vez mais em ti em todas as circunstâncias.

O caminho da humildade

O orgulho termina em humilhação, mas a humildade alcança a honra.
PROVÉRBIOS 29.23

A cura para o orgulho, o mundanismo e o pecado é a humildade. E ela é a cura para muitas outras coisas. A humildade vem pela submissão a Deus.

Submeter-se a Deus significa humilhar-se diante dele e declarar nossa total dependência. Significa arrepender-se de todo orgulho.

O inimigo conhece nossas fraquezas. Por isso cada ponto fraco nosso deve ser submetido a Deus, a fim de que o Espírito possa nos fortalecer nessas áreas. Você já se perguntou por que tantos líderes cristãos caem em imoralidade? É porque têm áreas na vida que não sujeitaram a Deus, e o inimigo plantou tentações ali. A primeira ação do inimigo — e da pessoa usada pelo inimigo — é apelar para o orgulho deles. Alguém os elogia e eles se sentem cheios de si. O orgulho cega as pessoas! Leva-as a pensar que estão acima da lei de Deus e, por vezes, acima das leis humanas. Quando o orgulho encontra morada numa pessoa, trabalha em favor do inimigo e a conduz a lugares que Deus jamais planejou para ela.

Qualquer área de sua vida que você não submeteu a Deus é perigosa. Torna-se automaticamente um convite para o inimigo entrar ali. Por isso, o primeiro passo para resistir ao inimigo é submeter-se humildemente a Deus em todos os aspectos.

Senhor, mostra-me claramente quais são minhas fraquezas para que eu as submeta a ti e receba forças de teu Espírito. Não desejo dar lugar ao orgulho que cega e que me torna vulnerável aos ataques do inimigo.

14 de junho

Leia Provérbios 15.8-9 e reflita

Por que não oramos?

Os sacrifícios dos perversos são detestáveis para o SENHOR, mas ele tem prazer nas orações dos justos.

PROVÉRBIOS 15.8

Se sabemos que Deus tem prazer em nossas orações, por que oramos tão pouco? Abaixo estão algumas possíveis razões para não orarmos tanto quanto deveríamos ou com o fervor necessário:

- Não cremos plenamente no que a Palavra de Deus diz sobre a oração.
- Imaginamos que estamos ocupadas demais.
- Não acreditamos que Deus ouvirá nem responderá.
- Achamos que podemos fazer a vida dar certo por conta própria.
- Imaginamos que não sabemos orar.
- Esquecemos que temos o Espírito Santo em nós, funcionando como uma linha direta com Deus, que nos ajuda a orar.
- Não encaramos a oração como um diálogo com Deus, por isso achamos que nossas orações nunca chegam aos ouvidos do Senhor.

Se você se identifica com algum desses motivos para não orar mais, saiba que não está sozinha. Há muitas pessoas que se sentem da mesma forma. Felizmente, porém, você pode *orar* sobre a *oração*, e Deus a capacitará para ter uma vida de oração mais vigorosa.

Senhor, fortalece minha fé em ti e no poder que concedes por meio das orações. Que teu Espírito me ajude a orar quando eu não souber como pedir e que minhas súplicas sejam sempre acompanhadas de gratidão.

Controle seus pensamentos

Levamos cativo todo pensamento rebelde e o ensinamos a obedecer a Cristo.
2Coríntios 10.5

Eu achava que meus pensamentos surgiam espontaneamente, como se voassem para minha mente do mesmo jeito que os pássaros pousam numa árvore, e que eu não tinha como espantá-los. Mas, depois de aceitar a Cristo e ver o que a Bíblia ensina a esse respeito, percebi que podemos assumir o controle de nossos pensamentos.

Talvez você não consiga controlar todos os pensamentos que voam até sua mente, mas pode controlar a permanência deles ali. É capaz de decidir se são apenas passageiros ou se farão um ninho. Os pensamentos afetam toda a sua vida. Por isso é preciso assumir o controle deles e não permitir que ideias distorcidas a dominem.

Quando permitimos que pensamentos enganosos, que contrariam as verdades de Deus, façam morada em nossa mente, damos amplo espaço para o inimigo trabalhar. E ele fará o que for preciso para invadir sua mente com as mentiras dele. Plantará um temor, uma suspeita ou uma ideia errada e a atormentará com essas coisas. O objetivo é exauri-la. E funciona. Precisamos aprender a reconhecer os enganos dele para conseguir refutá-los e resistir-lhes.

E a única maneira de combater as mentiras do inimigo é com a verdade da Palavra.

Espírito Santo de Deus, entrego a ti meus pensamentos, pois sei que não sou capaz de controlá-los sem tua ajuda. Tu sabes aquilo que mais me incomoda e que causa angústia e exaustão. Liberta-me com a verdade da Palavra.

16 de junho

Leia Salmos 40.1-5 e reflita

Deus ouve seu clamor

Esperei com paciência pelo Senhor; ele se voltou para mim e ouviu meu clamor.

Salmos 40.1

Jesus não disse que não teríamos problemas. Disse que estaria conosco quando tivéssemos de enfrentá-los (Jo 16.33).

Quando vivenciamos provações, Deus nos protege. Quando estamos aflitas, Deus se aproxima de nós de modo especial. Quando nos humilhamos, Deus nos salva.

O amor de Deus proporciona segurança. Quando você faz de Deus seu abrigo, ele a cerca e você pode se refugiar nele (Sl 32.7). Mesmo que lhe sobrevenha um dilúvio, Deus a protegerá erguendo-a dali ou ajudando-a a atravessá-lo (Sl 32.6). Por isso é importante ouvir a mansa voz do Espírito de Deus lhe falando ao coração e lhe dizendo o que fazer.

Sempre que estiver sobrecarregada de aflições, clame ao Senhor e diga: "Senhor, ouve minha oração, escuta minha súplica! Não escondas de mim o rosto na hora de minha aflição. Inclina-te para ouvir e responde-me depressa quando clamo a ti" (Sl 102.1-2). Deus sempre ouve as orações daqueles cujo coração é humilde e sincero.

Você nunca se arrependerá de depositar sua confiança no Senhor. Confiar em Deus não significa exigir que ele faça o que você pedir. Significa contar a ele o desejo de seu coração e esperar nele.

Pai de amor, muito obrigada porque ouves meu clamor por socorro e responde às minhas súplicas. Dá-me paciência para esperar pelo teu tempo e renova meu ânimo nos momentos de aflição.

Peça um milagre

O Senhor enviou seu anjo para me salvar daquilo que Herodes e os judeus planejavam me fazer!

ATOS 12.11

Durante a prisão de Pedro, "a igreja orava fervorosamente a Deus por ele" (At 12.5). Enquanto o apóstolo, preso com duas correntes, cochilava entre dois soldados e sentinelas montavam guarda à entrada do cárcere, "um anjo do Senhor apareceu. Tocou no lado de Pedro para acordá-lo e disse: 'Depressa! Levante-se!', e as correntes caíram dos pulsos de Pedro" (At 12.7). O anjo o instruiu a segui-lo. Passaram pelos guardas e o portão se abriu sozinho para eles. Pedro se dirigiu à casa onde os cristãos continuavam a orar e, ao bater à porta, elas não creram que era ele. Foi um milagre muito maior do que poderiam ter imaginado.

As orações fervorosas e incessantes dos cristãos, sob a direção do Espírito Santo, permitiram a libertação miraculosa de Pedro. Você nunca sabe como suas orações poderão libertar uma pessoa que está presa.

Deus quer fazer milagres por nosso intermédio. O problema é que muitas vezes não oramos por milagres, não cremos que possam acontecer. Ou então milagres acontecem, mas não conseguimos acreditar neles.

Quando Deus puser em seu coração o desejo de orar por algo, não duvide. Simplesmente peça um milagre e deixe o resto nas mãos de Deus.

Senhor, como são grandes e extraordinárias as obras que realizas em favor de teu povo! Quando me guiares a orar por milagres, fortalece minha fé para que eu veja tua mão agir com poder.

18 de junho

Leia Isaías 9.6-7 e reflita

Os nomes de Deus

> *O governo estará sobre seus ombros, e ele será chamado de Maravilhoso Conselheiro, Deus Poderoso, Pai Eterno e Príncipe da Paz.*
>
> Isaías 9.6

Deus nos concedeu sua Palavra para que soubéssemos como viver. Ele tem regras para fazer nossa vida funcionar e para sermos capazes de evitar coisas que nos ferirão. Ele quer que saibamos a verdade. Sobre todas as coisas.

A verdade definitiva é a Palavra de Deus, infalível, confiável e absoluta. Nela encontraremos tudo que precisamos saber sobre como e por que devemos adorar a Deus.

Toda vez que você ler a Bíblia, anote os nomes e descrições de Deus conforme aparecem. Isso o ajudará a honrá-lo por ele ser quem é. Por exemplo, ao descobrir que Deus é seu Pai Celestial, Pão da Vida, Todo-poderoso, Luz do Mundo, Senhor dos Senhores, Rei dos Reis, Fortaleza no Dia da Angústia, Lugar de Descanso, Refúgio em Meio à Tempestade, Escudo, Sustentador e Misericordioso, agradeça por tudo isso. Cada um desses nomes é motivo de louvor.

Louve-o por ele amar você, por ser bom, puro e santo, por ter um propósito para sua vida, por redimir todas as coisas, por ouvir suas orações e responder a elas, por jamais deixá-la ou abandoná-la, por poder ser encontrado quando você o busca, e por ser mais poderoso que qualquer coisa com que você depare.

Senhor, abre meu entendimento para a profundidade do significado de cada um de teus nomes e de teus atributos. Quero viver de acordo com a realidade que cada um desses nomes expressa e te louvar cada dia mais.

Uma velhice produtiva

A sabedoria pertence aos idosos, e o entendimento, aos mais velhos.

Jó 12.12

Não importa quantos anos você venha a caminhar com o Senhor, ele jamais a deixará desamparada. Não é bom saber disso? Somente o mundo nos desampara. Somente o mundo ousa dizer: "Você não tem mais valor depois de certa idade ou quando perde a força física". Aos olhos de Deus, você nunca envelhece. É sempre imensamente valiosa para ele. Deus nunca deixa de ter um propósito para sua vida e providenciará para que você produza frutos até o dia em que a chamar para morar com ele.

O salmista orou: "Não me rejeites agora, em minha velhice; não me abandones quando me faltam as forças" (Sl 71.9). E também pediu: "Não me abandones, ó Deus, agora que estou velho, de cabelos brancos. Deixe-me proclamar tua força a esta nova geração, teu poder a todos que vierem depois de mim" (Sl 71.18).

Enquanto você estiver aqui na terra, Deus terá um propósito para sua vida. Ele colocará em seu caminho pessoas que necessitam ouvir a verdade e as boas-novas. E você será aquela que ele escolheu para transmitir sua mensagem e seu amor.

Deus Eterno, como é bom saber que todos os meus dias estão em tuas mãos! Muito obrigada porque conheces cada detalhe de meu futuro e jamais me deixarás desamparada. Permita que eu continue a dar muitos frutos para ti até o dia em que me chamares para meu lar celestial.

20 de junho

Leia Salmos 147.1-6 e reflita

Suas emoções

Ele cura os de coração quebrantado e enfaixa suas feridas.

SALMOS 147.3

Deus se importa com suas emoções. Ele não quer que você seja dominada por elas. Também não deseja que você apenas encontre uma forma de conviver com as emoções negativas que enfraquecem sua vida. Antes, quer libertá-la delas de uma vez por todas, para que você se torne a mulher plena que ele tem em mente.

Quando estamos emocionalmente frágeis e em sofrimento, não temos plenitude. Ser plena significa ter paz em relação a quem você é e àquilo que faz. É chegar a um lugar de paz em relação a seu passado e perceber que não precisa mais viver nele. Para isso, é necessário reconhecer e aceitar os bons aspectos dele e encontrar uma solução para as partes problemáticas, decepcionantes ou angustiantes.

Ser plena também significa ter paz quanto ao presente, confiando que Deus colocará tudo em ordem. Envolve, ainda, sentir paz em relação ao futuro, por mais assustador que pareça. É confiar que, por ter entregado a vida ao Senhor, seu futuro está seguro nas mãos dele.

Ao conservar uma paz como essa, você deixa de lutar com emoções negativas e descobre a liberdade, a plenitude e o sucesso verdadeiro que tanto deseja.

Querido Pai, conheces melhor que eu tudo que se passa em meu coração. Não desejo ser dominada pelas emoções negativas. Peço, portanto, que cures e restaures, segundo tua vontade, e que me guies pelo caminho que conduz à plenitude de vida.

Discernimento diante da oposição

Estejam atentos! Tomem cuidado com seu grande inimigo, o diabo, que anda como um leão rugindo à sua volta, à procura de alguém para devorar.

1Pedro 5.8

Precisamos aprender a discernir entre oposição espiritual e oposição humana. Embora Satanás exista no reino espiritual, pode manifestar-se por meio de alguém que acredita em suas mentiras. A oposição humana acontece porque as pessoas, em sua ignorância, permitem transformar--se em instrumentos do inimigo. Se você não compreender isso, pode desperdiçar tempo lutando contra uma pessoa em vez de guerrear contra o inimigo, como deveria.

Se estiver enfrentando oposição intensa de outra pessoa, combata no reino espiritual. Muitas vezes, a batalha pode ser resolvida nele. Descobri que essa verdade se aplica de maneira especial ao casamento. Deus quer que seu casamento seja feliz; o inimigo deseja vê-lo destruído.

Todos nós precisamos de discernimento espiritual para compreender o que estamos enfrentando e para enxergar que Deus luta por você. A fim de orar com maior eficácia, pergunte a Deus o que você precisa saber e como ele deseja que você ore.

Jesus veio para derrotar o inimigo, e foi isso que ele fez. Uma vez que ele é seu Salvador, não é preciso viver com medo de qualquer oposição do inimigo. Apenas permaneça junto a Deus e dependa do poder dele em seu favor.

Senhor dos Exércitos, quando eu enfrentar oposição, peço que me concedas discernimento para que eu veja claramente quem é meu verdadeiro inimigo e tenha sempre em mente que tu estás lutando por mim.

22 de junho

Leia João 15.4-8 e reflita

Uma vida frutífera

Sim, eu sou a videira; vocês são os ramos. Quem permanece em mim, e eu nele, produz muito fruto. Pois, sem mim, vocês não podem fazer coisa alguma. [...] Quando vocês produzem muitos frutos, trazem grande glória a meu Pai e demonstram que são meus discípulos de verdade.

João 15.5,8

A vida que Deus tem para você é frutífera. Jesus descreveu a si mesmo como a videira verdadeira. Disse que, quando o aceitamos, tornamo-nos ramos enxertados nele. Advertiu-nos que só poderemos produzir fruto se estivermos ligadas a ele.

Para que possa produzir frutos, porém, o ramo precisa ser podado. Significa que é necessário eliminar as partes mortas ou improdutivas para que o ramo fique mais forte. Esse trabalho é realizado por Deus. Necessitamos dele para ver tudo que está morto em nós e que precisa ser cortado. Ele eliminará tudo que nos impede de produzir mais fruto.

Jesus disse: "Mas, se vocês permanecerem em mim e minhas palavras permanecerem em vocês, pedirão o que quiserem, e isso lhes será concedido!" (Jo 15.7). Permanecer nele é o segredo para que você seja frutífera e suas orações sejam respondidas. Jesus a salvou com um propósito. Ele quer que você produza frutos.

Senhor, ensina-me a permanecer em ti, ligada a ti continuamente em amor e obediência. Remove de minha vida tudo que está morto e que me impede de produzir muitos frutos para tua glória.

Uma nova referência de vida

Ouça, ó Israel! O Senhor, nosso Deus, é o único Senhor. Ame o Senhor, seu Deus, de todo o seu coração, de toda a sua alma, de toda a sua mente e de todas as suas forças.

MARCOS 12.29-30

Quanto mais seu amor por Deus aumentar, menos valor você dará à identidade que imaginou para si e mais entenderá a identidade que Deus planejou para você quando a criou. Deus quer que você o ame muito e ande bem perto dele para permitir que o conhecimento de quem *ele* é defina quem *você* é.

Nosso amor por Deus não é apenas um sentimento. Envolve decisões específicas que precisamos tomar a respeito de como vivemos com Deus e nos relacionamos com ele.

A Bíblia não fala apenas de quanto Deus nos ama e quanto ele fez para nos assegurar de seu amor; fala também que devemos sempre expressar amor por ele das maneiras que ele mais aprecia.

Jesus nos instruiu a amá-lo com todo o nosso ser (Mc 12.30). Também disse que devemos amá-lo mais do que amamos qualquer outra pessoa, até mesmo nossos familiares (Mt 10.37), e mais do que amamos os bens materiais (Mt 6.24).

Quando colocamos o amor por ele em primeiro lugar, todos os outros afetos e desejos têm uma nova referência com a qual se alinhar. Com base nela, fazemos escolhas, tomamos decisões e organizamos nossas prioridades.

Senhor, peço que teu Espírito me mostre como posso te amar de todo o meu ser, acima de todas as pessoas e coisas. Quero que todos os aspectos de minha vida girem em torno de ti, o centro desse amor.

24 de junho

Leia Atos 17.22-34 e reflita

Por que estou aqui?

> *Ele é o Deus que fez o mundo e tudo que nele há [...] e não é servido por mãos humanas, pois não necessita de coisa alguma. Ele mesmo dá vida e fôlego a tudo.*

Atos 17.24-25

O Deus que criou o mundo e tudo que nele há não *precisa* de você. Qualquer coisa que ele a chame para fazer, ele próprio pode fazer um milhão de vezes melhor. O fato de, ainda assim, ele escolher convidá-la a trabalhar lado a lado com ele é maravilhoso demais e vai muito além da compreensão humana.

Deus a conhecia antes de você nascer. Já sabia de suas falhas e dos erros que você cometeria e, ainda assim, escolheu colocá-la aqui na terra.

Você está neste exato lugar e neste ponto do tempo por uma razão. Você foi criada para honrar e glorificar a Deus com sua vida, ao cumprir aquilo que ele planejou para você. Dedique ao Senhor tudo que você fizer. Descanse nos propósitos dele para o dia de hoje, mesmo que o futuro pareça inteiramente obscuro e misterioso.

E lembre-se: quando sentir-se sozinha, não é porque Deus a abandonou. Ele nunca está longe de nenhum de seus filhos. Você só precisa estender a mão e tocar a mão dele.

Deus Criador, às vezes me pergunto por que me colocaste aqui na terra. Nesses momentos de perplexidade, peço que fortaleças minha fé em ti e nos planos que já traçaste para cada um de meus dias. Muito obrigada porque me chamaste para trabalhar lado a lado contigo.

Leia Isaías 61.1-7 e reflita

Como livrar-se da negatividade

Em lugar de vergonha e desonra, desfrutarão uma porção dupla de honra.
Terão prosperidade em dobro em sua terra e alegria sem fim.

ISAÍAS 61.7

Todas nós precisamos de cura e restauração emocional completas. Ficamos exaustas de lutar contra a depressão, a ansiedade, o medo, a raiva, os sentimentos de rejeição, fracasso e inadequação. Isaías 61.7 ilustra como Deus age. Além de nos restaurar, ele nos dá muito mais do que esperamos.

Minha mãe costumava se referir a mim com palavrões terríveis e me trancava num armário por longos períodos. Percebi, muitos anos depois, que isso era parte de sua doença mental. Ainda assim, tive de lidar com fortes emoções negativas resultantes dessas experiências. Quando aceitei Jesus, porém, comecei a entender quem eu sou em Cristo, a ter uma sensação de paz em relação a onde me encontrava na vida e esperança quanto ao futuro.

Os três passos mais importantes que dei para me livrar da negatividade foram colocar o Senhor em primeiro lugar, fortalecer-me com a Palavra de Deus e orar sobre todas as coisas. Você também pode fazer isso.

Saiba que Deus tem liberdade, cura e restauração para você. Hoje é um novo dia e um novo começo, e ele é um Deus de redenção.

Senhor, tu conheces meu passado e sabes das experiências
que ainda provocam sentimentos negativos. Suplico por tua
redenção e restauração, à medida que caminho contigo e
aprendo de tua Palavra.

26 de junho

Leia 2Coríntios 4.14-18 e reflita

Este é o momento certo

Pois estas aflições pequenas e momentâneas que agora enfrentamos produzem para nós uma glória que pesa mais que todas as angústias e durará para sempre. Portanto, não olhamos para aquilo que agora podemos ver; em vez disso, fixamos o olhar naquilo que não se pode ver. Pois as coisas que agora vemos logo passarão, mas as que não podemos ver durarão para sempre.

2Coríntios 4.17-18

Quando vierem as dificuldades e tribulações, não desanime nem deixe de orar. O inimigo vence quando desistimos. E não se preocupe com suas provações. Elas não a desqualificam para ser uma poderosa guerreira de oração.

O inimigo tentará fazê-la desanimar. Ele lhe dirá que suas orações não têm poder e tentará convencê-la a desistir de orar. Não lhe dê ouvidos. Continue com os olhos fixos em Deus.

O momento certo para se submeter a Deus é agora. O momento certo para resistir ao inimigo é agora. O momento certo para viver na liberdade que Cristo tem para você é agora. O momento certo para entregar sua vida em oração é agora. O momento certo para permanecer firme no Senhor é sempre agora (Fp 4.1). Isso significa que você não deve parar de orar. Saiba que suas orações têm valor, mesmo aquelas que ainda não foram respondidas.

Senhor, no poder de teu Espírito, declaro que permanecerei firme em minhas orações. Não me deixarei desanimar nem permitirei que o inimigo me convença a desistir de orar por aquilo que precisa de intercessão em minha vida e na vida de outros.

Leia Efésios 4.30-32 e reflita

Não entristeça o Espírito

Não entristeçam o Espírito Santo de Deus, o selo que ele colocou sobre vocês para o dia em que nos resgatará como sua propriedade.

EFÉSIOS 4.30

Nós, que temos o Espírito Santo, deveríamos ser diferentes daqueles que não o têm. Se as pessoas não conseguem perceber uma diferença positiva em nossa vida, então não estamos sendo guiadas pelo Espírito em tudo que fazemos.

Quando você recebeu Jesus, ele lhe deu o Espírito Santo como o selo que confirma e garante esse vínculo entre você e Deus que, da parte dele, é inquebrável. O Espírito de Deus está comprometido a viver em você para sempre. Existe algo mais incrível?

No entanto, o Espírito só se manifesta em sua vida quando você lhe dá espaço. Então, por que suprimi-lo intencionalmente se ele pode revelar o amor, a paz e a alegria de Deus e atrair as pessoas para ele?

Entristecemos o Espírito quando pensamos, dizemos ou fazemos coisas que não são santas como ele é santo. Quando cometemos pecado em nossas ações, palavras ou pensamentos, como quando não perdoamos uns aos outros, o Espírito Santo se entristece, assim como você ficaria magoada se um de seus filhos se recusasse a perdoar outro de seus filhos. Você ficaria triste com a situação até que a coisa certa fosse feita.

Mas, se somos guiadas pelo Espírito em todas as coisas, jamais o entristeceremos.

∼

Espírito Santo, guia-me ao longo deste dia para que eu não venha a te entristecer nem te impedir de manifestar o amor de Deus por meio de minha vida.

28 de junho

Leia Deuteronômio 11.18-22 e reflita

Apaixonada por Deus

> *Amem o SENHOR, seu Deus, andando em seus caminhos e apegando-se firmemente a ele.*
>
> DEUTERONÔMIO 11.22

A fim de amar a Deus com todo o nosso ser, precisamos ter profundo entendimento e conhecimento a respeito de quem ele é e do que ele pensa de nós. No entanto, além do conhecimento intelectual e do entendimento espiritual, precisamos desenvolver forte afeto por ele. Precisamos nos apaixonar.

Quando nos apaixonamos, o objeto de nosso amor ocupa todos os nossos pensamentos a ponto de ser difícil nos concentrarmos em outra coisa. Queremos estar sempre com ele e, quando não estamos próximos, não vemos a hora de reencontrá-lo. Emocionamo-nos com tudo que é relacionado a ele. Queremos saber tudo a seu respeito; por isso, estamos quase sempre olhando carinhosamente para ele à procura de pistas sobre quem ele é. Queremos abraçá-lo com força e nunca mais permitir que se afaste de nós. E, todas as vezes que o abraçamos, sentimos ânimo, satisfação, alegria e vida renovados fluindo dentro de nosso ser. Nossa ligação com ele passa a ser extremamente profunda, como nunca imaginamos, e nosso coração encontra um lar.

É glorioso sentir esse tipo de amor profundo e dedicado. E é assim que Deus deseja que o amemos. O tempo todo!

Querido Deus, com teu auxílio, quero desenvolver amor cada vez mais profundo por ti, maior que qualquer outro afeto em meu coração. Quero me apegar a ti e refletir para outros tua natureza bondosa e amável.

Onde está seu tesouro?

Onde seu tesouro estiver, ali também estará seu coração.

Mateus 6.21

Jesus não diz que não devemos ter bens materiais neste mundo ou que não devemos apreciar o que possuímos. Antes, diz que não devemos ser motivadas pelo egoísmo nem ser materialistas a respeito desses bens. Nosso tesouro não deve estar nas posses materiais, para que não nos apeguemos àquilo que perece. Deve estar na riqueza eterna que teremos no céu. Nosso coração não deve apegar-se aos bens materiais, mas Àquele que é a fonte de tudo que possuímos. Precisamos reconhecer Deus como o maior tesouro em nosso coração.

Embora a riqueza adquirida com honestidade seja mencionada na Bíblia como bênção de Deus, o modo como lidamos com ela mostra o que realmente se passa em nosso coração. Quando amamos a Deus, nosso coração serve a ele, e não ao dinheiro. Isso não quer dizer que não devemos possuir nenhum bem material. Quer dizer que não devemos nos sentir seguras com base naquilo que temos. Devemos buscar nossa segurança no Senhor.

A pergunta importante: *Onde está seu maior tesouro?*

A resposta: *Onde seu coração estiver.*

Peça a Deus que lhe mostre onde está seu coração. Quanto maior for sua intimidade com Deus, mais seu coração estará com ele. E a prova de seu grande amor por ele será o fato de ele ser seu maior tesouro.

Senhor, revela-me onde está meu coração e ajuda-me a entender que tu és meu verdadeiro tesouro, meu bem mais precioso e minha verdadeira fonte de segurança.

30 de junho

Leia Gálatas 5.24-26 e reflita

A beleza de Deus em nós

Aqueles que pertencem a Cristo Jesus crucificaram as paixões e os desejos de sua natureza humana.

GÁLATAS 5.24

Nossa natureza, deixada à própria vontade, fará oposição à presença de Deus em nós. Ou nos sujeitamos a Deus, ou não. Ou pertencemos a Cristo e crucificamos nossos desejos e paixões, ou não.

Para que as outras pessoas vejam a beleza de Deus em nós, precisamos nos separar de tudo que não pertence a Deus. Fomos libertas do pecado e, portanto, podemos escolher nos separar de toda maldade, da sedução profana do mundo, das armadilhas e dos planos do inimigo, de toda tentação, das falhas do passado, do orgulho e de tudo que nos afasta de Deus. Podemos escolher nossa maneira de viver.

A primeira coisa que o Espírito Santo faz, depois de levar você ao Senhor, é afastá-la de todo pecado. Isso significa que o Espírito Santo chamará sua atenção para toda situação na qual você não tem vivido conforme os propósitos divinos. Ele a convencerá acerca de qualquer pessoa, palavra ou ação que a impeça de viver conforme a vontade de Deus. Não temos mais apreço pelo pecado, pois sentimos a tristeza do Espírito quando pecamos. Ele nos dá poder para nos afastarmos do pecado e nos livrarmos de hábitos destrutivos dos quais seria impossível nos libertarmos por conta própria.

Senhor, purifica-me dos pecados que ainda atraem minha natureza humana. Afasta-me de todo mal para que eu viva de modo agradável a ti e para que outros vejam tua beleza em mim.

Súplicas e contentamento

Tu me ouviste quando clamei: "Ouve minha súplica! Escuta meu clamor por socorro!".

LAMENTAÇÕES 3.56

Suplicar é mais que simplesmente pedir algo a Deus. É orar até que o fardo que você carrega em seu coração seja transferido para Deus. Ao entregar suas preocupações a ele, você experimenta o tipo de paz que leva embora todo descontentamento.

Deus quer que você esteja satisfeita, não importa sua situação. Isso não significa que você terá de permanecer nessa condição para sempre. Significa que você confia que Deus não a deixará nessa condição para sempre. Com Deus, as coisas estão sempre mudando em sua vida.

O Senhor quer nos conduzir numa jornada com ele todos os dias, mas muitas vezes queremos que tudo nos seja concedido de imediato. Deus deseja fazer muitas coisas em nossa vida, mas para chegar aonde nos quer levar precisamos andar com ele, passo a passo, numa caminhada de fé. Queremos tudo agora, em vez de estar satisfeitas com o lugar onde estamos e com aquilo que temos no momento, sabendo que Deus nos reserva mais do que podemos imaginar.

Deus quer que você se torne cada vez mais dependente dele, a fim de levá-la a lugares que você não pode chegar sem ele. Quer que você confie que ele suprirá todas as necessidades de sua situação atual. Quer desenvolver em seu coração o verdadeiro contentamento, que lhe dá paz e alegria.

Deus de amor, aceita minhas súplicas sinceras quando eu depositar sobre ti todos os meus fardos. Guia-me ao contentamento de saber que tu me ouves e atendes.

2 de julho

Leia Isaías 59.1-2 e reflita

Não se afaste

> *Ouçam! O braço do Senhor não é fraco demais para salvá-los, nem seu ouvido é surdo para ouvi-los. Foram suas maldades que os separaram de Deus; por causa de seus pecados, ele se afastou e já não os ouvirá.*
>
> Isaías 59.1-2

Deus nunca nos abandona. *Nós* o abandonamos quando vivemos em desobediência a seus caminhos. Nosso desprezo pelas leis de Deus ergue uma barreira entre nós e ele a ponto de não mais ouvirmos sua voz em nosso coração. E ele só atenderá às nossas orações quando nos aproximarmos dele novamente e essa barreira for removida.

Deus não se recusa a responder às nossas orações porque deixou de nos amar, mas sim porque escolhemos não dar ouvidos a ele. Separamo-nos de Deus por causa de nossos pecados e nos convencemos a acreditar em mentiras como "O que estou fazendo não é tão errado assim", "Mereço esta alegria", "Não estou prejudicando ninguém", "Ninguém vai saber". Tudo começa com um pensamento que não teve origem no amor a Deus e termina com um coração que não reconhece quem o Senhor realmente é.

Em sua graça, porém, Deus nos abre os olhos e concede arrependimento para que possamos pedir e receber perdão e para que nosso relacionamento com ele seja plenamente restaurado.

Senhor, traze à luz qualquer coisa em meu coração que seja uma barreira para meu relacionamento contigo. Em tua imensa misericórdia, concede-me arrependimento, perdão e restauração.

Seja revigorada

Que o próprio Jesus Cristo, nosso Senhor, e Deus, nosso Pai, que nos amou e pela graça nos deu eterno conforto e maravilhosa esperança, os animem e os fortaleçam em tudo de bom que vocês fizerem e disserem.

2Tessalonicenses 2.16-17

O atleta olímpico Eric Liddell deixou de correr nos Jogos Olímpicos num domingo por ser um cristão devoto. Obedeceu a Deus ao santificar o dia de descanso. Em *Carruagens de fogo*, um filme sobre a vida de Liddell, ele diz a respeito de Deus: "Quando corro, sinto o prazer que ele sente". Esse atleta sentia o prazer de Deus todas as vezes que corria porque estava fazendo a vontade divina, e o amor por Deus era sua prioridade.

Senti o mesmo quando escolhi mostrar o amor de Deus sem levar em conta minha própria conveniência ao ajudar uma colega. Escolhi deixar de lado as queixas de meu corpo, que diziam: "Não consigo fazer isto! Estou velha demais, cansada demais, não tenho tempo". Essa experiência me deixou revigorada. Encontrei forças vindas de Deus, que eu não teria sem a ajuda dele. E ganhei uma amiga para a vida inteira.

Quando escolhemos fazer as coisas com amor, Deus nos capacita a realizá-las de forma que jamais conseguiríamos sem ele, com o amor por outros que ele coloca em nosso coração e que nos revigora.

Senhor Deus, peço que me concedas forças para realizar todas as boas obras que já preparaste para mim. Não quero pensar apenas em meu conforto ou conveniência, mas demonstrar amor quando e onde for necessário.

4 de julho

Leia Juízes 10.6-16 e reflita

Pecados recorrentes

Mas os israelitas suplicaram ao Senhor: "Sim, pecamos! Castiga-nos como te parecer melhor, mas livra-nos hoje de nossos inimigos". Então eles se desfizeram dos deuses estrangeiros e serviram ao Senhor. E ele teve compaixão deles por causa de seu sofrimento.

Juízes 10.15-16

Quando as coisas iam bem, os israelitas abandonavam a Deus. Então, Deus permitia que seus inimigos os derrotassem e oprimissem (Jz 10.6-7). O povo clamava a Deus, confessava seus pecados e se arrependia, e ele o perdoava. E tudo se repetia vez após vez.

Por fim, Deus perdeu a paciência e disse aos israelitas que clamassem aos deuses que haviam escolhido, para que eles os salvassem (Jz 10.14). Que assustador! É como dizer: "Que seu dinheiro, seus programas de televisão, suas redes sociais, seu consumismo a salvem" — ou qualquer outra coisa que adoramos em lugar de Deus.

Depois disso, o povo de Israel mais uma vez confessou seus pecados e se afastou dos deuses estrangeiros. E Deus se compadeceu dele novamente e o perdoou.

Assim como os israelitas, temos a tendência de desenvolver pecados recorrentes, a menos que nos sujeitemos inteiramente a Deus. Se você peca e continua pecando, não significa que o Espírito não está em sua vida. Significa que você não se rendeu inteiramente a ele e não tem escutado a direção dele todos os dias. Peça que o Senhor a socorra e a ajude a mudar esse quadro.

Senhor, tu sabes quais são os pecados que se repetem em minha vida. Preciso de tua ajuda para render-me ainda mais a ti em humilde obediência.

Ouvir e praticar

Não se limitem, porém, a ouvir a palavra; ponham-na em prática.

TIAGO 1.22

Se apenas ouvirmos a Palavra e não obedecermos, não poderemos ver nossa verdadeira imagem com clareza e não entenderemos qual era o plano de Deus para nós quando nos criou. Contudo, se observarmos atentamente a lei perfeita, que liberta, e não esquecermos o que ouvimos, mas colocarmos em prática, seremos felizes naquilo que fizermos (Tg 1.25).

As leis de Deus ativam nossa consciência. Há uma batalha constante entre nossa nova natureza e nossa velha natureza (Rm 7.19-25). A mente deseja obedecer a Deus, mas a carne deseja satisfazer a própria vontade.

Jesus quis saber por que as pessoas o chamavam "Senhor" e não faziam o que ele lhes instruía (Lc 6.46). Evidentemente, não temos o direito de chamá-lo Senhor se não vivemos nos caminhos dele. Nossa rebelião contra as leis de Deus significa que ele não ocupa o centro de nosso coração e de nossa vida.

Mostramos amor a Deus quando nos recusamos a viver em desobediência a ele e também quando reconhecemos que não podemos andar em seus caminhos sem sua ajuda.

Senhor Deus, muito obrigada por tua Palavra, que me guia e instrui.
Capacita-me para que eu seja não apenas uma ouvinte interessada,
mas também uma praticante fiel de teus preceitos.

6 de julho

Leia o Salmo 38 e reflita

Sofrimentos que podemos evitar

Minha culpa me sufoca; é um fardo pesado e insuportável. [...] Estou exausto e abatido; meus gemidos vêm de um coração angustiado.

SALMOS 38.4,8

Davi passou por alguns sofrimentos que poderia ter evitado e deixou registros claros, profundos e descritivos de seus sentimentos e experiências.

Por vezes, também há sofrimento em nossa vida que poderíamos ter evitado. Davi reconheceu que algumas de suas aflições haviam sido causadas por desobediência e que ele estava se afogando nas consequências de suas escolhas.

Um fardo pesado e insuportável, tristeza, culpa, pranto e um coração angustiado, tudo por causa de pecado não confessado? Não vale a pena! Arrependamo-nos o mais rápido possível. Peçamos a Deus que grave sua lei em nosso coração como uma tatuagem, para que nunca mais saiamos de casa sem ela.

Deus nos ama a ponto de permitir que cruzemos o fogo quando deseja nos purificar. Deixa que atravessemos enchentes que nos limpam. Usa até mesmo o sofrimento decorrente de pecado para moldar nosso coração para seu reino e nos conduz para um lugar de bênção. "Tu nos puseste à prova, ó Deus, e nos purificaste como prata [...] passamos pelo fogo e pela água, mas tu nos trouxeste a um lugar de grande fartura" (Sl 66.10,12).

Eu te agradeço, Senhor, porque nenhum sofrimento que permites em nossa vida é desperdiçado. Guia-me pelos teus caminhos para que eu não sofra desnecessariamente como resultado de desobediência a ti.

Palavras de sabedoria

A sabedoria é árvore de vida para quem dela toma posse; felizes os que se apegam a ela com firmeza.

PROVÉRBIOS 3.18

Ter sabedoria significa manter-se firme nas verdades de Deus. Eis algumas verdades para ter em mente ao pedir que Deus lhe conceda sabedoria:

- Deus a ama muito mais do que você pode imaginar e tem um plano maravilhoso para sua vida.
- O inimigo odeia você e despreza tudo que Deus quer fazer em sua vida. Ele também tem um plano, que é controlá-la e destruí-la.
- Deus lhe deu domínio sobre a terra para seus propósitos divinos.
- O inimigo quer esse poder para seus propósitos malignos.
- Deus quer usá-la para realizar a vontade dele e para glorificá-lo à medida que ele a abençoa.
- O inimigo quer usá-la para ser glorificado, destruindo-a no processo.
- É impossível para Deus mentir. Deus fala apenas a verdade, e sua Palavra comprova esse fato.
- O inimigo é o pai da mentira. Ele controla as pessoas ao fazê-las acreditar em suas asserções falsas.

Deus já venceu o inimigo, a morte e o mundo e quer lhe dar uma vida vitoriosa, cheia de verdadeira sabedoria.

Querido Deus, muito obrigada porque me concedes sabedoria por meio de tua verdade e me dás vitória sobre o inimigo. Conduze-me conforme teus propósitos, para tua grande honra e glória.

8 de julho

Leia Romanos 4.16-21 e reflita

Uma nova perspectiva

Abraão creu no Deus que traz os mortos de volta à vida e cria coisas novas do nada.

ROMANOS 4.17

Deus quer que enxerguemos as coisas da perspectiva dele. Por isso devemos pedir que ele revele tudo que precisamos entender para viver com maior poder do Espírito. Quando ele nos mostra algo que não víamos antes, nossa perspectiva é transformada.

Enxergar as coisas do ponto de vista de Deus nos ajuda a orar pela vontade de Deus e a entender melhor o tempo de Deus. E, quando nossas orações não são respondidas como esperávamos, ajuda a confiar sem hesitação que Deus sabe o que está fazendo.

Como Paulo diz em Romanos 4.17, Deus pode criar algo que ainda não existe. Por exemplo, pode criar uma solução inimaginável para uma situação aparentemente impossível. Pode dar vida a algo que morreu, como, por exemplo, o amor entre duas pessoas. Pode pegar as partes quebradas de nossa vida e restaurá-las inteiramente. Talvez não consigamos imaginar de que maneira ele agirá, mas não precisamos. Temos apenas de crer que ele pode.

Pai, fortalece minha fé para que eu creia de todo o coração que podes fazer coisas aparentemente impossíveis e inimagináveis e para que eu ore com plena convicção de teu poder. Como tua filha, quero ver o mundo por tua perspectiva.

Separe-se do mundo

E que união pode haver entre o templo de Deus e os ídolos? [...] Portanto, afastem-se e separem-se deles, diz o Senhor.

2Coríntios 6.16-17

Separar-se do mundo não significa levar uma vida de isolamento, afastando-se do convívio com qualquer um que não seja cristão. Significa viver sob o controle de Deus e recusar ser influenciada por qualquer coisa ou pessoa ímpia. Significa que podemos tocar o mundo com o amor de Deus sem, no entanto, sermos influenciadas pelas práticas mundanas.

Viver em santidade é separar-se de toda transgressão dos caminhos de Deus. Mesmo que o mundo tente desviá-la do propósito de Deus para sua vida, rejeite os conselhos mundanos e busque os conselhos divinos.

Salomão tinha prestígio, fama, fortuna e favor divino, mas permitiu que o mundo ao redor, especialmente suas muitas esposas pagãs, o afastassem de Deus. Havia sido proibido por Deus de se casar com esposas estrangeiras, mas não obedeceu. E, exatamente como Deus tinha dito que aconteceria, o coração de Salomão foi desviado por elas para outros deuses. Por fim, ele deixou de ser fiel ao único Deus verdadeiro. Mesmo depois de Deus proclamar pelo profeta Aías que tiraria o reino de suas mãos, Salomão não acreditou (1Rs 11.28-32). Então, Deus cumpriu o que havia declarado.

Quantas vezes perdemos algo valioso que Deus tinha para nós só porque não nos separamos do mundo?

Senhor, mostra-me como viver neste mundo e refletir tua luz sem ser atraída ou influenciada por ele. Dá-me forças para resistir a tudo que poderia me afastar de ti.

10 de julho

Leia Salmos 139.13-16 e reflita

Um presente para cuidar com carinho

Tu formaste o meu interior e me teceste no ventre de minha mãe. Eu te agradeço por me teres feito de modo tão extraordinário.

Salmos 139.13-14

Seu corpo é um presente maravilhoso e, para cuidar bem dele, você precisa buscar sabedoria de Deus, e não do mundo. Apresente seu corpo ao Senhor como sacrifício vivo e peça orientação para tratá-lo de modo agradável a Deus. Peça também que Deus lhe mostre em que áreas você precisa de equilíbrio, como alimentação, atividade física e lazer.

Ore para que Deus a ajude a lidar corretamente com o estresse, que exerce impacto negativo sobre sua saúde física e mental. Lembre-se de que somente Deus é perfeito e que, embora devamos ser dedicadas a nossas atividades, também devemos evitar o perfeccionismo que nos deixa exaustas e desgastadas.

Por fim, agradeça a Deus por esse presente que é seu corpo. Não critique seu corpo por aquilo que ele não consegue ou não quer fazer; em vez disso, agradeça a Deus por aquilo que seu corpo faz. Seja grata ao Senhor porque você pode ver, ouvir, conversar, se mover e andar e por todas as suas outras aptidões.

Abandone a atitude que diz: "Este corpo é meu e faço o que quiser com ele". A verdade é que você foi comprado pelo sofrimento e pelo sangue de Jesus. Você é um vaso de barro que Deus encheu com seu espírito e usa para a glória dele.

*Muito obrigada, Senhor, porque me formaste de modo tão extraordinário.
Dá-me sabedoria, equilíbrio e moderação para cuidar de meu corpo de
modo agradável a ti, para te glorificar em todas as coisas.*

Transformação que dá frutos

Pois estão plantados na casa do SENHOR; florescerão nos pátios de nosso Deus. Mesmo na velhice produzirão frutos; continuarão verdejantes e cheios de vida.

SALMOS 92.13-14

Separe um tempo todos os dias para deixar que a Palavra de Deus a transforme. Peça a Deus que fale a você enquanto a lê. Diga-lhe que escolheu viver em seus caminhos. Não aceite fazer parte de nada que seja questionável. Você crescerá no Senhor na mesma proporção em que cresce em sua Palavra. Sem fincar as raízes nas Escrituras, você não amadurecerá na verdade, mas apenas tomará conhecimento dos fatos. É possível ter conhecimento da Palavra, mas não ser tocada nem transformada por ela. E você quer ser transformada, e não apenas bem informada.

A Bíblia diz que produziremos fruto e floresceremos até mesmo na velhice para poder declarar que o Senhor é bom e que ele é o alicerce no qual permanecemos. A única maneira de produzir fruto ao longo de toda a vida é ter a certeza de que as sementes da Palavra de Deus estão plantadas em nosso coração, para que cresçam e produzam com fartura.

Peça a Deus que retire de seu coração tudo que esteja impedindo o desenvolvimento das boas sementes. Diga a Deus todos os dias: "Como tenho prazer em teus mandamentos! Como eu os amo!" (Sl 119.47). E aja de acordo com essas palavras.

Senhor, quero ter cada vez mais amor por tua Palavra, lançando raízes profundas nela e permitindo que ela me transforme continuamente para que eu dê muitos frutos ao longo de toda a vida.

12 de julho

Leia Isaías 44.26-28 e reflita

Segunda chance

Vocês serão reconstruídas; restaurarei todas as suas ruínas.

Isaías 44.26

O Senhor é o Deus da segunda chance. Se isso não fosse verdade, não restaria ninguém no mundo. Se você cometeu erros enormes ou fez escolhas ruins e sente que pode ter perdido sua chance de servir a Deus, saiba que isso não é verdade. Se você se desviou do caminho certo há tempos e não acredita que pode voltar a trilhá-lo, isso também não é verdade. A verdade é que, no momento em que você se volta para o Senhor e dedica novamente sua vida à obra dele, ele a restaura. Você pode recomeçar.

Muitas vezes nos enxergamos com base em nosso passado. Deus nos enxerga com base em nosso futuro. Enxergamo-nos com base em nosso fracasso. Deus nos enxerga com base nos propósitos dele.

Não é animador saber que, não importa quanto afundamos em virtude do peso de nossas circunstâncias, podemos nos erguer novamente? Podemos recomeçar. Podemos fazer qualquer coisa que Deus nos chamou para fazer. Podemos ter uma segunda chance de servir.

Devemos pedir a Deus que mostre nosso futuro da perspectiva dele, pois ele é perdoador, misericordioso e tem planos magníficos para nós.

Senhor Deus, como é grande tua graça que me dá a chance de recomeçar mesmo quando tropeço e caio! Mostra-me, um passo de cada vez, o futuro maravilhoso que tens planejado para mim, repleto de oportunidades de te servir.

Colhemos o que semeamos

Não se deixem enganar: ninguém pode zombar de Deus. A pessoa sempre colherá aquilo que semear.

GÁLATAS 6.7

De acordo com a Palavra de Deus, colhemos aquilo que plantamos. Essa é uma lei rigorosa da vida. A única maneira de contornar essa regra é nos arrependermos das sementes ruins que lançamos e confessarmos nosso pecado ao Senhor. Mesmo assim, às vezes temos de ceifar a colheita ruim antes de ceifar a boa colheita plantada com boas sementes. Podemos apelar para a misericórdia de Deus para que não recebamos o que merecemos, mas a decisão final é de Deus.

Colhemos o que semeamos em oração, assim como em todas as outras coisas que fazemos na vida. Quando estamos plantando sementes de oração, não podemos encaixar Deus em nosso plano de colheita. Devemos simplesmente confiar na promessa de que, em algum momento, as sementes que lançamos darão frutos.

Não se sinta desmotivada quando não vir imediatamente os resultados que deseja. Você está no cronograma de Deus, e não ele no seu. Ele garante que você colherá bons frutos. Não disse, porém, quanto tempo levará. Se persistir na fé, plantando sementes em oração, com certeza colherá de acordo com o que plantou.

Senhor Deus, dá-me paciência e perseverança enquanto lanço boas sementes em oração. Sei que tens o tempo certo para fazê-las produzir muitos frutos e que preciso aprender a esperar e confiar em ti. Graças te dou porque nossos esforços dirigidos pelo Espírito nunca são inúteis.

Leia Mateus 17.14-21 e reflita

Deus opera milagres

> *Eu lhes digo a verdade: se tivessem fé, ainda que do tamanho de uma semente de mostarda, poderiam dizer a este monte: "Mova-se daqui para lá", e ele se moveria. Nada seria impossível para vocês.*
>
> Mateus 17.20

O Senhor é um Deus de milagres. Ele é capaz de operar maravilhas em resposta às nossas orações. Jesus declarou: "Eu lhes digo a verdade: quem crê em mim fará as mesmas obras que tenho realizado, e até maiores, pois eu vou para o Pai" (Jo 14.12).

Deus dá a cada uma de nós uma porção de fé para começarmos a jornada (Rm 12.3), mas nossa fé aumenta à medida que lemos a Palavra e agimos de acordo com ela. A fé pode crescer tanto a ponto de mover montanhas. Essas passagens bíblicas não têm prazo de validade. Em nenhum lugar lemos: "Após a morte dos apóstolos, esqueça essa história de milagres. Eles não acontecerão mais".

Sua fé em Deus convida e libera o poder divino para operar em sua vida. Não tenha fé em sua capacidade de ter fé; coloque sua fé na capacidade divina de realizar milagres. Se você sente que sua fé é fraca, peça ao Senhor que a fortaleça. Creia que não existe nada difícil demais para Deus (Mc 10.27). Se quer ver um milagre, aprofunde-se nessa verdade bíblica até ela se tornar parte de sua mente e de seu coração.

Creio em ti, Senhor, mas preciso que continues a fortalecer e aumentar minha fé. Também creio que continuas a operar milagres, segundo tua vontade perfeita, por meio de nossas orações.

Duas armas contra a tentação

Em seguida, Jesus foi conduzido pelo Espírito ao deserto para ser tentado pelo diabo.

MATEUS 4.1

Depois que o Espírito conduziu Jesus ao deserto, onde ele jejuou durante quarenta dias e quarenta noites, Satanás levou Jesus a vários lugares para lhe mostrar o que poderia possuir caso se prostrasse diante dele. Mas Jesus sabia de duas coisas:

Primeiro, ele sabia a verdade a respeito de si mesmo e qual era seu propósito. Sua identidade era profundamente arraigada no Pai.

Segundo, ele sabia a verdade sobre Satanás e quais eram os planos dele.

Você também precisa saber dessas duas verdades. Satanás virá até você e lhe mostrará coisas que, segundo ele, você deveria ter ou poderia fazer. Lembre-se, porém, de quem você é e de qual é seu propósito e resista ao inimigo, como Jesus fez.

Reconheça quem Satanás é e que o plano dele para sua vida é enganar, roubar, matar e destruir. Você tem um adversário que "anda como um leão rugindo à sua volta, à procura de alguém para devorar" (1Pe 5.8). Não permita que ele tenha sucesso com você. Seja vigilante e permaneça o mais distante que puder do território inimigo.

Senhor, desenvolve em mim uma identidade firmemente arraigada em ti, conforme teus bons propósitos. Abre meus olhos para os planos mais sutis e enganosos do inimigo e mostra-me onde preciso permanecer mais vigilante a fim de vencer as tentações.

Leia 1Coríntios 12.12-27 e reflita

Trabalho em equipe

O corpo humano tem muitas partes, mas elas formam um só corpo. O mesmo acontece com relação a Cristo. [...] Juntos, todos vocês são o corpo de Cristo, e cada um é uma parte dele.

1Coríntios 12.12,27

Quando você vê as coisas do ponto de vista de Deus, sua tarefa como intercessora nunca é um fardo. Sua vida de oração continuará a ser empolgante enquanto você sentir a presença do Espírito guiando-a. E você ficará maravilhada com a frequência com que Deus colocará a mesma coisa no coração de diferentes pessoas, e vocês serão como uma equipe formada por ele. Portanto, quando imaginar que é a única pessoa orando por uma situação urgente, peça a Deus que desperte outras intercessoras para que se juntem a você. Sei que ele o fará.

É um trabalho de equipe. Talvez você esteja sozinha num lugar enquanto ora, mas muitos outros de sua equipe de intercessoras estarão orando para impedir que o inimigo tenha sucesso.

Devemos orar para entender o propósito de Deus em tudo que fizermos, inclusive na oração. Peça a Deus que lhe dê entendimento durante a leitura da Bíblia. Ore para que o Espírito continue a iluminar sua compreensão. Peça que Deus lhe dê compreensão do chamado dele para sua vida e um vislumbre do que ele quer fazer. Você precisa disso para seguir em frente com ânimo.

Senhor, ajuda-me a lembrar que nunca estou sozinha em minhas orações. Faço parte do corpo de Cristo, conto com o poder do Espírito e tenho o apoio de meus irmãos na fé que também se dedicam à intercessão.

Vigiar e orar

Vigiem e orem para que não cedam à tentação, pois o espírito está disposto, mas a carne é fraca.

MATEUS 26.41

Mesmo que em nosso espírito tenhamos o forte desejo de fazer a coisa certa, aquilo que agrada a Deus, se não formos guiadas pelo Espírito Santo todos os dias e fortalecidas por ele, acabaremos, mais cedo ou mais tarde, cedendo à nossa natureza fraca e pecaminosa.

Uma parte da oração que Jesus ensinou diz: "E não nos deixes cair em tentação" (Lc 11.4). Isso não significa que Deus colocará tentações em nosso caminho a não ser que oremos pedindo que ele não o faça. Jesus está dizendo que Deus sabe onde o inimigo armou ou deseja armar uma cilada de tentação para você, e que você está orando para que ele a afaste dessa armadilha. Não temos ideia de quão importante e profunda é essa oração para nossa vida.

Vigiar é estar consciente de que os ataques do inimigo são reais e podem assumir formas difíceis de identificar. Orar é estar consciente de que você jamais será capaz de resistir a esses ataques com sua própria astúcia e com seu próprio poder. Você depende inteiramente de Deus para obter vitória, mesmo em coisas que parecem ter pouca importância. Deus conhece o futuro e as implicações de nossas escolhas, por isso precisamos da direção dele.

Senhor, quando me vires caminhando para uma armadilha do inimigo, afasta-me dela e guia-me na direção correta. Ajuda-me a permanecer vigilante, orando sem cessar, confiante em teu poder.

18 de julho

Leia Salmos 107.19-22 e reflita

Três passos ao pedir cura

Em sua aflição, clamaram ao Senhor, e ele os livrou de seus sofrimentos. Enviou sua palavra e os curou, e os resgatou da morte.

Salmos 107.19-20

Deus tem poder para conceder cura física. Esse é um milagre que ele realiza segundo a vontade dele, no tempo dele e para os propósitos dele. Enquanto você aguarda uma resposta do Senhor a respeito de sua saúde física, prepare seu coração com estes três passos:

1. *Leia a Palavra de Deus para aumentar sua fé.* A Palavra de Deus tem mais poder que qualquer doença. Ela mostra quem Deus é e o que ele faz. Também mostra como podemos nos sujeitar à sua vontade, mesmo que seja bem diferente da nossa.

2. *Obedeça aos mandamentos de Deus.* Afaste-se de tudo que se opõe a Deus e a seus caminhos. Escolha ser humilde e reverente ao Senhor. Rebelar-se porque ele ainda não a curou só traz mais amargura e dor.

3. *Dedique-se ao jejum.* O jejum não é uma forma de negociar com Deus ou exigir que ele conceda cura. Antes, é uma declaração de sua total dependência de Deus e sujeição à vontade dele.

Creia no poder divino de curar e submeta-se à vontade boa e perfeita do Senhor, qualquer que seja a resposta dele para suas orações.

Senhor, tu conheces minhas enfermidades. Sei que podes me curar e peço que o faças segundo tua vontade, da maneira que trouxer mais honra e glória ao teu nome.

Perseverança em tempos de espera

Vocês precisam perseverar, a fim de que, depois de terem feito a vontade de Deus, recebam tudo que ele lhes prometeu.

HEBREUS 10.36

Muitas vezes, enquanto esperamos que Deus responda às nossas orações e aja em nosso favor, ficamos desanimadas e perdemos a esperança. Para impedir que isso aconteça, existem algumas coisas que podemos fazer.

Podemos confiar que o Senhor é bom. Quando acontecem coisas ruins, você deve continuar se lembrando da bondade de Deus, para jamais culpá-lo pelo que está ocorrendo. Busque-o, espere nele e verá a bondade divina se manifestar em sua situação. "O SENHOR é bom para os que dependem dele, para os que o buscam" (Lm 3.25).

Também podemos animar e abençoar outras pessoas enquanto esperamos Deus atender às nossas súplicas. É incrível como você sempre se sentirá melhor quando fizer outras pessoas se sentirem melhor. Ajudar outros de alguma forma, inclusive intercedendo em oração, faz a mente se afastar das próprias preocupações. As coisas mudam em sua vida quando você ajuda os outros.

Por fim, podemos fortalecer nossa fé nas promessas de Deus. A fé a capacita para superar tudo que a vida ou o inimigo lançarem sobre você. Lembre-se, todos os dias, de crer nas promessas que o Senhor lhe fez e apegue-se a elas com todo vigor.

Deus querido, ajuda-me a perseverar em tempos de espera. Creio em tua bondade e em tuas promessas e agradeço porque, mesmo em meio às dificuldades, tu podes me usar para abençoar e fortalecer outros.

20 de julho

Leia Colossenses 2.11-15 e reflita

Manifestações de poder

No batismo, vocês foram sepultados com Cristo e, com ele, foram ressuscitados para a nova vida por meio da fé no grande poder de Deus, que ressuscitou Cristo dos mortos.

COLOSSENSES 2.12

Além da criação do mundo, existe manifestação maior do poder de Deus que a ressurreição de Jesus? Ele foi publicamente crucificado e sepultado. No entanto, saiu de uma sepultura fechada e apareceu a muitos de seus seguidores como Senhor ressurreto. Que tipo de poder é capaz de fazer isso? Apenas o poder de Deus. E o mesmo poder de ressurreição existe em você.

Deus não quer que você tenha uma existência sem poder. Ele deseja dar poder para você viver conforme ele planejou. O Senhor é capaz de criar as coisas do nada e dar vida a algo que estava morto (Rm 4.17). É disso que precisamos encarecidamente. Deus tem todo o poder de que necessitamos e não quer que duvidemos dele.

Embora às vezes pareça impossível enxergar como seus problemas serão resolvidos, o Senhor sabe. Embora às vezes você se sinta sobrecarregada pelas circunstâncias, nenhum peso é grande demais para Deus. É preciso confiar nele e no poder que ele exerce em seu favor. O Senhor deseja liberar esse poder em sua vida. Colabore com ele. Peça-lhe, todos os dias, que manifeste o poder dele em seu interior para que você possa cumprir os planos e propósitos divinos.

Senhor, eu te louvo e te adoro pelo poder imensurável que manifestaste na criação do mundo e na ressurreição de teu Filho. Peço que esse mesmo poder flua dentro de mim para que eu viva conforme tua vontade.

Não ignore seus medos

Agora, SENHOR, nosso Deus, salva-nos do poder desse rei; então todos os reinos da terra saberão que somente tu, SENHOR, és Deus!

2REIS 19.19

Ezequias foi um bom rei de Judá. Seu inimigo, o arrogante rei da Assíria, entrou em guerra contra ele e tentou convencê-lo a não confiar que Deus o salvaria. Mas Ezequias recusou-se a duvidar de Deus. Em vez disso, recorreu ao profeta Isaías para ouvir a palavra do Senhor.

Deus prometeu enviar o rei assírio de volta para casa, onde morreria pela espada. O rei da Assíria continuou a insultar o rei Ezequias e lhe enviou uma carta dizendo que não se deixasse enganar por Deus, pois certamente perderia a guerra (2Rs 19.10-11). Em vez de responder às ameaças do inimigo, Ezequias levou seu problema a Deus. Estendeu a carta diante do Senhor e orou.

Nós também podemos colocar diante de Deus o símbolo de algo que nos assusta ou tenta nos fazer duvidar do Senhor: a ação judicial, as enormes contas a pagar, o extrato com saldo bancário cada vez menor, o filho doente, o cônjuge difícil.

Como resultado da oração de Ezequias, Deus enviou um anjo para destruir os 185 mil soldados assírios (2Rs 19.35). Deus pode enviar qualquer coisa de que você precise para derrotar seu inimigo. Não ignore seus medos, mas não afunde neles. Leve-os ao Senhor e coloque-os aos pés dele.

Senhor, quando eu me vir numa situação assustadora, não permitas que eu caia na tentação de duvidar de tua soberania. Ajuda-me a colocar minhas dificuldades diante de ti, crendo em teu poder para resolvê-las.

22 de julho

Leia Gálatas 5.16-21 e reflita

Guiada pelo Espírito

Deixem que o Espírito guie sua vida. Assim, não satisfarão os anseios de sua natureza humana.

GÁLATAS 5.16

Quando entregamos a vida ao Senhor e somos guiadas por seu Espírito, ele produz o fruto do Espírito em nós (Gl 5.22-23).

Somos justificadas pela obra de Jesus na cruz, mas isso não nos dá o direito de operar sob o poder do Espírito sem viver de maneira íntegra. Devemos pedir ajuda ao Espírito para desenvolver pureza e obediência. Quando você tem o coração puro, as linhas de comunicação com Deus se mantêm abertas, bem como o canal pelo qual o Espírito pode conduzi-la. E esta é a chave: ser conduzida pelo Espírito Santo.

Quando você é conduzida pelo Espírito, caminha na luz. "Pois antigamente vocês estavam mergulhados na escuridão, mas agora têm a luz no Senhor. Vivam, portanto, como filhos da luz! Pois o fruto da luz produz apenas o que é bom, justo e verdadeiro. Procurem descobrir o que agrada ao Senhor" (Ef 5.8-10). E, uma vez que o mal está proliferando, devemos viver com sabedoria. "Aproveitem ao máximo todas as oportunidades nestes dias maus. Não ajam de forma impensada, mas procurem entender a vontade do Senhor" (Ef 5.16-17).

Peça ao Senhor que a ajude a entender a vontade dele e a capacite a sempre caminhar sob a direção do Espírito Santo. Então, você produzirá continuamente o fruto do Espírito em sua vida.

Senhor, como é bom saber que teu Espírito habita em mim! Quero ser guiada por ele em todas as minhas escolhas e ações, a fim de andar na luz e entender qual é tua vontade para cada situação.

Não tenha inveja do perverso

Não se preocupe com os perversos, nem tenha inveja dos que praticam o mal.
Pois, como o capim, logo secarão e, como a grama verde, logo murcharão.

SALMOS 37.1-2

Vemos o mal prosperar no mundo todos os dias, mas é reconfortante saber que haverá um fim para toda perversidade. Portanto, nunca devemos desejar as supostas vantagens de praticar o mal.

É fácil nos irritarmos ao ver como a maldade prospera hoje em dia, mas, se escolhermos confiar no Senhor, fazer o bem e nos deleitar nele, entregar a vida a ele, descansar e aguardar por ele com paciência em vez de nos deixarmos ser consumidas pela raiva, viveremos com a mente, as emoções e os pensamentos voltados inteiramente para Deus, amando-o de todo o coração.

A ira não produz a justiça de Deus; só o amor a produz.

Nestes tempos em que o mal domina cada vez mais, aproxime-se de Deus. Proclame-o como seu Senhor e Mestre. Reconheça todo o bem que há em sua vida e em seu mundo e que não existiria sem Deus. Não ambicione o que os perversos têm. "Melhor ser justo e ter pouco que ser perverso e rico" (Sl 37.16). Você tem coisas mais importantes a fazer.

Senhor, é fácil me assustar ao ver toda a perversidade que floresce ao
meu redor. Confio em ti e não quero dar lugar à raiva e à frustração,
pois sei que a prosperidade dos maus não tem valor algum
comparada ao relacionamento de amor e bênção contigo.

24 de julho

Leia 2Reis 6.8-23 e reflita

Visão espiritual

"Não tenha medo!", disse Eliseu. "Pois do nosso lado há muitos mais que do lado deles!" Então Eliseu orou: "Ó Senhor, abre os olhos dele, para que veja". O Senhor abriu os olhos do servo, e ele viu as colinas ao redor de Eliseu cheias de cavalos e carruagens de fogo.

2Reis 6.16-17

Quando Israel estava em guerra contra a Síria, Deus revelava ao profeta Eliseu os planos dos sírios e Eliseu alertava o rei de Israel. O exército sírio descobriu o que Eliseu estava fazendo e decidiu cercar a cidade para capturá-lo.

O servo de Eliseu se levantou certa manhã e viu o exército sírio cercando a cidade. Desesperado, perguntou o que deveriam fazer. O profeta permaneceu calmo, pois viu da perspectiva de Deus o que estava acontecendo. O servo ficou com medo porque não tinha essa visão. Quando os olhos do servo foram abertos e ele enxergou a realidade no reino espiritual, sua perspectiva mudou completamente.

Todas nós precisamos dessa visão do Senhor. Ore para que seus olhos sejam abertos para verdade em cada situação. Quando o servo de Eliseu viu as colinas ao redor cheias de cavalos e carros de fogo, entendeu que Eliseu e ele não estavam sozinhos, pois os anjos do exército espiritual de Deus estavam lá para protegê-los.

O exército de anjos de Deus também está ao seu redor.

Graças te dou, Senhor, pela proteção constante e invencível de teu exército ao meu redor. Abre meus olhos para que eu enxergue as circunstâncias do teu ponto de vista e experimente paz em meio às lutas diárias.

Poder para evangelizar

Minha mensagem e minha pregação foram muito simples. Em vez de usar argumentos persuasivos e astutos, me firmei no poder do Espírito.

1Coríntios 2.4

Se você está aprendendo a ouvir a voz de Deus na Palavra e a seguir o Espírito em sua vida, o Senhor pode usá-la. Se o adora em espírito e em verdade e está disposta a se separar do pecado, do mundo, da tentação, do passado e de tudo o mais que tente afastá-la de Deus, ele pode usá-la. Se está sendo transformada em sua mente, em suas emoções e em seu caráter e está sendo guiada a ver propósito para sua vida, ele pode usá-la. Se a razão pela qual você acorda todos os dias é servir a Deus com os dons que ele lhe concedeu, ele pode usá-la. Se você é humilde e tem um coração arrependido e disposto a aprender, ele pode usá-la.

Você não precisa ser uma estudiosa de teologia, uma pastora ou alguém que tem uma vida espiritual perfeita (algo impossível!). Basta ser você mesma e atentar para a esperança que está em seu interior. Você já tem o amor de Deus em seu coração porque o Espírito de Deus está em sua vida, e você pode oferecer esse amor a outras pessoas conforme Deus a conduz. Quando você pronunciar as palavras concedidas por Deus, o Espírito concederá poder a elas. Esse é o verdadeiro evangelismo.

Senhor, coloco-me à tua disposição para que me uses como te parecer melhor. Que minha vida transborde com teu poder para falar de ti àqueles que desejas alcançar com tua graça e teu amor.

26 de julho

Leia o Salmo 124 e reflita

Não tema o inimigo

E se o SENHOR não estivesse ao nosso lado? Que todo o Israel diga: E se o SENHOR não estivesse ao nosso lado quando os inimigos nos atacaram? [...] As águas nos teriam encoberto, a correnteza nos teria afogado.

SALMOS 124.1-2,4

Não devemos apenas pedir que Deus nos livre dos planos malignos do adversário, mas que nos livre de temer o adversário.

Davi sabia quem estava ao lado dele. Você também precisa saber quem está ao seu lado. Nunca permita que o terror do inimigo sufoque sua alma. Lembre-se: Deus é todo-poderoso. O inimigo não é, nem de longe, tão poderoso quanto Deus e nunca será. Ele tem poder apenas sobre pessoas que acreditam em suas mentiras em vez de acreditar na verdade de Deus.

O inimigo sempre tenta impedir tudo que o Senhor deseja fazer em sua vida. Não tenha medo. Refugie-se no Senhor em oração, em adoração e na Palavra. Se o ataque for grande, as bênçãos vindas do outro lado certamente serão grandes também. Os desafios que você enfrenta enquanto caminha rumo à terra prometida para a qual Deus a está conduzindo produzirão em você fé e força para vencer. Às vezes, nossos momentos de maior fraqueza antecedem a maior obra de Deus em nossa vida. Esses tempos de ataque do inimigo só servirão para aumentar sua confiança no Senhor e a paz que ele lhe dá.

Eu te agradeço, Senhor, porque estás ao meu lado e porque me dás coragem para enfrentar as adversidades. Quero meditar com frequência sobre teu poder absoluto, de modo a fortalecer minha fé e não temer o inimigo.

O pecado de outros

Irmãos, se alguém for vencido por algum pecado, vocês que são guiados pelo Espírito devem, com mansidão, ajudá-lo a voltar ao caminho certo. E cada um cuide para não ser tentado.

GÁLATAS 6.1

Quando um irmão em Cristo cai em pecado, devemos pedir ajuda de Deus para não ter uma atitude de superioridade e pensar: "Isso jamais acontecerá comigo!". De fato, pode acontecer de Satanás nos tentar a pecar em áreas diferentes, mas isso não nos torna melhores (nem piores) que outros. Nossa velha natureza humana ainda é vulnerável, e precisamos ficar atentas.

Portanto, seja bastante cuidadosa quando estiver ajudando um irmão envolvido com algum pecado. Você pode acabar caindo na mesma tentação. Você pensa que pode impedir seus pensamentos de se transformarem em ações, mas a verdade é que não é possível cultivar pensamentos sobre o mal e não cair em suas garras — daí o conselho de Paulo em Gálatas 6.1.

Nem por isso, contudo, devemos nos afastar de quem pecou. Os versículos seguintes desse mesmo capítulo dizem qual deve ser nossa atitude: "Ajudem a levar os fardos uns dos outros e obedeçam, desse modo, à lei de Cristo. Se vocês se consideram importantes demais para ajudar os outros, estão apenas enganando a si mesmos" (Gl 6.2-3).

Ao ajudar um irmão enfraquecido, persevere na oração e busque forças em Deus.

Senhor, fortalece-me quando eu estiver lidando com alguém que caiu em pecado. Que eu me mantenha vigilante às tentações, mas trate meu irmão com profunda compaixão, sensibilidade e amor.

28 de julho
Leia 1Coríntios 1.26-31 e reflita

A lógica divina

> *Deus escolheu coisas desprezadas pelo mundo, tidas como insignificantes, e as usou para reduzir a nada aquilo que o mundo considera importante.*
> 1Coríntios 1.28

Precisamos depender de Deus a fim de que nossa fé não dependa de nossos esforços. Paulo "foi arrebatado ao paraíso" e recebeu uma visão transformadora da presença de Deus (2Co 12.4). Para impedir que o apóstolo ficasse orgulhoso e que outros o bajulassem por causa dessa experiência grandiosa, Deus permitiu "um espinho na carne". Paulo suplicou que essa fraqueza fosse removida, mas Deus lhe respondeu que sua graça era suficiente e que o poder divino operaria melhor na fraqueza (2Co 12.8-10).

O que isso quer dizer para você e para mim? Significa que, às vezes, o Senhor permite certas coisas em nossa vida para que tenhamos a certeza de que a obra a ser realizada não será resultado de esforço humano, mas do poder divino.

É importante compreender essa realidade, especialmente nos momentos em que nossas fraquezas pessoais ficam tão evidentes que não podemos negá-las. Da nossa perspectiva, é algo doloroso. Mas, da perspectiva da lógica divina, é algo bom. Quando estamos inconfundivelmente fracas, o poder de Deus se manifesta sem sombra de dúvida.

Senhor, sou muito grata porque escolhes revelar tua força em minhas fraquezas. Mostra-me como tua luz também brilha em meio às imperfeições e à vulnerabilidade de meus irmãos na fé, para que eu os veja com teus olhos.

Leia Provérbios 17.17; 18.24; 27.6,9 e reflita

Avalie seus relacionamentos

Alguns que se dizem amigos destroem uns aos outros, mas o verdadeiro amigo é mais próximo que um irmão.

PROVÉRBIOS 18.24

Bons relacionamentos são cruciais para ter sucesso na vida. Não é possível viver bem sem eles. Esse é um excelente motivo para pedirmos a Deus relacionamentos enriquecedores, edificantes, encorajadores e que o glorifiquem.

Sabemos quando temos um bom relacionamento. E sabemos quando estamos num relacionamento problemático. Mas nem sempre temos consciência de quanto dano sofremos quando persistimos num relacionamento destrutivo.

Deus é perdoador, e devemos perdoar os outros assim como ele nos perdoa. Ele não diz, porém, que devemos continuar nos sujeitando ao abuso, à mágoa, à dor, ao medo ou a maus-tratos. Ele nos instruiu a dar a outra face, mas não nos orientou a permitir que outros nos deixem doentes, ansiosas, deprimidas ou traumatizadas. Podemos impedir que o pecado e a destruição que ele traz continuem.

Não se trata de livrar-se de todo relacionamento que passe por um período difícil, mas de pôr um fim quando um relacionamento se torna destrutivo. Não permita que continue dessa forma. Isso não vem de Deus e não o glorifica.

Querido Pai, peço que me dês clareza, sabedoria e direção a respeito de meus relacionamentos, para que eu cultive os saudáveis e me afaste dos prejudiciais.

30 de julho

Leia Mateus 12.33-37 e reflita

Palavras reveladoras

Pois a boca fala do que o coração está cheio.

MATEUS 12.34

As palavras indicam o estado de nosso coração. Palavras que trazem cura e bênção revelam um coração bom. Palavras cruéis, insensíveis, enganosas, desonestas ou descuidadas refletem um problema sério no coração.

A maneira de combater esse problema é encher o coração com a verdade da Palavra de Deus. Quando falamos palavras a nós mesmas ou sobre nós mesmas que infectam nossa mente com mentiras, isso afeta nossa vida muito mais do que imaginamos. Se declaramos mentiras a nosso respeito como "Nunca vou chegar a lugar nenhum", "Não consigo fazer nada direito" ou "Não há saída para meus problemas", esse tipo de conversa interna exerce um impacto negativo sobre nós.

Verifique se as palavras que você fala a si mesma e aos outros são inspiradas por Deus, por sua velha natureza humana, por atitudes e pensamentos negativos ou pelo inimigo. Não permita que suas palavras sejam uma armadilha para fazê-la cair.

A fim de ter sucesso verdadeiro, é preciso declarar a verdade de Deus sobre si mesma e sobre sua vida. Para tanto, você necessita de um coração saudável que transborde com o amor divino. Quando seu coração estiver em ordem, as palavras que você falar também estarão.

Espírito Santo, transforma meu coração com a verdade das Escrituras a fim de que minhas palavras para mim mesma e para outros sejam edificantes e abençoadoras, refletindo tua presença em mim.

Elimine as interferências

Agora, Israel, o que o Senhor, seu Deus, requer de você? Somente que você tema o Senhor, seu Deus, que viva de maneira agradável a ele e que ame e sirva o Senhor, seu Deus, de todo o coração e de toda a alma.

Deuteronômio 10.12

Deus quer que o fogo da presença dele em você jamais se apague. Esse fogo continua queimando conforme você se mantém em comunicação com Deus, mas pode esfriar quando influências externas a impedem de dedicar tempo a ele.

Deus quer que você se afaste de qualquer coisa que a afaste dele. Deus exige que o temamos, amemos e sirvamos de todo o nosso coração e obedeçamos a todos os seus mandamentos. Qualquer coisa que interfira e nos impeça de cumprir esses requisitos deve ser eliminada de nossa vida.

É claro que o pecado nos separa de Deus, mas existem outras coisas mais sutis que também podem fazer isso, como o excesso de compromissos, a obsessão com o trabalho, ou a permissão para que pessoas, a internet, a televisão ou outras ocupações tomem todo o nosso tempo.

Peça que o Senhor lhe mostre onde existem coisas em sua vida que estão competindo com ele por sua atenção ou interferindo numa comunicação próxima e contínua. Elimine as interferências de modo a cultivar verdadeira intimidade com seu Criador.

Senhor, não quero de modo algum esfriar meu relacionamento contigo. Ajuda-me a estabelecer prioridades corretas a fim de passar momentos preciosos inteiramente dedicados a ti, sem distrações.

1º de agosto

Leia Tiago 3.13-18 e reflita

Inveja e cobiça

Mas, se em seu coração há inveja amarga e ambição egoísta, não encubram a verdade com vanglórias e mentiras. [...] Pois onde há inveja e ambição egoísta, também há confusão e males de todo tipo.

TIAGO 3.14,16

Nossa caminhada mais próxima com Deus revelará onde existe inveja e cobiça em nossa vida. Toda ocasião em que você quer algo que pertence a outra pessoa é sinal de que há um ídolo em seu coração. É um desperdício de tempo cobiçar os bens, o cônjuge, o sucesso, o emprego, o ministério, o talento, as capacidades ou os relacionamentos de outra pessoa.

Admirar o que alguém tem é diferente de cobiçar aquilo para si. Olhar para o que alguém tem e ficar feliz por essa pessoa é diferente de olhar e sentir inveja. Existe uma linha tênue em nosso coração, e podemos cruzar essa linha sem nem sequer perceber.

Peça que o Espírito revele todas as coisas em seu coração ou em sua mente que sejam de natureza invejosa ou cobiçosa, das quais você precisa ser liberta. Dar espaço para a inveja é exaustivo e nos leva a ter pena de nós mesmas, o que vai contra tudo que Deus planejou. A inveja e a cobiça nos afastam do ideal de Deus para nós e mostram que nos falta gratidão por tudo que Deus já nos deu até agora e ainda nos dará no futuro.

*Querido Pai, sei que às vezes invejo outras pessoas e cobiço
o que elas têm porque me esqueço de ser agradecida por tua
generosa provisão. Volta meus olhos para tua bondade, para
que eu me lembre de que és digno de toda confiança. Não
tenho motivo para invejar nem cobiçar coisa alguma.*

Linda aos olhos de Deus

Você é linda, minha querida, como a bela cidade de Tirza. Sim, é linda como Jerusalém, majestosa como um exército com bandeiras ao vento.
CÂNTICO DOS CÂNTICOS 6.4

Eu tinha o hábito de me colocar para baixo em tudo. Repeti pensamentos negativos a meu respeito durante anos. Mas não faço isso mais. Descobri que é uma grande perda de tempo. Só me deixa triste e paralisada.

Esqueça o que outra pessoa falou a seu respeito. Não permita que ela tenha controle sobre sua vida. E não cutuque a ferida dizendo coisas negativas sobre si mesma, pois não ajudará em nada. Em vez disso, pense no que Deus fala sobre você. Ele conta que você foi criada de maneira maravilhosa e que valeu a pena morrer em seu lugar. Ele afirma que a ama e que a criou para um bom propósito.

Se você costuma se colocar para baixo, peça ao Senhor que lhe mostre as coisas boas a seu respeito. Sei que isso pode parecer egocêntrico, mas não é. Na verdade, concentrar-se de forma negativa sobre si mesma é egocentrismo. Além disso, é exaustivo e inútil.

Peça a Deus que lhe dê a perspectiva correta sobre você e sua vida. Agradeça porque ele a criou, amou, salvou e lhe deu um propósito. Concentre-se na bondade e no amor de Deus por você e, aos poucos, essa negatividade deixará de ser um hábito. Você é linda aos olhos de Deus.

Muito obrigada, Senhor, porque já me vês como serei na eternidade contigo: linda e perfeita, graças à dádiva da salvação e santificação em Cristo. Ajuda-me a lembrar disso quando pensamentos negativos me vierem à mente.

3 de agosto

Leia Salmos 42.1-2 e reflita

O anseio de minha alma

> *Como a corça anseia pelas correntes de água, assim minha alma anseia por ti, ó Deus.*
>
> Salmos 42.1

Algo acontece em nossa mente, alma e espírito quando não apenas almejamos um relacionamento mais profundo com Deus, mas chegamos ao ponto de não conseguir viver sem esse relacionamento. Finalmente percebemos que Deus é o único capaz de preencher o vazio em nós e não queremos mais perder tempo procurando felicidade em outros lugares. Chegamos ao limite e não queremos viver fora da vontade divina um momento sequer.

Depois que tomamos a importante decisão de cultivar um relacionamento mais profundo com o Senhor, nossa vida nunca mais é a mesma. Sabemos que ele é absolutamente importante para nós. A essa altura, há duas coisas que você precisa ter:

Conhecimento de que está vivendo no centro da vontade de Deus.

Percepção de que está sempre na presença dele.

Ter esse conhecimento e essa percepção todos os dias é como alimento para sua alma, conferindo-lhe a plenitude que só Deus pode dar. Quando amamos a Deus o suficiente para querer sua presença e sua perfeita vontade em nossa vida o tempo todo, é porque entendemos que, se não for assim, não estaremos tão perto dele como poderíamos.

Querido Deus, tenho sede de ti e quero desfrutar continuamente tua presença. Mostra-me como permanecer no centro de tua vontade, que traz plenitude e satisfação.

Como os outros?

Escolha um rei para nos julgar, como ocorre com todas as outras nações.
1Samuel 8.5

Tudo se complica quando, motivadas por um desejo irresistível de adequação, tentamos imitar alguém ou algum estilo de vida que não seja o do Senhor. Quando nos preocupamos mais em obter a admiração ou aprovação de outros ou em nos sentir seguras com aquilo que o mundo oferece do que nos preocupamos em agradar a Deus, desviamos dele nosso coração, nosso foco e a administração de nosso tempo.

Na época de Samuel, os israelitas eram liderados por homens que exerciam a função de juízes e profetas como representantes diretos de Deus. No entanto, diante dos inimigos que cercavam Israel, o povo começou a desejar um rei como o que as outras nações tinham, para liderá-los nas batalhas. Em outras palavras, queria ser igual à sociedade ao seu redor. Deus advertiu que esse governante tomaria os filhos e as filhas dos israelitas, bem como suas colheitas e bens, e eles clamariam ao Senhor quando entendessem essas imposições.

Os israelitas não deram ouvidos e insistiram em sua exigência. E, por causa disso, perderam muitas bênçãos que Deus tinha para eles. Quando escolhemos correr atrás daquilo que proporciona aceitação ou aprovação (geralmente temporária) do mundo, também perdemos aquilo que Deus tem de melhor para nós.

*Senhor, o mundo faz muitas promessas de segurança e aceitação.
Abre meus olhos para que eu veja o engano de todas elas e busque em
ti tudo de que preciso. Não quero perder nenhuma das bênçãos que
tens reservado para mim.*

5 de agosto

Leia Hebreus 1.5-14 e reflita

Auxílio de anjos

Portanto, os anjos são apenas servos, espíritos enviados para cuidar daqueles que herdarão a salvação.

HEBREUS 1.14

Um anjo libertou Pedro da prisão (At 12). Um anjo revelou a Paulo que suas orações pela segurança de todos que navegavam com ele durante a tempestade haviam sido respondidas (At 27.21-26). Davi declarou: "O anjo do SENHOR é guardião; ele cerca e defende os que o temem" (Sl 34.7). Anjos nos protegem e ministram a nós em momentos de dificuldade. Não é maravilhoso?

Quando intercessoras como você e eu oram, os anjos nos ajudam em nossa batalha contra o inimigo. Jesus disse: "Você não percebe que eu poderia pedir a meu Pai milhares de anjos para me proteger, e ele os enviaria no mesmo instante?" (Mt 26.53).

Não precisamos temer o inimigo nem imaginar que Deus nos deixou sozinhas aqui, lutando neste mundo. Nada poderia estar mais longe da verdade.

Embora não devamos adorar os anjos nem orar a eles, podemos agradecer a Deus pela presença e pelo ministério desses seres celestiais. E podemos nos alegrar com a expectativa de que, um dia, adoraremos a Deus no céu junto com os anjos.

Senhor Deus, muito obrigada porque envias teus anjos para me proteger e para lutar comigo nas batalhas aqui na terra. Obrigada, também, pelo imenso privilégio que terei de te adorar junto com os anjos por toda a eternidade.

Orientação para hoje

Então Jesus explicou: "Meu alimento consiste em fazer a vontade daquele que me enviou e em terminar a sua obra".

João 4.34

Como Jesus, precisamos desejar que a vontade de Deus seja feita em nossa vida da mesma forma que precisamos de alimento.

Mostramos amor a Deus quando buscamos sua orientação, sem presumir que sabemos qual é a vontade dele em relação a certas situações específicas de nossa vida.

Todas nós sabemos, pela leitura da Palavra, que o Senhor não quer que ninguém minta, roube ou cometa assassinato. Isso se aplica a todas as pessoas. Mas será que ele deseja que você deixe seu emprego e se mude para outra cidade? É preciso saber não apenas a vontade geral dele, mas seus propósitos em relação *a você*.

Quando você quiser saber qual é a vontade específica de Deus para sua vida, a única maneira é orar sozinha e, depois, orar com outras pessoas piedosas, que amem a Deus acima de tudo.

Quando não obedecemos à vontade de Deus ou nos desviamos dela, perdemos uma medida de intimidade com Deus e bênçãos que ele deseja nos dar. Se vivermos fora dos limites da vontade de Deus, desagradando-lhe, ficamos expostas às consequências negativas dessa atitude. Por isso precisamos nos aproximar de Deus logo pela manhã e buscar o que ele tem para nós neste dia.

Querido Pai, por favor, mostra-me o que desejas para mim hoje. Abre meus olhos para tua presença e teus propósitos enquanto trabalho nos afazeres deste dia e ajuda-me a glorificar-te com meus pensamentos, atitudes e ações.

7 de agosto

Leia 1Pedro 3.3-5 e reflita

Palavras de afirmação

Vistam-se com a beleza que vem de dentro e que não desaparece, a beleza de um espírito amável e sereno, tão precioso para Deus.

1Pedro 3.4

Todos precisam de amor, afirmação e aceitação. Ninguém se importará se você está acima do peso, se tem manchas na pele, se sua franja está curta demais, se suas roupas não são da última moda, se ficou reprovado em matemática, se está devendo prestações da casa, se nunca apareceu na capa de uma revista, se não consegue falar bem em público, ou qualquer outra coisa que a faça sentir-se insegura.

Elas se importarão apenas com o fato de você ter demonstrado que as viu e reconheceu sua existência, aceitando-as e aprovando-as o suficiente para gerar um sorriso genuíno e uma saudação cordial. Se souber fazer isso, você certamente terá um propósito e um ministério. Você não faz ideia de quanto as pessoas sofrem de solidão, tristeza e medo. Eu sei, porque era uma delas. Você tem o poder de dizer aos outros palavras que promoverão vida para eles e para você também. É necessário pouco esforço para falar palavras de encorajamento e afirmação.

Em resumo, não fale negativamente, nem a você nem a ninguém. Fale a verdade da Palavra e do coração de Deus. Comunique palavras de amor, bondade, aceitação e ânimo. É possível transmitir tudo isso em poucas palavras gentis quando o amor divino habita em seu coração.

Senhor, coloca teu amor em meu coração para que ele transborde em palavras de aceitação, ânimo e afirmação, que promovam vida para outros e para mim mesma.

Deus quer curar

Quando [o cego] se aproximou, Jesus lhe perguntou: "O que você quer que eu lhe faça?". "Senhor, eu quero ver!", respondeu o homem. E Jesus disse: "Receba a visão! Sua fé o curou". No mesmo instante, o homem passou a enxergar.
Lucas 18.40-43

Peça ao Senhor especificamente aquilo que você deseja na área da cura. Então, tenha fé na capacidade e no desejo divino de curar.

A cura não é algo que *exigimos* de Deus. O Senhor não cura todas as pessoas. Ele é soberano e faz o que deseja. Não podemos criar uma fórmula e exigir que ele faça o que queremos. Orar não significa dizer ao Senhor o que ele deve fazer, lembra? Orar é comunicar os desejos do coração a Deus e depositá-los nas mãos dele, para que faça o que bem entender. Mas o simples fato de o Senhor não curar todos não demonstra que ele não sara ninguém. Ele cura. E, quando o faz, tem um propósito para isso.

Jesus pagou o preço por nossa cura na cruz (Is 53.4-5). Ele tomou sobre si nossas enfermidades e levou nossas doenças (Mt 8.16-17). Por que ele compraria nossa cura com o sofrimento na cruz se não quisesse nos curar? "Ele mesmo carregou nossos pecados em seu corpo na cruz, a fim de que morrêssemos para o pecado e vivêssemos para a justiça; por suas feridas somos curados" (1Pe 2.24). Por que ele passaria por toda essa aflição? Por que seria conhecido como o Médico dos médicos se não tivesse intenção de curar ninguém?

Coloco diante de ti, Senhor, minha enfermidade. Declaro minha fé em teu poder de restaurar minha saúde. Tu sabes quanto desejo ser curada. Que seja feita a tua vontade.

9 de agosto

Leia o Salmo 127 e reflita

Tempo de descanso

É inútil trabalhar tanto, desde a madrugada até tarde da noite, e se preo-cupar em conseguir o alimento, pois Deus cuida de seus amados enquanto dormem.

SALMOS 127.2

Se você não está descansando, não está obedecendo a Deus. Na verdade, um dos motivos pelos quais não dormimos bem à noite ou não conseguimos nos aquietar é o fato de não vivermos segundo as instruções do Senhor. Ele nos dá descanso quando andamos em seus caminhos.

Se o próprio Deus observou um dia de descanso e nos instruiu a fazer o mesmo, penso que deveríamos confiar nele em relação a esse assunto (Êx 20.8-10). Separe um dia por semana e não trabalhe, não se preocupe com suas contas, não pense no que precisa ser limpo ou consertado, nem se desgaste com todas as obrigações que precisa realizar. Passe esse dia com o Senhor, para que ele possa revigorar você. Dedique tempo para estar na igreja e com sua família, tire um cochilo ou faça uma refeição com seus amigos. Dê um tempo de sua agenda semanal e procure fazer o que gosta. Em tudo que fizer, inclua Deus. O dia de descanso é uma recompensa para o corpo, a mente, a alma e o espírito. No entanto, só será possível desfrutá-lo ao máximo se você confiar plenamente no cuidado e na provisão do Senhor.

Senhor, muito obrigada porque supres todas as minhas necessidades generosamente e, por isso, posso repousar certa de que estás cuidando de mim. Ajuda-me a viver de modo agradável a ti, para que eu tenha descanso e renovação física, mental e espiritual.

Necessidades supridas

E esse mesmo Deus que cuida de mim lhes suprirá todas as necessidades por meio das riquezas gloriosas que nos foram dadas em Cristo Jesus.

FILIPENSES 4.19

Todas nós temos diversas necessidades, e Deus quer suprir todas elas à medida que nos relacionamos com ele. Identifique suas necessidades e busque a provisão do Senhor. Você tem necessidade de:

- Lembrar-se com frequência de quem Deus é e do que você é e pode ser nele.
- Meditar profundamente em tudo que Jesus realizou na cruz, a fim de não se desgastar lutando para ter em sua vida algo que já foi conquistado.
- Receber o perdão de Deus sempre que errar o alvo que ele estabeleceu para você, e oferecer perdão aos outros quando eles errarem também.
- Saber que é Deus quem sara e crer que ele pode trazer cura a você e àqueles por quem você intercede.
- Crescer em fé e não ser atormentada ou limitada pela dúvida e instabilidade.
- Permanecer firme e inabalável em seu conhecimento de Deus, não importa o que aconteça.
- Manter a esperança mesmo que as circunstâncias sejam adversas, porque você espera no Senhor.

Senhor Deus, eu te agradeço de coração porque conheces todas as minhas necessidades melhor do que eu mesma. Ajuda-me a buscar a provisão somente em ti, confiando sempre que atenderás da melhor forma e no tempo certo.

11 de agosto

Leia Filipenses 3.12-16 e reflita

Deixe o passado para trás

Esquecendo-me do passado e olhando para o que está adiante, prossigo para o final da corrida, a fim de receber o prêmio celestial para o qual Deus nos chama em Cristo Jesus.

Filipenses 3.13-14

Seu passado não determina quem você é, pois agora você é nova criatura em Cristo. Não estou dizendo que você deve ignorar seu passado. Reconheça-o como ele foi. Caso tenha sido terrível e doloroso e deixado grandes cicatrizes em sua mente e em seu coração, não o negue. Coloque tudo diante do Senhor. Ele lhe dará redenção ao usar o sofrimento de outrora para produzir coisas boas. Esse é um dos muitos milagres que Deus realiza.

Deus a ajudará a deixar o passado para trás e avançar em direção ao futuro que ele lhe reserva. E o medo não fará parte desse processo.

O medo é uma das armas do inimigo. Resista. Conheça a verdade de Deus de modo a não permitir que o mundo controle seus pensamentos nem determine o nível de sua paz. Não permita que a mídia a aterrorize, direcionando seus pensamentos e alimentando suas dúvidas. Não tolere as influências externas que a distraem do que acontece no reino espiritual. Recuse-se a sentir-se assustada, pois Deus nunca se assusta. Resista a todo tipo de confusão. Agradeça a Deus todos os dias pelo equilíbrio que ele tem dado. Entregue o passado ao Senhor e olhe para o futuro com grande confiança e esperança.

Senhor, muito obrigada porque nem meu passado nem as influências presentes do mundo determinam minha identidade e meu futuro. Eles estão arraigados na obra de teu Filho na cruz.

Honestidade ao orar

Eu cri, por isso disse: "Estou profundamente aflito!".

SALMOS 116.10

Algumas pessoas acreditam que é falta de fé dizer qualquer coisa negativa. Segundo elas, não podemos dizer: "Estou doente", "Estou com medo" ou "Estou triste", pois seria como nos dar por vencidas.

Mas, se você não falar a verdade em oração, não dará a Deus a chance de responder. É melhor orar: "Senhor, é isto que está acontecendo comigo, e é isto que desejo ver acontecer nesta situação, mas, acima de tudo, quero o que tu desejas".

Tive amigos enfermos que não quiseram pedir oração para não falar de sua enfermidade. Devemos lembrar, porém, que a cura é um ato da misericórdia de Deus. Não é algo que fazemos acontecer por causa de nossa grande fé. Deus decide quem ele cura. Devemos deixar que Deus seja Deus e parar de tentar fazer as coisas acontecerem sem o poder divino.

A vontade de Deus não gira apenas em torno de nós. Há coisas que ele almeja fazer neste mundo, e ele quer usar cada uma de nós como instrumento de sua vontade. Deus não necessita de nós. Pode agir sozinho, mas escolhe trabalhar em parceria conosco para realizar seus planos na terra. Não poderemos cumprir nosso chamado se não formos honestas em nosso relacionamento com Deus, deixando que seu poder opere em nós e por nosso intermédio.

Senhor, conheces minhas lutas, dificuldades e limitações. Quero ser honesta em minhas orações, a fim de dar espaço para agires. Quero ver teus planos se cumprirem em minha vida e no mundo.

13 de agosto

Leia Atos 4.23-31 e reflita

Coragem para anunciar a Palavra

Concede a teus servos coragem para anunciar tua palavra.

ATOS 4.29

Depois se serem presos, interrogados e soltos pelas autoridades judaicas, Pedro e João oraram junto com seus irmãos na fé para que fossem capazes de falar com coragem e para que Deus estendesse sua mão a fim de curar e fazer maravilhas em nome de Jesus (At 4.23-30). Quando oraram, "o lugar onde estavam reunidos tremeu, e todos ficaram cheios do Espírito Santo e pregavam corajosamente a palavra de Deus" (At 4.31).

O Senhor dá a nós, que cremos em seu Filho, a habilidade de proferir palavras que têm o poder do Espírito Santo. Também podemos pedir a Deus que nos ajude a anunciar sua Palavra com coragem.

Deus fez o mundo existir por meio de sua palavra. Ele concede a você o poder de realizar transformações em seu mundo por meio da palavra. Ore para que, onde quer que esteja, você seja capaz de dizer a outros palavras que exercerão impacto positivo sobre a vida deles e os abrirão para a influência do Espírito Santo. Ser capaz de anunciar a verdade de Deus com coragem é um dos fundamentos da vida de sucesso verdadeiro.

Deus Todo-poderoso, preciso de ousadia e coragem para anunciar a verdade das boas-novas. Coloca em meus lábios tua mensagem que dá vida eterna e prepara o coração daqueles aos quais desejas conceder a dádiva da salvação por meio dessas palavras.

Adoração e santidade

Honrem o SENHOR pela glória de seu nome, adorem o SENHOR no esplendor de sua santidade.

SALMOS 29.2

A adoração é nossa ligação direta com a santidade de Deus. Quando adoramos ao Senhor, especialmente pelo fato de ele ser santo, tornamo-nos um vaso aberto, no qual ele pode derramar sua santidade.

Quando isso acontece, somos transformadas — afinal, nos tornamos parecidas com o que adoramos. Quanto mais adoramos a Deus por sua santidade, mais a santidade divina permeia nossa vida. Os anjos ao redor do trono de Deus o louvam continuamente por sua santidade (Is 6.2-3). Devemos fazer o mesmo sempre que possível.

Deus a ama tanto que deseja compartilhar de si mesmo com você. Isso inclui a santidade dele. Quando você louva e adora continuamente, Deus enche sua vida com a santidade dele, e isso lhe dá vitórias nas batalhas contra o inimigo.

Louve ao Senhor por sua santidade e deixe que o Espírito desenvolva um modo de vida santo em você a cada dia.

Deus querido, como é maravilhoso saber que desejas compartilhar tua santidade comigo! Eu te louvo por tudo que tens realizado em minha vida e te adoro porque és Santo e Todo-poderoso. Ajuda-me a passar este dia em atitude de louvor e adoração.

15 de agosto

Leia Jeremias 33.1-9 e reflita

Maravilhosas revelações

Pergunte-me e eu lhe contarei coisas maravilhosas, segredos que você não sabe, a respeito do que está por vir.

JEREMIAS 33.3

Deus disse a Jeremias que, se clamasse a ele, receberia a revelação de coisas grandiosas e insondáveis, que o profeta não conhecia (Jr 33.3). Deus está dizendo a mesma coisa para nós hoje. Todas nós podemos clamar a Deus e pedir que nos revele a realidade de seu ponto de vista. Ele nos dará conhecimento que só é possível com sua revelação. Devemos ter esse tipo de entendimento para obter vitória na batalha espiritual e em nossa vida. Sem a revelação do Senhor, não temos como orar com o poder e a eficácia de que precisamos.

Suas orações podem salvar inúmeras pessoas de sofrimentos e tragédias, incluindo você e sua família. Suas orações podem salvar vidas que seriam destruídas ou impedir que coisas terríveis planejadas pelo inimigo aconteçam. Se pudesse impedir que pessoas boas passassem por sofrimentos horríveis, você não oraria a esse respeito? É claro que sim.

Suas orações são vitais. Toda oração pode salvar, mudar, poupar ou resgatar vidas. Peça a Deus que lhe revele, um dia de cada vez, as coisas maravilhosas que ele deseja realizar por meio de suas orações.

Senhor, creio no teu poder para realizar grandes coisas por intermédio de nossas orações. Necessito de revelação diária para orar conforme tua vontade, com capacitação e forças de teu Espírito. Peço que me mantenhas atenta para aquilo que desejas me mostrar e para os assuntos sobre os quais devo interceder.

Leia Efésios 5.1-5 e reflita

A escolha de amar

Vivam em amor, seguindo o exemplo de Cristo, que nos amou e se entregou por nós como oferta e sacrifício de aroma agradável a Deus.

EFÉSIOS 5.2

Toda situação com a qual deparamos exige uma escolha de nossa parte quanto a semear amor ou não. E só podemos fazer a escolha certa com a direção do Espírito em resposta às nossas orações. Se estivermos dispostas a olhar para o Senhor, ele nos ajudará a mostrar amor em cada situação e a cada pessoa.

Deus deseja que passemos o maior tempo possível com ele a fim de desenvolvermos um coração amoroso semelhante ao dele. Ele nos convida a recorrer a ele todos os dias para que recebamos dentro de nós uma dose renovada e revigorante de seu Espírito de amor. Deus é amor — e seu Espírito de amor habita em nós —, por isso somos capazes de amar da maneira que lhe agrada.

Nosso amor pelos outros é o sinal mais importante de que conhecemos a Deus e nascemos espiritualmente em seu reino. O amor é um fruto do Espírito.

Ninguém viu a Deus, mas quando mostramos amor pelos outros eles veem o coração de Deus. Aproximam-se do Senhor por causa do amor que lhes oferecemos. Para que isso aconteça, porém, temos de permanecer receptivas ao amor divino.

Senhor Deus, todos os dias deparo com inúmeras situações em que preciso tomar a decisão consciente de agir com amor. Sei que não sou capaz de fazê-lo sem o auxílio de teu Espírito. Concede-me um coração sempre amoroso, semelhante ao teu.

17 de agosto

Leia Tiago 5.10-11 e reflita

O que fazer quando vem o sofrimento

Irmãos, tomem como exemplo de paciência no sofrimento os profetas que falaram em nome do Senhor.

TIAGO 5.10

As situações mais difíceis que enfrentamos estão ligadas a doenças, problemas financeiros, conflitos conjugais, dificuldades de relacionamento, desafios no trabalho e morte. Precisamos saber que Deus está conosco durante esses momentos terrivelmente aflitivos.

Muitas vezes, porém, nos esquecemos de segurar na mão de Deus e de depender dele a cada passo. Mas um dos motivos por que Deus nos permite passar por situações difíceis é para que aprendamos a depender dele. Quando aprendemos essa lição, conseguimos permanecer firmes em tempos difíceis.

Temos a tendência de pensar que depender do Senhor é um sinal de fraqueza. E é verdade! Trata-se, porém, de uma boa notícia. Quando reconhecemos que não temos o necessário para viver como cristãs, começamos a entender o que é a verdadeira liberdade. À medida que andamos com o Senhor, ele nos faz superar qualquer coisa.

Quando andamos perto de Deus, até mesmo os momentos mais difíceis de nossa vida têm um aspecto positivo. A chave é procurar Deus na situação. Por mais sombria que a circunstância se torne, o Senhor nos dará a luz de que precisamos para o próximo passo. Ele suprirá o necessário para o momento em que vivemos.

Deus de amor, quando vierem os sofrimentos, quero me apegar ainda mais a ti, consciente de minha fraqueza e incapacidade de lidar sozinha com meus problemas. Nos dias sombrios, peço que me concedas luz para o próximo passo.

Parecida com seu Pai

O Senhor, que é o Espírito, nos transforma gradativamente à sua imagem gloriosa, deixando-nos cada vez mais parecidos com ele.

2Coríntios 3.18

Quanto mais você olha para o Senhor, mais parecida com ele se torna.

Nosso conceito de Deus afeta quem somos e quem nos tornamos. Nossa visão de Deus determina como enxergamos a vida e nos comportamos. Alguns dos problemas que temos podem resultar de uma ideia distorcida sobre quem Deus é. Ou do fato de que não temos a mínima ideia de quem ele é. Nossa alma é sempre afetada pelo modo como enxergamos a Deus e o que pensamos dele.

Podemos observar exemplos disso quando olhamos para nossa vida ou para a vida dos outros. É fácil ver a falta de frutos na vida daqueles que têm um conceito medíocre de Deus. Por outro lado, aqueles que têm uma visão exaltada e reverente de Deus produzem muitos frutos. Quanto maior sua ideia acerca de Deus, mais profunda será sua caminhada com ele.

Deus conhece você e enxerga seu potencial.

A. Ele sabe como você é neste exato momento.

B. Ele sabe quem você foi criada para ser.

E, o mais importante, ele sabe como fazer você ir de A para B!

Querido Pai, como é maravilhoso saber que, ao passar tempo contigo, crescendo em intimidade e conhecimento de ti, sou transformada à tua imagem. Eu te louvo por essa dádiva indescritivelmente generosa.

19 de agosto

Leia 1Pedro 2.9-10 e reflita

Das trevas para a luz

Assim, vocês podem mostrar às pessoas como é admirável aquele que os chamou das trevas para sua maravilhosa luz.

1PEDRO 2.9

Deus nos chamou das trevas para sua maravilhosa luz porque somos seu povo especial criado para proclamar seu louvor.

Antes de sair para a batalha, o povo de Israel tinha de se purificar e lutar no campo espiritual por meio da adoração. O mesmo princípio se aplica a nós hoje. Fazemos coisas grandiosas para Deus e conquistamos território para seu reino à medida que crescemos na adoração a ele com humildade e sinceridade e andamos em seus caminhos. Somente dessa forma somos capazes de ver as coisas da perspectiva de Deus.

O Senhor quer que caminhemos perto dele em oração. Quer que o adoremos e louvemos seu nome. Somos um sacerdócio real, o que significa que somos reis e sacerdotes (Ap 1.5-6). E não apenas caminhamos com ele em sua "maravilhosa luz", mas vamos para a guerra contra as forças das trevas com ele e por ele. Os cristãos são uma nação santa composta de todas as nações e raças de todos que creem em Jesus. Somos "propriedade exclusiva de Deus" e "povo escolhido" (1Pe 2.9) para glorificá-lo, não importa onde estejamos. É uma honra e um privilégio.

Graças te dou, Senhor, porque me transportaste das trevas da perdição para a luz de tua salvação. Tu me escolheste e me santificaste para que eu possa guerrear com valentia e perseverança contra as forças do mal.

Ore pelos perversos

Eu, porém, lhes digo que não se oponham ao perverso. Se alguém lhe der um tapa na face direita, ofereça também a outra. [...] Se alguém o forçar a caminhar uma milha com ele, caminhe duas.

MATEUS 5.39,41

Quem é capaz de agir desse modo?

Não temos de convidar os perversos para entrar em nossa casa e permitir que tenham acesso a nossos filhos, mas podemos orar para que conheçam a verdade da Palavra e tenham um encontro com Deus. O simples fato de orar para que uma pessoa perversa venha a conhecer o Senhor é um grande passo de amor para a maioria de nós. Há os que recebem o chamado para ministrar a pessoas perigosas, e Deus os capacita a realizar essa missão. Preste atenção ao que o Espírito Santo diz a respeito de seu chamado, e não dê um passo sequer nessa direção sem ouvir a clara orientação divina e receber a confirmação de líderes confiáveis.

Se você é cristã e ama a Deus, como pode viver entre aqueles que arrogantemente desprezam o Senhor e seus caminhos? A resposta é: mostrando amor por eles. Quando você os ama, eles ficam desarmados. O amor vindo de você — que se origina do amor de Deus em seu coração — tem poder tal que nem mesmo os incrédulos mais ferrenhos conseguem negar.

Provavelmente nunca saberemos o bem que fizemos ao orar pelos perversos. Mas não importa: Deus sabe.

Senhor, preciso de tua graça imensurável para orar por aqueles que praticam o mal. Mostra-me como devo amá-los de modo a refletir teu amor por eles.

21 de agosto

Leia 1Pedro 5.10-12 e reflita

Firmeza em tempos de dificuldade

As experiências pelas quais vocês têm passado são, verdadeiramente, parte da graça de Deus. Permaneçam firmes nessa graça.

1PEDRO 5.12

Deu nos ensina a caminhar com ele, a depender dele a cada passo. Ele também nos mostra como permanecer firmes. O segredo para não vacilar quando vierem os tempos difíceis, em que desafios ameaçam destruí-la, é *permanecer*:

- Permaneça no que você sabe ser a verdade sobre o Senhor (Hb 2.1).
- Permaneça na Palavra de Deus (Sl 119.161).
- Permaneça em obediência a Deus (Pv 12.13).
- Permaneça ciente de que existe o risco de cair (1Co 10.12).
- Permaneça na vontade de Deus (Cl 4.12).
- Permaneça disposta a dedicar-se a outros (Is 32.8).
- Permaneça longe do mal (Pv 10.25).
- Permaneça no que você sabe que procede do Senhor (2Ts 2.15).
- Permaneça corajosa na fé (1Co 16.13-14).
- Permaneça certa de que sua casa não está dividida (Mc 3.25).
- Permaneça no conselho de Deus e no que ele falou ao seu coração (Is 46.10).

Querido Deus, quando vierem as provações e eu for tentada a me esquecer de ti, de tua verdade e de teu amor, peço que me socorras com teu Espírito e me dês forças para permanecer em ti — corajosa, confiante e disposta a obedecer.

Uma história de amor

Alegro-me em tua palavra, como quem descobre um grande tesouro.
SALMOS 119.162

A maior história de amor do mundo está escrita na Bíblia. Na verdade, ela é a Bíblia. A Bíblia inteira é um registro do grande amor de Deus por nós. Um dos principais sinais de seu amor é o fato de ele nos ter oferecido sua Palavra.

Depois de aceitar a Cristo, comecei a frequentar a igreja para ouvir o pastor transmitir ensinamentos da Bíblia, e de imediato as Escrituras tornaram-se vivas para mim. Depois o Senhor entrou em meu coração, meus olhos espirituais foram abertos e passei a sentir o amor de Deus em cada palavra. Foi uma experiência muito mais extraordinária do que eu poderia imaginar.

Quando entrei no reino de Deus, onde há poder, paz e amor infinitos, a diferença em relação à minha vida anterior foi tão grande quanto a que existe entre a noite e o dia. Foi uma experiência mais real que tudo que eu conhecia até então, muito maior que o medo e o sofrimento com os quais convivi a vida inteira. A Palavra de Deus se tornou uma mensagem de amor e esperança para mim. Eu a considerava um diamante precioso e, todas as vezes que a lia, encontrava novas e deslumbrantes facetas.

Cada vez que abro a Bíblia, peço a Deus que abra meus olhos para conhecer a verdade de modo mais profundo. E ele, em sua imensa graça, responde a essa oração.

Pai querido, quando medito em tua Palavra descubro cada vez mais aspectos de teu amor por mim. Mostra-me como viver conforme esse amor e como refleti-lo com minhas atitudes e ações.

23 de agosto

Leia Isaías 53 e reflita

Salvador, Redentor e Restaurador

> *Mas ele foi ferido por causa de nossa rebeldia e esmagado por causa de nossos pecados. Sofreu o castigo para que fôssemos restaurados e recebeu açoites para que fôssemos curados.*
>
> Isaías 53.5

Jesus é o *Salvador*, pois nos salvou do efeito do pecado: a morte. Ele nunca pecou e, mesmo assim, levou sobre si as consequências de nosso pecado. Certamente não foi algo que merecêssemos, mas ele considerou que seu sacrifício era a coisa certa a fazer, pois, quando amamos alguém, fazemos tudo que está ao nosso alcance para salvar essa pessoa da destruição.

Jesus é o *Redentor*, pois "entregou sua vida para nos libertar de todo pecado, para nos purificar e fazer de nós seu povo" (Tt 2.14). Resgatou-nos da perdição e nos tornou seu povo especial.

Jesus é o *Restaurador*, pois, assim que o aceitamos, Deus vê a justiça, a bondade e a pureza de Jesus em nós. Temos, portanto, o direito de ser chamadas filhas de Deus e, como suas filhas, somos completamente restauradas para ele.

Jesus entregou sua vida voluntariamente. Mesmo sem desejar sofrer, ele orou a Deus: "Seja feita a tua vontade, e não a minha" (Lc 22.42). Jesus foi à cruz por amor — por amor a seu Pai e por amor a nós.

> *Meu querido Salvador, Redentor e Resgatador, como eu te amo!*
> *E como sou grata pelos inúmeros privilégios que me concedeste.*
> *Que eu possa seguir teu exemplo e sempre orar:*
> *"Seja feita a tua vontade, e não a minha".*

Seja paciente

Encorajem os desanimados. Ajudem os fracos. Sejam pacientes com todos.
1Tessalonicenses 5.14

Ser paciente com os outros é um ato de misericórdia. Assim como o amor, a paciência é um fruto do Espírito. Somente ele pode produzi-lo em nós. Quando convidamos o Espírito Santo para habitar em nós, assumir o controle total de nossa vida e trabalhar em nós de acordo com sua perfeita vontade, ele produz seu fruto completo, que inclui a paciência.

Ser paciente significa esperar em Deus que uma pessoa ou situação melhore, sem revidar e sem desistir, mesmo quando somos vítimas de injustiça, passamos por aborrecimentos, enfrentamos oposição ou nos vemos no meio de uma provação.

Alguns termos associados a "paciente" são tolerante, perdoador, misericordioso, magnânimo, generoso, solidário, compreensivo, firme, constante, resoluto, incansável, otimista e leniente. Só temos condições de demonstrar essas qualidades louváveis quando o amor divino é derramado dentro de nós pelo Espírito Santo.

Mostrar paciência não é ser uma pessoa resignada ou indiferente. É ter a expectativa jubilosa do que Deus irá fazer, não apenas na pessoa ou situação com a qual você está sendo paciente, mas também em você.

Espírito Santo de Deus, peço que tua influência e teu poder dentro de mim produzam o bom fruto da paciência. Ajuda-me a olhar para Jesus, aquele que suportou tanto sofrimento por amor a nós, e a seguir seu exemplo perfeito.

25 de agosto

Leia Josué 21.43-45 e reflita

Firme nas promessas

Nenhuma das boas promessas que o SENHOR fez à família de Israel ficou sem se cumprir; tudo que ele tinha dito se realizou.

JOSUÉ 21.45

Quando você escolhe permanecer nas promessas divinas e se recusa a desistir, alcança vitórias. Nos momentos difíceis, quando a luta parecer grande demais e você estiver exausta, repita essas promessas:

- Promessa para quem obedece a Deus: Deuteronômio 5.33.
- Promessa para quem busca o conselho de Deus: Salmos 73.23-24.
- Promessa de proteção: Salmos 121.7-8.
- Promessa de que Deus ouvirá sua oração: Jeremias 29.12.
- Promessa de livramento em tempos de necessidade: Salmos 72.12.
- Promessa para quando precisar de sabedoria: Provérbios 2.6-7.
- Promessa de grandes coisas no futuro: 1Coríntios 2.9.
- Promessa para os momentos de angústia: Salmos 138.7.
- Promessa para quando se sentir fraca: Isaías 40.29.
- Promessa para quando necessitar de coragem: Salmos 31.24.
- Promessa para quando se sentir ameaçada: Isaías 54.17.
- Promessa para quando precisar de ajuda: Salmos 46.1-2.
- Promessa para quem espera no Senhor: Isaías 30.18.

Senhor, que consolo saber que és fiel a todas as tuas promessas! Peço teu auxílio para gravá-las na memória, a fim de não desanimar nos momentos de dificuldade, e para compartilhá-las com outros que estejam precisando de ânimo.

Provisão miraculosa

No deserto, partiu as rochas para lhes dar água, como a que jorra de um manancial. Da pedra, fez brotar riachos e correr água como um rio.

SALMOS 78.15-16

Quando você se encontrar no meio de uma tribulação, pergunte a Deus: "Estou nesta situação porque fiz algo errado?", "É um ataque do inimigo?", ou "Está acontecendo porque estou seguindo tua vontade e o Senhor está usando essa situação para teu propósito?". A resposta que discernir em seu coração a ajudará a formar uma imagem mais clara do que está acontecendo de fato.

O Senhor abriu o mar Vermelho e criou um caminho para os israelitas atravessarem em terra seca. Ele os conduzia durante o dia por meio de uma nuvem e, à noite, com uma coluna de fogo. Quando faltou água, ele a fez fluir da pedra. Providenciou aquilo de que os israelitas precisaram num lugar em que parecia impossível. Deu-lhes fartura num deserto onde nada havia.

Deus pode prover para você também. Nas partes áridas e devastadas de sua vida, onde parece não haver mais esperança, o Senhor pode fazer jorrar torrentes de puro refrigério. Você verá como o deserto pode ser um lugar de bênçãos, caso obedeça a Deus e permita que ele a conduza por esse lugar difícil.

Senhor, quando eu tiver de atravessar o deserto das provações, por qualquer motivo que seja, abre meus olhos para tua generosa provisão e ajuda-me a confiar que transformarás as dificuldades em bênçãos.

27 de agosto

Leia Romanos 8.5-8 e reflita

Quem controla sua mente?

Aqueles que são dominados pela natureza humana pensam em coisas da natureza humana, mas os que são controlados pelo Espírito pensam em coisas que agradam o Espírito. Portanto, permitir que a natureza humana controle a mente resulta em morte, mas permitir que o Espírito controle a mente resulta em vida e paz.

Romanos 8.5-6

Sua mente a afeta mais do que você imagina. Ela pode mantê-la nas trevas mesmo quando você possui a luz. Pode conservá-la em velhos hábitos e padrões de pensamento, distante de tudo que Deus tem para você. Com sua mente você raciocina, compreende as coisas e toma decisões. Quando sua mente é controlada pelo Espírito Santo, você tem paz, contentamento e alívio.

Ter a mente voltada para o Espírito é bom e agradável a Deus. Ter a mente voltada para a carne traz consequências desastrosas. Nossa mente carnal sempre estará em desacordo com Deus e, quando ela nos controla, nos posicionamos como inimigas do Senhor. Isso acontece porque nossa mente carnal não está sujeita às leis de Deus.

Não queremos ser como os incrédulos, cujo entendimento foi cegado pelo "deus deste mundo" (2Co 4.4). Não queremos ser como aqueles que "se opõem à verdade" e "têm a mente depravada" (2Tm 3.8). Queremos ser pessoas cujos pensamentos agradam a Deus.

Senhor, muito obrigada porque não sou mais escrava de minha velha natureza humana. Desejo que minha mente seja controlada pelo teu Espírito, a fim de experimentar vida e paz e cultivar pensamentos agradáveis a ti.

A verdade sobre suas emoções

O coração contente alegra o rosto, mas o coração triste abate o espírito.
PROVÉRBIOS 15.13

Emoções são os sentimentos intensos que temos em reação àquilo que está acontecendo, aconteceu ou talvez acontecerá. Nossas emoções são afetadas pelos pensamentos em nossa mente. Se o pensamento é negativo, produz uma emoção negativa. Se é positivo, produz uma emoção positiva.

É importante saber que Deus se importa com as pessoas que estão emocionalmente abaladas (Sl 34.18). Na presença dele, nosso coração é curado e nossas emoções se tornam positivas.

Também é bom ter em conta que podemos guardar e controlar nossas emoções (Pv 4.23). É possível alterá-las com a verdade da Palavra. A voz de Deus lhe falando ao coração por meio das Escrituras pode afastar as emoções negativas.

As emoções podem nos esmagar (Pv 15.13), e um espírito oprimido surge quando o nível de tristeza em sua vida se torna insuportável.

As palavras certas, em contrapartida, exercem influência positiva sobre emoções depressivas e ansiosas (Pv 12.25). Palavras encorajadoras são mais eficazes contra sentimentos negativos do que imaginamos. Uma palavra de Deus ao seu coração é ainda melhor que qualquer coisa que alguém possa dizer.

Senhor, desejo desenvolver cada vez mais uma vida emocional equilibrada. Mostra-me os pensamentos que têm influenciado minhas emoções de forma negativa e ajuda-me a permanecer firme em tua verdade.

29 de agosto

Leia Mateus 6.16-18 e reflita

Jejum como ato de obediência

> *Quando jejuarem, não façam como os hipócritas, que se esforçam para parecer tristes e desarrumados a fim de que as pessoas percebam que estão jejuando.*
>
> MATEUS 6.16

O jejum precisa ser acompanhado de oração; do contrário, será apenas uma dieta radical ou uma tentativa carnal de demonstrar espiritualidade superior. Você se priva do alimento por um período específico a fim de se dedicar à oração e se concentrar em Deus.

Deus sabe quanto temos prazer em comer. Quando jejuamos, portanto, damos um passo de obediência ao Senhor para sua glória e mostramos a nosso corpo que Deus está no comando. O jejum quebra o domínio do inimigo sobre nossa vida, a fim de nos livrar de qualquer coisa que nos amarre.

Se sua vida parecer estar fora de controle, o jejum e a oração a colocarão de volta no rumo certo, eliminando a confusão. À medida que jejuar e orar, ou depois que o jejum terminar, você sentirá o poder de Deus fluindo com mais intensidade em seu interior. O jejum acompanhado de oração é um dom e um privilégio concedido pelo Senhor, que influencia positivamente todos os aspectos de sua vida. Nem sempre você sentirá o desejo de jejuar, mas, toda vez que o fizer, ficará muito feliz por causa da vitória espiritual incrível que receberá.

Senhor, quero expressar minha obediência a ti por meio do jejum acompanhado de oração. Dispõe meu coração a pôr de lado prazeres transitórios para buscar-te de modo mais profundo.

O amor nunca desiste

O amor nunca desiste, nunca perde a fé, sempre tem esperança e sempre se mantém firme.

1Coríntios 13.7

Quando Paulo diz que "o amor nunca desiste", isso não significa que Deus espera que você carregue o peso do mundo inteiro sobre suas costas — o fardo de sua família, de seus amigos, conhecidos, colegas de trabalho e outras pessoas. Você não é capaz de fazê-lo. E Deus não quer que você desempenhe o papel dele na vida de outros.

Pelo poder do Espírito Santo em você, o Senhor a ajudará a não desistir daquilo que *ele* tem em mente, aquilo que *ele* mostrar.

Uma das melhores maneiras de perseverar no amor é orar uns pelos outros. A oração sincera, que eleva ao céu as preocupações de outros, sempre agrada a Deus. Comece sempre com a oração e depois coloque em prática as outras coisas que Deus a está conduzindo a fazer. Quando você levar as preocupações dos outros a Deus em oração, pergunte o que ele quer que você faça.

E persevere naquilo que Deus pedir de você, mesmo que não veja resultados de imediato. O amor não desiste, pois confia que Deus está trabalhando nos bastidores. Não enxergamos a ação divina, mas perseveramos no amor, pois confiamos em Deus.

Querido Deus, ensina-me a perseverar nas demonstrações práticas de cuidado e preocupação por outros, mesmo quando parecer que não estão surtindo efeito algum. Confio em teu poder e em tua ação. Concede-me um amor que nunca desiste.

Leia Salmos 78.40-43 e reflita

Sua fonte de poder

> *Não se recordaram do seu poder, nem do dia em que ele os resgatou de seus inimigos.*
>
> SALMOS 78.42

Jamais podemos nos esquecer de onde vem nosso poder, especialmente nos momentos em que nos sentimos impotentes.

Os israelitas se esqueceram de Deus e seguiram seus próprios caminhos. Como resultado, limitaram a ação do Senhor na vida deles. Não se lembraram do poder divino que os havia resgatado do inimigo. Não se moveram no poder de Deus e, por isso, acabaram vagando pelo deserto durante quarenta anos.

Muitas vezes, fazemos a mesma coisa. Ficamos com medo quando o inimigo nos ataca ou o desastre nos assola na saúde, nas finanças, nos relacionamentos, nas emoções, na mente, na família ou em qualquer outra área. Tentamos resolver a situação sozinhas. Tentamos assumir o controle, em vez de convidar o Espírito Santo a nos erguer acima dos obstáculos ou nos guiar pelo terreno acidentado à nossa frente.

Precisamos confiar que Deus sabe para onde temos de ir e como nos conduzir até lá. Nunca devemos nos esquecer do poder de Deus. Ele se manifesta mais claramente quando reconhecemos nossa fraqueza e deixamos que ele aja a seu tempo e de seu modo.

Senhor soberano, não quero jamais me esquecer de teu poder, nem de tudo que tens feito em minha vida ao longo dos anos. Confio que sabes o que o futuro reserva e que és plenamente capaz de me conduzir pelo melhor caminho.

De onde vem a esperança?

Que Deus, a fonte de esperança, os encha inteiramente de alegria e paz, em vista da fé que vocês depositam nele, de modo que vocês transbordem de esperança, pelo poder do Espírito Santo.

ROMANOS 15.13

Costumava pensar que a esperança era algo que simplesmente acontecia com as pessoas, como ganhar na Mega-Sena. Algumas pessoas têm esperança e outras não. Eu não tinha. Quando me recordo da falta de esperança que sentia antes de conhecer a Cristo, fico admirada de ter sobrevivido.

Depois de me converter, li sobre a esperança na Bíblia e descobri que tê-la é uma decisão tomada por nós. Decidimos se temos ou não esperança, assim como fazemos a escolha de dar lugar ou não ao desespero. Precisamos reconhecer que a esperança se encontra dentro de nós na forma do Espírito Santo.

Paulo orou para que o Deus da esperança enchesse os cristãos de alegria e paz, para que transbordassem "de esperança, pelo poder do Espírito Santo" (Rm 15.13). Ele também disse que, uma vez que o Espírito Santo encheu nosso coração com o amor de Deus, nunca seremos desapontados ao colocar nele nossa esperança (Rm 5.5). Isso mostra que sempre teremos esperança, pois o Espírito Santo em nós é uma garantia de que temos acesso ao Deus do impossível. Podemos escolher ter esperança, não obstante o que esteja acontecendo em nossa vida, porque nossas expectativas estão em Deus.

Senhor Deus, minha fonte de profunda esperança, muito obrigada porque posso depositar em ti todos os meus anseios e expectativas, certa de que me encherás de alegria e paz.

2 de setembro

Leia Jonas 2 e reflita

O exemplo de Jonas

> *Quando minha vida se esvaía, me lembrei do Senhor, e minha oração subiu a ti em teu santo templo.*
>
> Jonas 2.7

Jonas é um exemplo de alguém que sofreu as consequências de não cumprir a ordem de Deus depois de saber qual era a vontade dele. Ainda assim, Deus o tratou com graça e misericórdia.

O Senhor enviou Jonas numa missão. Além de se recusar a ir, ele tentou fugir da presença de Deus. Embarcou num navio destinado a um lugar no qual, em sua opinião equivocada, seria possível escapar do Senhor. Veio uma tempestade terrível, e Jonas foi lançado no mar, onde foi engolido por um grande peixe. Permaneceu na barriga desse peixe por três dias e três noites e teve tempo para pensar. Nesse lugar desesperador, Jonas orou e adorou a Deus. Depois disso, foi devolvido à terra seca. Quando o Senhor disse outra vez a Jonas aonde queria que ele fosse e o que queria que ele fizesse, o profeta obedeceu.

Essa é uma história muito rica, que precisa ser lida várias vezes. Aqui, basta dizer que é melhor fazer a vontade de Deus que ser engolida pelas consequências de não cumpri-la.

Quando Jesus ensinou os discípulos a orar, instruiu-os a dizer: "Seja feita a tua vontade, assim na terra como no céu" (Mt 6.10). É assim que nós também devemos orar.

Querido Pai, tu conheces todos os desejos de meu coração. Peço-te que reveles os desejos de teu coração para mim e me concedas disposição e forças para fazer tua vontade neste dia.

Uma presença conhecida

Deus [...] conhece os segredos de cada coração.

Salmos 44.21

Deus sabe o que está em seu coração. Conhece suas emoções. Deseja curar suas feridas mais profundas e quer que você apresente suas emoções e sentimentos a ele. Reconheça diante dele quando você se sentir triste, sozinha, ansiosa ou sem esperanças. Ele tem um remédio para tudo isso.

Ele tem uma cura para cada emoção dolorosa, negativa ou torturante que você venha a experimentar. A cura dele consiste em livrá-la completamente dessas emoções, de modo que você possa se tornar a pessoa que ele pretendia que fosse quando a criou.

Todas nós amamos o que é habitual e desconfiamos do que é diferente. O desconhecido pode ser assustador. Existem muitas pessoas que permanecem numa situação negativa porque ela lhes é familiar em vez de ir para onde existe a promessa de algo bom, pois isso lhes seria estranho. Temos de chegar ao ponto de nos tornarmos tão familiarizadas com a presença do Espírito de Deus que tudo o mais pareça estranho. Devemos caminhar tão intimamente com o Senhor até nos sentirmos confortáveis na presença dele e desconfortáveis longe dele.

Graças te dou, Pai, porque conheces meu coração. Sabes dos sentimentos que precisam ser curados e das feridas que precisam ser saradas. Ajuda-me a cultivar um relacionamento cada vez mais próximo contigo, para que nada mais me pareça tão familiar e seguro quanto tua presença.

4 de setembro

Leia Mateus 18.1-4 e reflita

Como uma criança

Eu lhes digo a verdade: a menos que vocês se convertam e se tornem como crianças, jamais entrarão no reino dos céus.

MATEUS 18.3

Por trás de toda rebeldia está o orgulho. A Bíblia diz que não devemos ser orgulhosas nem rebeldes. Antes, devemos nos aproximar de Deus como criancinhas. Isso significa que devemos ter humildade e disposição de aprender. Também significa ter um coração disposto a se arrepender.

Quando o Espírito torna nosso coração sensível, pensamentos, atitudes e ações que desagradam a Deus logo incomodam e nos levam a buscar arrependimento e perdão em Deus. Também nos levam a pedir perdão a outros que magoamos, algo de extrema importância em nossos relacionamentos diários.

Precisamos pedir que Deus nos livre dos pensamentos cínicos e incrédulos, da desconfiança e das racionalizações que nos impedem de crer plenamente em seu poder. A maturidade cristã deve nos conduzir a uma simplicidade cada vez maior, que não é ingênua nem imprudente, mas que é capaz de confiar de modo pleno na bondade e no cuidado do Pai.

A consciência de que dependemos inteiramente de Deus gera verdadeira humildade e não deixa espaço para a rebeldia. Que Deus nos dê o coração de uma criança — maleável para seu ensino e confiante em seu amor.

Senhor, percebo que às vezes tenho uma atitude cínica e desconfiada, propensa ao orgulho e à rebeldia. Necessito da ação de teu Espírito em meu coração para desenvolver dependência humilde e confiança total em ti.

Em boa companhia

As más companhias corrompem o bom caráter.

1Coríntios 15.33

Sabemos que um amigo que não teme a Deus pode exercer influência negativa. Isso não significa, necessariamente, que seja uma pessoa má. No entanto, um relacionamento próximo demais pode não dar bons frutos. Por isso precisamos pedir a Deus que nos dê amigos dedicados ao Senhor, dispostos a caminhar conosco à medida que crescemos na fé.

Não se trata de isolar-se de todos que não creem em Deus, mas sim de buscar a companhia de cristãos para nossos relacionamentos mais profundos. Devemos reservar as amizades mais próximas para aqueles que têm um sistema de valores e crenças compatível com o nosso.

Temos o privilégio de orar por nossos amigos não cristãos e dar nosso testemunho, mas não devemos condicionar nossa amizade à aceitação do evangelho. Se eles não decidirem seguir a Cristo de imediato, cabe a nós perseverar na oração e no testemunho, pedindo que Deus nos dê sabedoria para não sermos influenciadas por ideias e comportamentos que desagradam o Senhor.

E, caso a pessoa com que andamos tiver uma atitude hostil a Deus e contrária ao bom senso moral, pode ser necessário nos afastarmos dela, se Deus assim nos instruir. Como em todas as outras questões, dependemos da orientação do Espírito Santo.

Senhor, obrigada pela dádiva das amizades. Ajuda-me a escolher minhas companhias com sabedoria. Mostra-me como ser um bom testemunho para minhas amigas que ainda não te seguem e como refletir teu amor por elas.

6 de setembro

Leia Romanos 5.1-5 e reflita

Caráter aprovado

A perseverança produz caráter aprovado, e o caráter aprovado fortalece nossa esperança.

ROMANOS 5.4

Caráter diz respeito a princípios, valores, integridade, honestidade, virtude, honra, fidelidade, lealdade, confiança e senso de justiça. Bom caráter tem a ver com quem você é por dentro e como demonstra isso por fora.

Ao aceitar a Cristo, você passa a ter a fonte de sua transformação dentro de si, pois recebe o Espírito Santo. É renovada no âmago de sua mente, e seu caráter começa a ser transformado.

Seu novo ser escolhe viver em nítido contraste com tudo aquilo que se opõe ao Senhor. Você já não deseja andar na futilidade em que anda o resto do mundo, sem entendimento sobre a vida, alienada dos propósitos de Deus para você. Já não tem uma mente ignorante da verdade de Deus, nem um coração que escolhe ser indiferente a ele. Torna-se cada vez mais bondosa, compassiva e perdoadora. Tem maior confiança no futuro, pois sabe que o Espírito habita em sua vida e que você pertence eternamente ao Senhor. Fica ciente do que entristece o Espírito, recusando-se a fazer qualquer coisa que o magoe. Ter o caráter transformado significa passar do egoísmo para o altruísmo, das trevas para a luz. Essa transformação é obra do Espírito.

Senhor, desenvolve em mim o caráter de Cristo, repleto do fruto do Espírito. Guia meus passos para que eu viva cada vez mais conforme a nova identidade que me deste ao me transportar das trevas do pecado para a luz de tua presença.

Novas misericórdias

Grande é sua fidelidade; suas misericórdias se renovam cada manhã.

LAMENTAÇÕES 3.23

As misericórdias do Senhor se renovam a cada manhã. Isso não é incrível? A misericórdia que ele demonstrou a você no passado não se esgota nem se enfraquece. Ele tem novas misericórdias para cada dia. Por causa das misericórdias divinas, todo dia de sua vida pode ser um novo começo. Quem não precisa de algo assim?

Talvez o dia de hoje não lhe pareça um novo começo. Talvez pareça "mais do mesmo". Essa pode ser sua sensação quando circunstâncias difíceis ameaçam tomar conta de sua vida, quando as aflições rondam ou quando você precisa lidar com relacionamentos problemáticos.

Você terá dificuldade de ouvir a voz do Espírito de Deus lhe falando à alma em meio à alta voz de condenação do inimigo. Pode acabar tão deprimida e desanimada por tudo que está acontecendo — ou por aquilo que já aconteceu, ou por medo do que não vai acontecer em sua vida — a ponto de mal conseguir sair do lugar. Mas a boa notícia é que Deus pode livrá-la disso tudo.

Você pode acordar a cada manhã com esperança em seu coração, sabendo que Deus tem tudo de que você precisa para superar os desafios diários e ingressar na vida que ele lhe preparou.

～

Graças te dou, ó Pai, porque tuas misericórdias se renovam continuamente. Como é bom saber que, em ti, minha vida sempre tem um propósito e que teu Espírito me capacita para fazer tua vontade.

8 de setembro

Leia o Salmo 103 e reflita

Inspiração para louvar

> *Todo o meu ser louve o Senhor.*

Salmos 103.22

Quando quiser um grande incentivo para louvar, releia todo o Salmo 103. Abaixo estão alguns versículos para despertar seu interesse.

- Ele perdoa todos os meus pecados e cura todas as minhas doenças (v. 3).
- Ele me resgata da morte e me coroa de amor e misericórdia (v. 4).
- Ele enche minha vida de coisas boas; minha juventude é renovada como a águia! (v. 5).
- O Senhor faz justiça e defende a causa dos oprimidos (v. 6).
- O Senhor é compassivo e misericordioso, lento para se irar e cheio de amor (v. 8).
- Não nos acusará o tempo todo, nem permanecerá irado para sempre (v. 9).
- Não nos castiga por nossos pecados, nem nos trata como merecemos (v. 10).
- De nós ele afastou nossos pecados, tanto como o Oriente está longe do Ocidente (v. 12).
- O Senhor é como um pai para seus filhos, bondoso e compassivo para os que o temem (v. 13).
- O amor do Senhor por aqueles que o temem dura de eternidade a eternidade (v. 17).

Senhor, todo o meu ser louva teu santo nome; que eu nunca me esqueça de tuas muitas bênçãos!

Leia Provérbios 9.10-12 e reflita

Entendimento sábio

O temor do Senhor é o princípio da sabedoria; o conhecimento do Santo resulta em discernimento.

Provérbios 9.10

Todas nós queremos o entendimento que vem de Deus, pois ele é a genuína sabedoria. Sem ele, não podemos tomar boas decisões, fazer distinção entre bem e mal ou perceber o verdadeiro caráter de outra pessoa.

De acordo com a Bíblia, a sabedoria nasce de uma profunda reverência a Deus. Ele derrama sua sabedoria no coração daqueles que o glorificam e o honram com temor reverente. Ter sabedoria concedida pelo Espírito nos dá entendimento útil para todas as áreas da vida e para todos os nossos dias.

Podemos nos poupar de muitos dissabores ao pedir que Deus nos conceda o entendimento necessário para tomar decisões acertadas e fazer boas escolhas. Tendo em vista todo o mal e todo o engano que existem no mundo, essa é a única maneira de conduzirmos nossa vida com sucesso.

O entendimento que vem de Deus vai muito além da instrução acadêmica e da aquisição de informações. É uma percepção clara da verdade, revelada àqueles que têm o coração humilde e disposto a receber o conselho do Senhor por meio de sua palavra e de outras pessoas sábias. Cabe a nós pedir a Deus por essa dádiva a cada dia, certas de sua bondosa provisão.

Senhor, concede-me o verdadeiro entendimento que vem de ti.
Conheces o coração de cada pessoa, todos os detalhes do passado,
presente e futuro, e és o único que pode me guiar em segurança
em meio às decisões e escolhas de cada dia.

10 de setembro

Leia Romanos 6.20-23 e reflita

Prepare seu coração

> *Agora, porém, estão livres do poder do pecado e se tornaram escravos de Deus. Fazem aquilo que conduz à santidade e resulta na vida eterna.*
>
> ROMANOS 6.22

Se você deseja crescer em santidade, existem algumas atitudes que pode tomar para abrir a vida e preparar o coração para a ação de Deus.

Primeiro, peça a Deus que purifique seu coração. Quanto mais perto andamos do Senhor, mais puro se torna nosso coração, e com mais clareza o vemos (Mt 5.8).

Segundo, livre-se de qualquer vínculo com outra religião ou fé e de objetos que glorificam o oculto e outros ídolos (At 19.19). Peça a Deus que lhe mostre se você precisa se desfazer de alguma coisa.

Terceiro, separe-se do mundo. Essa separação não significa que nunca mais devemos nos relacionar com não cristãos, mas sim que não devemos permitir que o mundo determine nossos pensamentos, nossas crenças e ações.

Por fim, busque a santidade com espírito humilde. Não podemos habitar com o Senhor se não tivermos um coração humilde (Is 57.15). Para ver Deus, precisamos almejar sua santidade (Hb 12.14), algo impossível de fazer sem um coração humilde.

Somente Deus pode realizar a verdadeira santificação, mas temos o privilégio de colaborar com esse processo, criando condições propícias para ele em nossa vida.

Senhor, sei que somente tu podes desenvolver santidade e pureza em meu ser. Ajuda-me a contribuir para esse processo ao lhe oferecer um coração humilde, aberto para tua ação e disposto a obedecer.

Impulso do Espírito

Uma voz atrás de vocês dirá: "Este é o caminho pelo qual devem andar", quer se voltem para a direita, quer para a esquerda.

Isaías 30.21

Nós, que andamos com Deus, devemos ser receptivas ao impulso do Espírito Santo. Nesse caso, um impulso é como um empurrão. É diferente de uma mensagem clara da parte dele, quando você ouve as palavras na mente e no coração. Outros termos para "impulso" são "informação interna", "conselho", "palavra de sabedoria", "sussurro", "aviso", "alerta", "sinal", "informação particular" e "forte impressão". É a sensação que você tem a respeito de algo. E isso se origina no Espírito Santo.

Quanto mais próxima de Deus você está, mais acolhe a plenitude do Espírito em seu interior, e mais aprende a identificar os impulsos do Espírito em seu coração e confiar neles.

Isso aconteceu comigo em incontáveis ocasiões. Poderia escrever um livro inteiro sobre esse assunto. Tenho certeza de que essas coisas também acontecem com você, se seu coração é sensível ao Espírito Santo. Para não perder o impulso do Espírito em sua alma, permaneça próxima do Senhor e caminhe com ele em sua Palavra, em oração, em louvor e em adoração, todos os dias. Você experimentará grande alegria!

Senhor, ajuda-me a andar bem perto de ti, de modo a sempre reconhecer o impulso de teu Espírito em minha alma. Capacita-me para não somente identificá-lo, mas também obedecer-lhe. Desejo estar sempre em sintonia contigo, firme em tua Palavra.

12 de setembro

Leia 1Coríntios 12.1-11 e reflita

Os dons espirituais

Existem tipos diferentes de dons espirituais, mas o mesmo Espírito é a fonte de todos eles.

1Coríntios 12.4

À medida que caminhamos com Deus, ele nos concede dons espirituais. Não impõe os dons espirituais a nós, mas os libera em nós para benefício de outros.

Recebemos dons espirituais para ajudar outras pessoas, e não para nossa glória pessoal. É extremamente importante entender isso. Deus escolhe o dom de cada cristão. Não é de acordo com nossas habilidades naturais. Não é de acordo com o que fizemos para merecê-lo, pois jamais podemos fazer algo para merecer os dons do Espírito. Não os reivindicamos. Deus nos oferece dons conforme sua vontade e seus propósitos.

Não se preocupe se você tem um dom espiritual ou não. Paulo diz que devemos buscar esses dons (1Co 12.31), mas cabe ao Espírito Santo concedê-los conforme ele deseja. Isso significa que não há razão para ser orgulhosa se Deus lhe concedeu certo dom. E não há razão para se sentir envergonhada, inferior ou decepcionada se você não recebeu um dom diferente. Isso é ação exclusiva do Espírito Santo, e não nossa. Busque os dons, mas não se preocupe com eles. Esteja receptiva a eles, mas não cobice os dons de outra pessoa.

Torna-me receptiva, Senhor, para os dons que desejas me conceder por meio de teu Espírito. Mostra-me como usá-los com sabedoria e maturidade, para edificar o corpo de Cristo e glorificar teu nome.

Leia Juízes 6.12-16 e reflita

Você é chamada e capacitada

Então o SENHOR se voltou para ele e disse: "Vá com a força que você tem e liberte Israel dos midianitas. Sou eu quem o envia!" [...] "Certamente estarei com você", disse o SENHOR.

JUÍZES 6.14,16

Além de Deus nos conceder dons para edificar o corpo de Cristo, ele nos chama para determinadas funções e tarefas que fazem parte da obra maior que ele está realizando no mundo.

Quando Deus chama você, também a capacita. O Anjo do Senhor apareceu a Gideão e o instruiu a libertar Israel. Gideão ficou perplexo e perguntou como poderia fazê-lo. Deus explicou que estaria presente com ele (Jz 6.14-16). O Senhor capacita você com a presença dele para a tarefa que ele a chamou a realizar.

Quando os discípulos receberam poder à medida que o Espírito Santo descia sobre eles, tornaram-se testemunhas dele onde quer que fossem (At 1.8). Deus quer fazer o mesmo com você. Quer que o Espírito Santo atue em você a fim de agir por seu intermédio para alcançar outras pessoas com o amor e a verdade. Ele não reside dentro de cada um de nós para fazer o que queremos, para que tenhamos uma vida feliz segundo os nossos padrões. Ele atua em nós a fim de nos ajudar a sermos mais parecidas com Jesus, de modo a vivermos conforme a vocação que Deus nos deu.

Senhor, mostra-me o que desejas realizar por meu intermédio neste dia e capacita-me para essa missão. Quero ser teu instrumento, alcançando outras pessoas com teu amor e tua verdade.

14 de setembro

Leia Malaquias 3.10-12 e reflita

"Ponham-me à prova!"

Derramarei tantas bênçãos que não haverá espaço para guardá-las! Sim, ponham-me à prova!

MALAQUIAS 3.10

Deus nos convida a prová-lo para ver quanto ele será fiel em derramar bênçãos sobre nós e nos dar tudo de que precisamos (Ml 3.10). Só aprendi a contribuir com a obra de Deus quando superei o medo de não ter o suficiente para as necessidades básicas. O cerne da questão é quanto cremos que o Senhor proverá para nós.

Jesus nos instruiu a buscar o reino de Deus em primeiro lugar e confiar que ele supriria as necessidades básicas da vida diária (Mt 6.25-34). Disse que não nos preocupássemos com essas coisas, mas buscássemos o Senhor e seus caminhos. Um de seus caminhos é a contribuição. Se não dermos a Deus aquilo que ele requer de nós, estaremos nos privando de tudo que ele deseja nos dar (Ml 3.8-11).

O dinheiro é uma parte desse quadro. O Senhor deixou instruções acerca do dinheiro as quais precisamos seguir em nossa contribuição. Toda vez que damos ao Senhor para o avanço de seu reino na terra, algo é derramado sobre nós. É como se um depósito gigante no céu se abrisse e riquezas fossem enviadas sobre nossa vida. Na verdade, Deus abre "as janelas do céu" e derrama tantas bênçãos sobre nós que nem temos espaço para guardá-las (Ml 3.10). Por isso Deus nos convida a prová-lo nessa área e experimentar mais de sua bondade.

Senhor, como é rica e bondosa a tua provisão! Ajuda-me a confiar nela a fim de contribuir sem medo, com amor, generosidade e constância.

Pensamentos que glorificam a Deus

Não vivam mais como os gentios, levados por pensamentos vazios e inúteis.
EFÉSIOS 4.17

Pensamentos carnais são vazios e inúteis e nos impedem de glorificar a Deus. "Sim, eles conheciam algo sobre Deus, mas não o adoraram nem lhe agradeceram. Em vez disso, começaram a inventar ideias tolas e, com isso, sua mente ficou obscurecida e confusa" (Rm 1.21). A única forma de remediar essa situação é adorar a Deus, pois a adoração sempre inunda a mente e o coração com luz.

Embora você tenha forças em Deus, o inimigo sempre tentará levá-la a acreditar em mentiras. Não aceite-as. Lembre-se de que o pecado começa com um pensamento (Mc 7.21-22). As pessoas não caem repentinamente em adultério. Tudo começa na mente. E esse é o lugar para pôr fim ao problema. Quando tiver pensamentos perturbadores ou que claramente não vêm do Senhor, faça o que a Bíblia diz e pense apenas em coisas verdadeiras, nobres, corretas, puras, amáveis, de boa fama, excelentes ou dignas de louvor (Fp 4.8). Peça a Deus que o ajude a destruir "todas as opiniões arrogantes que impedem as pessoas de conhecer a Deus" e a levar "cativo todo pensamento rebelde" e o ensinar "a obedecer a Cristo" (2Co 10.5).

Liberdade, plenitude e sucesso verdadeiro só podem ser conquistados se seus pensamentos estiverem alinhados com a verdade da Palavra de Deus.

Querido Deus, tu sabes quanto preciso de ti para cultivar pensamentos que te glorifiquem, coerentes com minha identidade em Cristo e com teus bons propósitos para mim. Conto com teu auxílio.

16 de setembro

Leia Hebreus 4.14-16 e reflita

Graça divina em meio às tentações

> *Assim, aproximemo-nos com toda confiança do trono da graça, onde rece-beremos misericórdia e encontraremos graça para nos ajudar quando for preciso.*
>
> HEBREUS 4.16

Quando somos alvo de ataques do inimigo, não devemos pensar que Deus está zangado conosco e nos afastar dele. Muitas pessoas imaginam que ser tentado é quase o mesmo que pecar. No entanto, vemos que Jesus, que nunca pecou, também foi tentado. E ele combateu as tentações com a verdade da Palavra de Deus.

As tentações certamente virão. Precisamos ficar atentas para o modo como lidaremos com elas, sem entrar em pânico, temerosas de que caire-mos e seremos castigadas, e sem sucumbir.

Também precisamos lembrar que sempre seremos tentadas com as coisas que mais nos atraem. Satanás usa nossas inseguranças, nossos medos e nossas prioridades distorcidas e procura nos convencer de que Deus não é digno de nossa confiança. Convence-nos de que precisamos encontrar maneiras de resolver nossos problemas sozinhas, com nossa própria sabedoria e força.

Quando formos tentadas, devemos fazer justamente o oposto. Esse é o momento de nos aproximarmos do trono da graça de Deus na mais absoluta e humilde dependência para receber tudo de que precisamos para resistir.

Deus de graça e misericórdia, quando vierem as tentações e eu sentir que estou prestes a ceder, quero buscar tua presença e receber socorro. Trabalha em meu coração para eliminar inseguranças e ansiedades que podem se tornar fontes de tentação. Fortalece minha confiança em ti.

Fogo refinador

Eu a refinarei como se refina a prata e a purificarei como se purifica o ouro.
ZACARIAS 13.9

Deus deu uma canção a Moisés a fim de alertar o povo de Israel acerca das consequências de sua corrupção, tolice e falta de sabedoria. A canção apresenta um retrato de Deus pairando como uma águia sob seus filhotes, estendendo as asas para apanhá-los (Dt 32.11). Essa é a maneira como o Senhor deseja nos guiar hoje em dia. Ele nos levará a alturas inimagináveis, mas temos de permanecer o mais perto possível dele, ou cairemos e não seremos capazes de chegar aonde ele quer nos levar.

Quando permanecemos perto do Senhor, ele nos refina. O fogo é um símbolo do Espírito Santo. Somente a refinação pelo fogo do Espírito consome o que não é bom ou necessário. Esse fogo não nos fere nem causa danos, mas, se não formos purificadas, o inimigo pode nos prender numa armadilha e nos levar à queda.

Não queremos extinguir ou destruir o fogo do Espírito em nós. Sufocamos tudo que ele quer fazer por intermédio de nós quando não o acolhemos a fim de que ele nos use em favor de sua glória.

A única forma pela qual podemos ser um instrumento efetivo do amor, da paz e do poder de Deus consiste em sermos purificadas pelo Espírito Santo em nós e por nossa obediência à Palavra de Deus.

Eu te agradeço, Senhor, porque usas as dificuldades e provações para remover de meu coração tudo que não é compatível com tua pureza. Como é bom permanecer próxima de ti, certa de que teu fogo produzirá em mim santidade crescente!

18 de setembro

Leia Efésios 4.17-32 e reflita

Sabedoria ao falar

Deixem que o Espírito renove seus pensamentos e atitudes.

Efésios 4.24

A Bíblia apresenta várias instruções a respeito de nosso modo de falar. Aqui estão algumas delas, extraídas de Efésios 4:

- *Não minta.* "Portanto, abandonem a mentira e digam a verdade a seu próximo, pois somos todos parte do mesmo corpo" (v. 25).
- *Não deixe a raiva influenciar o que você diz.* "Acalmem a ira antes que o sol se ponha" (v. 26).
- *Fale palavras positivas e honestas.* "Que todas as suas palavras sejam boas e úteis, a fim de dar ânimo àqueles que as ouvirem" (v. 29).
- *Não entristeça o Espírito Santo com aquilo que você diz.* "Não entristeçam o Espírito Santo de Deus, o selo que ele colocou sobre vocês para o dia em que nos resgatará como sua propriedade" (v. 30).
- *Não diga palavras negativas, más ou amargas.* "Livrem-se de toda amargura, raiva, ira, das palavras ásperas e da calúnia, e de todo tipo de maldade" (v. 31).
- *Tenha um modo de falar semelhante ao de Cristo: amoroso, bom e perdoador.* "Sejam bondosos e tenham compaixão uns dos outros, perdoando-se como Deus os perdoou em Cristo" (v. 32).

Senhor, o desejo de meu coração é que minhas palavras sejam edificantes e vivificadoras. Enche-me com teu amor para que ele se reflita em tudo que eu disser.

Leia Mateus 19.23-30 e reflita

Espere milagres

Jesus olhou atentamente para eles e respondeu: "Para as pessoas isso é impossível, mas tudo é possível para Deus".

MATEUS 19.26

Podemos pedir a Deus, pela fé, que ele faça algo que parece impossível em nossa vida e na vida de outros.

Precisamos saber que não existe nada que Deus não possa fazer se andarmos bem perto dele e se for de sua vontade fazê-lo. Não devemos limitar Deus e dizer: "Ele não é capaz de resolver esse problema". É fundamental entendermos que sempre podemos buscar sua ajuda, crendo que somente ele pode resolver nosso problema, ou nos ajudar a passar por ele, ou nos elevar acima dele.

Crer em Deus e em seu poder significa crer que ele fará coisas inimagináveis, que jamais teríamos como realizar por conta própria, com nossas forças. Peça ao Senhor que lhe dê uma atitude de contínua esperança e expectativa da vitória que está por vir. Ore para crer em milagres, pois nenhum milagre é difícil demais para Deus. Ore para que as dúvidas não a enfraqueçam nem a desanimem.

Não deposite sua fé no poder de suas orações, nem na força de sua fé. Deposite-a em Deus e no poder dele de trabalhar por intermédio de suas orações. E espere milagres.

Creio em ti, ó Deus Todo-poderoso. Sei que és Senhor do universo e que todas as coisas são possíveis para ti. Peço que realizes um milagre em minha vida hoje, segundo tua perfeita vontade.

20 de setembro

Leia Provérbios 23.4-5; 30.8-9 e reflita

Trabalho na medida certa

Não se desgaste tentando ficar rico; tenha discernimento para saber quando parar.

PROVÉRBIOS 23.4

Em geral, Deus provê para nós por meio do trabalho, abrindo-nos portas de oportunidade e capacitando-nos para fazer bom uso delas. Devemos orar, portanto, para ter condições de trabalhar a fim de suprir nossas necessidades e de ser abençoadas nesse trabalho.

Também precisamos de sabedoria do Senhor para encontrar equilíbrio entre trabalho, outras atividades e descanso. Provérbios 23.5 diz que, se trabalharmos em excesso, correndo atrás de riquezas, os bens que obtivermos criarão asas e desaparecerão num piscar de olhos.

Não podemos sacrificar tempo com Deus, relacionamento com a família, saúde e amizades para acumular riquezas ou mesmo para manter um estilo de vida que vai muito além da provisão das necessidades. Deus prometeu nos dar tudo de que precisamos quando mantemos nossas prioridades em ordem.

Ele sabe do que necessitamos e nos convida a pedir por isso todos os dias. Ele também sabe que, muitas vezes, é tentador correr atrás de muito mais do que precisamos e nos desgastar com futilidades. Somente com sabedoria e graça de nosso Pai somos capazes de manter o equilíbrio. "Não me dês nem pobreza nem riqueza; dá-me apenas o que for necessário" (Pv 30.8).

Senhor, peço que me dê forças e capacitação para trabalhar e que supras minhas necessidades de cada dia. Peço, também, que me concedas sabedoria e me guardes da cobiça, do consumismo e da insatisfação. Muito obrigada por tua amorosa provisão.

Tempo de poda

Eu sou a videira verdadeira, e meu Pai é o lavrador. Todo ramo que, estando em mim, não dá fruto, ele corta. Todo ramo que dá fruto, ele poda, para que produza ainda mais.

João 15.1-2

Nossa vida tem suas estações. Pode ser que estejamos produzindo frutos há algum tempo e, de repente, parece que eles são cortados e só restam galhos secos. Talvez pensemos ter feito algo errado para perder o favor de Deus. Mas essa é uma estação de poda, de livrar-se de tudo que é desnecessário em nossa vida a fim de produzir novos frutos. É época de profundo crescimento interior. Talvez isso não seja evidente para outras pessoas, mas nós conseguimos sentir.

A poda é uma obra necessária realizada pelo Espírito Santo que, por fim, nos libera para frutificar ainda mais no futuro. Embora talvez tenhamos a impressão de que a vida como a conhecíamos acabou e de que não temos futuro, na realidade Deus está nos preparando para uma nova colheita.

Se isso acontecer, talvez você chegue a imaginar que foi dispensada e que Deus não quer mais usá-la, nem usar seus dons. Mas tenha ânimo! A menos que esteja andando em pecado, você chegou à época de ser preparada por Deus para uma nova temporada de frutificação.

Confio em ti, Senhor, para remover de mim tudo que não é produtivo e preparar-me para um novo período de frutificação. Não quero resistir à tua poda, pois sei que ela é sinal de teu amor e cuidado.

22 de setembro

Leia Isaías 45.14-17 e reflita

Verdades sobre Deus

Deus está com você, e ele é o único Deus; não há outro além dele.

ISAÍAS 45.14

Para entender o amor de Deus, você precisa entender quem Deus é. Às vezes achamos que sabemos quem Deus é, mas, se duvidamos de seu amor por nós, é porque não o conhecemos de fato. Veja a seguir alguns elementos básicos que você precisa saber a respeito de Deus.

Deus não foi criado. Ele sempre existiu e sempre existirá (Sl 90.1-2). Tudo a respeito dele é permanente. É eterno. Seu amor por você jamais terá fim.

Deus é o onisciente Criador de todas as coisas. Ele sabe tudo a seu respeito. Quando você nasceu, os planos de Deus para sua salvação, restauração, redenção e futuro já estavam definidos.

Deus pode tocar e transformar qualquer um com seu amor. Por mais distante que uma pessoa esteja, Deus pode redimi-la. Por mais profundo que seja o abismo no qual mergulhamos, Deus pode nos alcançar e retirar de lá se recorrermos a ele.

Para conhecer a Deus, você precisa conhecer cada uma das três pessoas da Trindade. Se rejeitar uma delas, terá uma imagem incompleta de Deus Pai, Filho e Espírito Santo. E qualquer visão distorcida se refletirá em seu relacionamento com ele.

Graças te dou, Senhor, porque és Deus eterno e poderoso e te revelas pessoalmente a teus filhos. Encontro grande paz em saber que tens minha vida em tuas mãos e podes me transformar com teu amor.

O fruto da luz

Pois o fruto da luz produz apenas o que é bom, justo e verdadeiro.
EFÉSIOS 5.9

Quando permanecemos em Cristo, é natural que nossa vida comece a mostrar os resultados desse convívio. Não temos de nos esforçar para produzir bons frutos. Precisamos apenas parar de plantar sementes ruins e aprender a plantar sementes boas. Devemos andar diariamente com Deus, permanecer nele seguindo a direção do Espírito Santo em nós, estar em contato constante com ele e, cada vez mais, entregar nossa vida ao controle dele. Isso não é algo que fazemos acontecer. É algo que escolhemos deixar acontecer.

No entanto, para que uma planta cresça de modo saudável e produza fruto, ela precisa de luz. Quando recebemos a salvação em Cristo, nos tornamos filhas da luz, providas de todas as condições necessárias para produzir o fruto do Espírito, ou seja, tudo que é "bom, justo e verdadeiro" (Ef 5.9). Não podemos ter nada em comum com os "feitos inúteis do mal e da escuridão"; antes, devemos expor todas essas coisas "à luz" (Ef 5.11). Todas nós andávamos nas trevas antes de receber Jesus, mas agora, como filhas da luz, devemos nos livrar de tudo que bloqueia a luz dele em nós e nos impede de dar frutos espirituais. Quando exibimos o fruto do Espírito, Deus é glorificado e mostramos que somos suas verdadeiras discípulas.

Senhor Deus, peço que reveles se há coisas em minha vida que estão bloqueando a tua luz. Desejo plantar boas sementes que deem muitos frutos espirituais para tua honra e glória.

24 de setembro

Leia Tito 2.11-14 e reflita

Depois de aceitar a Cristo

Ele entregou sua vida para nos libertar de todo pecado, para nos purificar e fazer de nós seu povo, inteiramente dedicado às boas obras.

Tito 2.14

Além de aceitar a Cristo como Salvador, também é preciso lembrar, todos os dias, tudo que ele fez por você e aceitar essa obra extraordinária em seu favor.

Reconhecer Jesus como Filho de Deus e seu Salvador lhe proporciona salvação eterna. Quando morrer, você passará a eternidade com o Senhor. Se isso fosse tudo, já seria maravilhoso o bastante. No entanto, Jesus realizou muito mais. É necessário compreender com nitidez toda a amplitude do que Cristo conquistou na cruz e, portanto, do que fez por você. Entenda verdadeiramente os aspectos da salvação que ele lhe concedeu. Por exemplo, talvez você saiba que ele a livrou da morte e do inferno, mas sabe e crê de todo o coração que ele também a salvou de carências, angústias, desespero e medo?

Jesus a salvou para estar com Deus eternamente e servir a seus propósitos em tudo que você faz. Salvou-a das consequências de viver longe do Senhor e de seus caminhos.

Cristo a purificou para que você seja inteiramente dedicada às boas obras. O conhecimento e a percepção de que ele ama você a tornarão mais desejosa de fazer o que agrada a Deus.

Sou profundamente grata, Senhor Jesus, por tudo que realizaste por mim na cruz. Como sou rica e amada em ti! Quero me dispor a realizar todas as boas obras que já foram preparadas para mim.

Seu trabalho vale a pena

Então a nuvem cobriu a tenda do encontro, e a glória do Senhor encheu o tabernáculo.

Êxodo 40.34

Uma vez terminada a construção do tabernáculo, Deus o encheu com sua presença gloriosa. O maior propósito daquilo que fazemos para o Senhor é ter sua presença conosco. Ponto final. Todo tempo, trabalho e sacrifício dos israelitas foram recompensados pela maior dádiva possível: a presença do Senhor.

Quando nos damos conta da presença de Deus conosco, tudo faz sentido. Nessas horas, você não pergunta: "Por que, Senhor?".

Pode ser que você não seja capaz de ver neste exato momento qual é o propósito de tudo que tem feito em seu trabalho. Por vezes, seus afazeres podem parecer cansativos e tediosos e levá-la a perder de vista a razão pela qual você os está realizando. Mas, se seguir o Espírito Santo a cada dia, no devido tempo tudo se esclarecerá. Então, será possível sentir a presença magnífica do Espírito de Deus manifestando-se através de sua vida de uma forma jamais vista. Você desejará sacrificar tudo que for preciso a fim de dar espaço para mais da presença de Deus em seu interior. Essa presença trará plenitude, satisfação e a certeza de que todo o seu trabalho valeu a pena.

Tu sabes, Senhor, que alguns dias a rotina me consome e perco de vista o propósito maior de minha existência: a profunda comunhão contigo, em tua presença gloriosa. Abre meus olhos para que eu veja a plenitude e alegria reservadas para mim.

26 de setembro

Leia Salmos 18.1-3 e reflita

Louve continuamente

O Senhor é minha rocha, minha fortaleza e meu libertador [...]. Clamei ao Senhor, que é digno de louvor, e ele me livrou de meus inimigos.

SALMOS 18.2-3

No dia em que Deus libertou Davi de seus inimigos, ele adorou a Deus *antes* da vitória com as palavras do Salmo 18. Davi não esperou o momento de triunfo, a resposta à oração. Adorou a Deus enquanto esperava pela vitória. Precisamos fazer o mesmo.

Deus quer que o adoremos com todo o nosso ser. Quando você exaltar a Deus dessa maneira, falando de seu amor, adoração, afeição, devoção, paixão, respeito, admiração e reverência a ele, certamente verá mudanças extraordinárias em sua vida.

A escolha de adorar em qualquer circunstância sempre será seu maior ato de amor a Deus. Se escolher não louvar nem adorar a Deus enquanto as coisas não acontecem de acordo com seus próprios desejos ou enquanto suas orações não são respondidas, você perderá o que o Senhor quer fazer em sua vida.

Adore o Senhor o tempo todo porque ele é sempre, a cada momento do dia, digno de sua adoração. Que o louvor a ele esteja continuamente em seu coração e em sua boca. Em breve você não conseguirá deixar de adorá-lo.

Senhor, tu és sempre digno de adoração e louvor. Quero adorar-te em meio às lutas, antes mesmo de receber a vitória, pois sei que quando ando contigo sempre sou vencedora.

Leia Levítico 19.1-4 e reflita

Santidade não é perfeição

Sejam santos, pois eu, o SENHOR, seu Deus, sou santo.

LEVÍTICO 19.2

Ser santa não significa ser perfeita. Jamais conseguiremos ser perfeitas. Portanto, não deixe o perfeccionismo dominá-la. As perfeccionistas vivem frustradas. Sei disso porque tenho essa característica. Ficamos infelizes ao ver todas as imperfeições em nosso casamento, no trabalho, em nossa vida e no mundo. Devemos aprender a diferença entre ter ordem na vida, sem a qual não conseguimos ficar bem, e tentar tornar as coisas perfeitas, atitude que, além de nos deixar loucas, leva à loucura todas as pessoas ao nosso redor.

A boa notícia é que apreciaremos o céu de modo singular, pois lá tudo estará perfeito e em ordem o tempo todo. Mas, até então, precisamos aceitar o fato de que não podemos ser perfeitas, nem tornar as coisas perfeitas. E não podemos julgar a imperfeição dos outros. Precisamos oferecer aos outros a mesma graça que Deus nos dá.

Ser santa não é fácil, mas também não é tão impossível. Por ser filha de Deus e ter o Espírito Santo habitando em seu interior, você pode ser santa com o auxílio e a graça de Deus.

*Senhor, como é bom saber que não preciso ser perfeita para ser
chamada tua filha. Tu já me amas e aceitas de modo incondicional.
Ajuda-me a depender de tua graça para ser verdadeiramente santa
e a oferecer essa graça a outros, criando um ambiente livre de
cobranças, pressões e expectativas.*

28 de setembro

Leia Tiago 5.13-18 e reflita

A eficácia da oração

Algum de vocês está passando por dificuldades? Então ore. [...] A oração de um justo tem grande poder e produz grandes resultados.

TIAGO 5.13,16

Essas palavras são de Tiago, um dos irmãos de Jesus, e não poderiam ser mais claras. Precisamos orar.

Tiago também disse a respeito da oração: "Quando pedem, não recebem, pois seus motivos são errados; pedem apenas o que lhes dará prazer" (Tg 4.3). Embora Deus se agrade de ouvir quando lhe apresentamos nossas necessidades e nossos desejos, a oração é mais que pedir coisas que queremos. Ela é, antes de tudo, o meio de nos aproximarmos de Deus, de passar tempo com ele e ouvi-lo. É dessa maneira que o conhecemos melhor e lhe demonstramos nosso amor. É esperar aos pés do Senhor, para encontrar liberdade e cura em sua presença. A oração é a maneira de reconhecer nossa dependência de Deus e nossa gratidão por seu poder em nossa vida.

Já experimentei incontáveis respostas a orações por meu casamento, meus filhos, por questões de saúde, emocionais, psicológicas, profissionais e muitas outras. Já vi respostas a orações que, na época, nem sabia que eram possíveis. Tenho certeza de que Deus responde às orações, e quero que você saiba disso também. Essa convicção é crucial para todos os aspectos de sua vida. Creia na eficácia da oração e no poder do Deus para quem você ora.

Querido Senhor, ensina-me a orar a respeito de todas as coisas. Ajuda-me a pedir com sabedoria, conforme teus propósitos, e a confiar em tuas respostas. Muito obrigada porque ouves e atendes.

Benefícios do temor reverente

Ajam sempre no temor do Senhor, com fidelidade e coração íntegro.
2Crônicas 19.9

A profunda reverência por Deus (o "temor" ao qual a Bíblia se refere) é algo que ele coloca em seu coração e que nos abençoa e protege. Quando você tem esse temor reverente,

- *Deus dá uma vida repleta de realização e paz.* "O temor do Senhor conduz à vida; dá segurança e proteção contra o mal" (Pv 19.23).
- *Deus se mantém atento a você e a protege.* "O Senhor, porém, está atento aos que o temem, aos que esperam por seu amor" (Sl 33.18).
- *Deus a ajuda a afastar-se do mal.* "Amor e fidelidade fazem expiação pelo pecado; o temor do Senhor evita o mal" (Pv 16.6).
- *Deus revela tudo que você precisa saber.* "O Senhor é amigo dos que o temem; ele lhes ensina sua aliança" (Sl 25.14).
- *Deus lhe dá tudo de que você necessita.* "Temam o Senhor, vocês que lhe são fiéis, pois os que o temem terão tudo de que precisam" (Sl 34.9).
- *Deus envia seu anjo para livrá-la do perigo.* "O anjo do Senhor é guardião; ele cerca e defende os que o temem" (Sl 34.7).

Diante de tantos benefícios, certamente o temor de Deus é algo que devemos almejar e buscar desenvolver.

Senhor Deus, desenvolve em meu coração profunda reverência por ti. Ajuda-me a contemplar tua grandeza, tua majestade e teu poder com o tipo de temor que inspira confiança, adoração e uma vida fiel e íntegra.

Leia Gálatas 6.4-5 e reflita

Trabalho guiado pelo Espírito

Cada um preste muita atenção em seu trabalho, pois então terá a satisfação de havê-lo feito bem e não precisará se comparar com os outros.

GÁLATAS 6.4

Existe uma coisa que você sempre verá na vida de um cristão que segue a Deus fielmente e é guiado pelo Espírito: o fruto em seu trabalho. A verdade é que você não pode discutir com o fruto. Em outras palavras, não podemos negá-lo quando o vemos. Não estou dizendo que não há momentos difíceis de luta. Todas nós passamos por isso. Fases de crescimento, de poda e de aprendizado podem ser dolorosas, mas há um fruto à nossa espera.

Se você não for guiada pelo Espírito Santo em seu trabalho, não dará o bom fruto que Deus quer que produza. Se você não é capacitada pelo Espírito Santo, não está produzindo o fruto para a eternidade como Deus deseja. Seu trabalho e ministério têm de ser modelados conforme o trabalho e o ministério de Jesus, que era capacitado pelo Espírito Santo e não fez nada que não fosse dirigido por Deus Pai.

Seja qual for seu trabalho, submeta-o ao Senhor. Peça a ele que infunda em seu trabalho a vida, o poder e a produtividade dele. Peça que o Espírito dele flua através de você e a torne mais criativa. É possível até que você seja direcionada para um campo diferente do trabalho atual, para algo completamente novo, conforme a vontade de Deus.

Senhor, coloco meu trabalho em tuas mãos e peço que me conduzas para atuar no campo que desejas. Mostra-me, também, como produzir frutos de valor eterno.

1º de outubro

Leia Provérbios 13.12 e reflita

Esperança adiada

A esperança adiada faz o coração ficar doente, mas o sonho realizado é árvore de vida.

PROVÉRBIOS 13.12

Por vezes, enquanto oramos, Deus coloca em nosso coração a convicção de que devemos esperar por uma bênção. O próprio termo "esperança" indica que você fica na expectativa de que algo bom irá acontecer. No entanto, quando o tempo passa e você tem a impressão de que essa esperança não se concretizará, pode acontecer de seu coração desanimar.

Não devemos, contudo, deixar que esse sofrimento crônico tome conta de nossa vida. Quando nos atolamos em desespero, decepção e dor, não conseguimos viver em liberdade, nem alcançar plenitude e sucesso verdadeiro, como Deus planejou para nós. O coração fragilizado que não busca a consolação do Pai abre caminho para uma vida fragmentada, que não progride.

Precisamos da árvore da vida, da verdade de Deus que nos fundamenta em seu caráter e em seu modo de agir. Precisamos tomar a firme decisão de crer em Deus e em sua Palavra. Temos de pedir a ajuda do Espírito para vivermos de acordo com essa decisão.

Nossa esperança não deve se firmar em respostas de oração, mas no Deus a quem oramos. Em suas promessas, encontramos consolação e forças renovadas para esperar pelo bom tempo e pelos bons propósitos dele.

Tu conheces minhas esperanças e expectativas, ó Pai, e sabes como, muitas vezes, é difícil esperar pacientemente pelo momento que tu escolheste para realizar teus propósitos. Que teu caráter bondoso e tua Palavra confiável sejam árvore de vida para minha alma.

2 de outubro

Leia o Salmo 128 e reflita

Feliz e próspera

Como é feliz aquele que teme o Senhor, que anda em seus caminhos! Você desfrutará o fruto de seu trabalho; será feliz e próspero.

Salmos 128.1-2

Ser feliz e próspera não tem a ver apenas com provisão material. A verdadeira prosperidade inclui um bem-estar geral, resultante da intimidade com Deus e das bênçãos que ela proporciona. Veja como Deus zela por seu bem-estar:

- *Ele responde às suas orações.* Não tente cuidar de sua saúde física, mental e emocional sem a ajuda do Senhor. Ore sobre todos os aspectos desse cuidado. Peça ao Senhor que lhe mostre o que fazer e que a capacite para isso. Peça a ele que a ajude a permanecer saudável.
- *Ele opera milagres.* É Jesus quem cura. E ele realizará milagres de cura em todas as áreas de sua vida em resposta às suas orações.
- *Ele dá um coração cheio de paz.* A paz vem de Deus, e você deve buscá-la. Ela exerce grande influência sobre sua saúde geral. Peça ao Senhor que a ensine a viver na paz que ele dá.

Confie que Deus está profundamente interessado em ajudá-la a cuidar de seu bem-estar, não para que você viva em função de sua própria felicidade, mas para que você cumpra os propósitos dele.

Senhor, dá-me sabedoria para cuidar de meu bem-estar e desfrutar saúde física, mental e emocional. Acima de tudo, quero prosperar em minha intimidade contigo, a verdadeira fonte de satisfação.

O Espírito em movimento

O Senhor fez a terra com seu poder e a estabeleceu com sua sabedoria. Com seu entendimento, estendeu os céus.

Jeremias 51.15

Deus já existia antes de toda a criação. Ele criou os céus e a terra quando não havia coisa alguma. Ele não precisa de um ponto de partida para criar algo.

"A terra era sem forma e vazia, a escuridão cobria as águas profundas, e o Espírito de Deus se movia sobre a superfície das águas" (Gn 1.2). Esse movimento do Espírito Santo, desde o princípio, é importante para você. Ele habita em seu interior, mas sempre se move. O Espírito não se move para dentro e para fora da sua vida, mas está sempre trabalhando dentro dela. A Bíblia o descreve como água (Jo 7.37-39), pomba (Mt 3.16), fogo (At 2.3-4) e unção (1Jo 2.20). Nenhum desses elementos é estático. A natureza do Espírito inclui movimento. Ele está sempre operando, quer você esteja em movimento, quer não.

Uma vez que o Espírito Santo não é estático, ele não permitirá que você permaneça no mesmo ponto por muito tempo. Ele não deixará você parar de crescer até que seu espírito esteja completamente alinhado com o de Deus. O Senhor deseja que você seja inspirada pelo Espírito Santo, despertada e capacitada por ele, e que receba seu poder. Isso significa que você sempre estará ativa em seu espírito.

Espírito Santo de Deus, alegro-me por saber que estás em constante movimento em minha vida e no mundo, atuando com grande poder para fazer avançar o reino de Deus. Alinha-me com tua visão, para que eu me mantenha ativa no cumprimento de teus desígnios.

4 de outubro

Leia Hebreus 2.1-2 e reflita

Firmes na Palavra

Portanto, precisamos prestar muita atenção às verdades que temos ouvido, para não nos desviarmos delas.

HEBREUS 2.1

Para viver de modo a agradar a Deus, precisamos ter como objetivo de vida entender exatamente o que lhe é agradável. Não podemos confiar no "achismo", nem em boatos ou em "crendices absurdas" (1Tm 4.7).

Uma das maneiras importantes de agradar a Deus é guardar seus mandamentos e leis. Por isso, a fim de desenvolver-se e tornar-se tudo que Deus a criou para ser, é necessário firmar-se cada vez mais em sua Palavra. Para alcançar esse objetivo, é preciso ler a Bíblia diariamente. Quando não o fazemos, ficamos frágeis e vulneráveis. Quando não temos intimidade com a Palavra, nos distanciamos de Deus.

Precisamos não apenas prestar grande atenção aos ensinamentos bíblicos, mas também praticá-los, a fim de que não nos desviemos dos caminhos de Deus. Temos a tendência natural de sermos egocêntricas, voltadas para nós mesmas. Se não voltamos nossa atenção e devoção para Deus todos os dias, acabamos colocando nosso próprio ego no centro da vida. O coração da verdadeira mulher cristã é robusto, sólido e cheio de fé. E é a Palavra de Deus inserida em nossa rotina diária que torna tudo isso possível.

Senhor Deus, muito obrigada pelo privilégio de aprender diariamente de tua Palavra. Dá-me discernimento e clareza para entender teus ensinamentos, bem como graça e forças para colocá-los em prática e permanecer firme em teus caminhos.

Nossa arma de ataque

Empunhem a espada do Espírito, que é a palavra de Deus.

Efésios 6.17

Como guerreiras de oração do exército de Deus, precisamos ter em mente que a Bíblia não é apenas parte de nossa armadura protetora, a armadura que Deus nos dá, mas também uma poderosa arma de ataque. É extremamente perigosa para o inimigo e bastante precisa e, se você souber manejá-la, será infalível. Quanto mais souber usar essa arma poderosa, maior vantagem você terá. O inimigo não será capaz de enfrentá-la.

Nenhum soldado resiste ao inimigo sem uma arma. Nenhum soldado ataca o inimigo sem a melhor arma que tem a seu dispor. Ele conhece a capacidade da arma, maneja-a com facilidade e treina para usá-la bem. As armas de um soldado são sempre mantidas rigorosamente em ordem e prontas para o combate.

Precisamos fazer o mesmo com as Escrituras. Não podemos esperar os ataques do inimigo para aprender a manejá-las. Precisamos conhecê-las antes, a fim de estar preparadas para qualquer coisa.

A leitura bíblica deve aprofundar nossa fé e nossa intimidade com o Senhor. Também deve expandir nossa instrução acerca de seus contextos e dos elementos culturais, sociais e históricos, a fim de compreendermos melhor o significado de cada passagem e a interpretarmos corretamente.

Senhor, abre meu entendimento para uma compreensão cada vez mais profunda de tua Palavra, para que eu possa manejá-la com habilidade contra os ataques do inimigo.

6 de outubro

Leia Salmos 27.11-14 e reflita

Reconheça as bênçãos

Confio que verei a bondade do SENHOR.

SALMOS 27.13

Seria de esperar que reconhecêssemos de imediato as bênçãos de Deus, mas nem sempre é o caso. Muitas vezes, não vemos a bênção que está bem à nossa frente porque não é a bênção que esperávamos. Focalizamos nossos desejos e necessidades e não damos valor ao que Deus está fazendo em nossa vida naquele momento. Muitas vezes não percebemos porque pensamos que nossa vida está indo bem, e ficaríamos surpresas se descobríssemos que não está. Deus nos abençoa salvando-nos de nós mesmas com mais frequência do que imaginamos.

Pode haver momentos em que a vida pareça não estar está indo bem, mas está. Acreditamos que as coisas deveriam ser de certo modo, e elas não são, por isso concluímos que Deus não está nos abençoando quando, na verdade, ele está. Por isso é absolutamente fundamental para seu sucesso na vida que você seja capaz de discernir as bênçãos de Deus.

Estou falando sobre sucesso espiritual, e não sucesso material. Uma vida verdadeiramente bem-sucedida é aquela em que você tem um relacionamento íntimo com Deus, sendo guiada pelo Espírito.

Às vezes, Deus lhe concederá presentes especiais, só para você, e é bom ser capaz de reconhecê-los. Peça que o Espírito Santo lhe revele esses presentes. Deus lhe falará ao coração de alguma forma, mesmo que seja só para dizer que a ama.

Abre meus olhos, Senhor, para tuas incontáveis bênçãos e dádivas de teu amor, a fim de que eu possa recebê-las com gratidão e louvor.

Ore por nosso país

Se meu povo, que se chama pelo meu nome, humilhar-se e orar, buscar minha presença e afastar-se de seus maus caminhos, eu os ouvirei dos céus, perdoarei seus pecados e restaurarei sua terra.

2Crônicas 7.14

Orar por nosso país deveria ser uma de nossas prioridades. O pecado em nossa terra convida o juízo de Deus. Deus tem sido removido de tudo — escolas, prédios públicos, até da decoração de Natal. Deus é zombado, Jesus é diminuído, e os cristãos são desprezados por pessoas hostis ao evangelho.

Nós, o povo de Deus, somos chamados a nos humilhar e orar. Estamos na situação atual porque pessoas não oraram. Sim, muitos certamente oraram, e graças a Deus que o fizeram, ou não teríamos as bênçãos que temos hoje. Mas as coisas ficarão muito piores se a igreja não acordar para o chamado de Deus para a intercessão por nosso país.

É de esperar que aconteçam calamidades em nossa terra quando há pecado desenfreado e idolatria. Quando as pessoas adoram ídolos, Deus diz: "Vão e clamem aos deuses que vocês escolheram! Que eles os livrem neste momento de angústia!" (Jz 10.14). Ele ainda não fez isso porque é cheio de graça e misericórdia, paciente e tardio em irar-se. E ele continua a responder às súplicas daqueles que estão orando por esta nação.

Senhor, tem misericórdia de nosso país. Há tanta idolatria, cobiça, corrupção e maldade por toda parte. Dá-me ânimo para orar e mostra-me como tens agido com bondade e nos poupado de coisas ainda piores. Fala ao coração de nossos governantes e dirige-os aos teus caminhos.

8 de outubro

Leia 1Pedro 3.13-16 e reflita

Ministração de amor e esperança

E, se alguém lhes perguntar a respeito de sua esperança, estejam sempre preparados para explicá-la.

1Pedro 3.15

Você é valiosa em sua esfera de influência e pode ser usada por Deus na vida de outros de maneira que ninguém mais poderia. Pode ajudar pessoas a erguer os olhos para o Senhor, a fonte de esperança. Quando você encontra esperança no Senhor, não pode guardá-la apenas para si, mas deve compartilhá-la.

Uma vez que você é conduzida pelo Espírito Santo, é capaz de confortar, guiar e ensinar outras pessoas. O Espírito lhe dará as palavras certas no momento certo. Abrirá portas para uma conversa com um amigo, um conhecido ou mesmo alguém que você não conhece. Talvez você esteja num avião ou ônibus e uma oportunidade se apresente. Lembre-se: as pessoas não se preocupam com as aptidões que você tem; elas querem ouvir como Deus pode ajudá-las e livrá-las do vazio e sofrimento que sentem.

Quando surgir a oportunidade de ministrar o amor e a esperança de Deus a alguém, o Espírito Santo capacitará você a fazer isso de tal modo que causará um impacto duradouro na vida da pessoa. E isso glorificará a Deus de maneira poderosa. Quando Deus abrir a porta, não se preocupe com o que dizer. Seja apenas uma extensão do amor divino.

Senhor, muito obrigada pelo privilégio que tenho de compartilhar amor e esperança com as pessoas que me cercam. Capacita-me para que eu aproveite bem todas as oportunidades e ministre a cada coração conforme tua vontade.

Luz para seu caminho

O caminho dos justos é como a primeira luz do amanhecer, que brilha cada vez mais até o dia pleno clarear.

PROVÉRBIOS 4.18

Quando trabalhava na televisão, em sessões de fotos, programas musicais e peças teatrais, aprendi sobre a importância da luz. Um problema de iluminação pode estragar até o melhor espetáculo. A luz é fundamental.

O mesmo se aplica ao reino espiritual.

Quando você aceita Jesus, a luz do Espírito vem habitar em seu interior para sempre. Mas, se você quiser receber todas as bênçãos, terá de tomar a decisão de permanecer na luz do Senhor. Se escolher andar fora do caminho que Deus está iluminando para você, as consequências serão desastrosas. Ao andar com Deus, ele lhe dará luz suficiente para o próximo passo. Você nunca ficará no escuro, e nunca estará sozinha.

A luz de Deus brilha sobre todos os cantos de nosso coração. E o que Deus vê em nosso coração é a perfeição, a retidão e a pureza de Jesus. Assim como não andamos mais em trevas, também não temos mais trevas dentro de nossa vida. Para que a luz resplandeça dentro de nós com plena força, precisamos buscar sua ajuda para nos afastarmos de tudo que seja das sombras. Então, poderemos brilhar cada vez mais para o Senhor.

Senhor, muito obrigada porque tua luz resplandece em meu coração e me mostra o caminho a seguir. Ajuda-me a permanecer em tua vontade perfeita, de modo que todos os meus passos sejam iluminados por ti.

10 de outubro

Leia o Salmo 133 e reflita

O caminho para a união

> *A união é preciosa como o óleo da unção, que era derramado sobre a cabeça de Arão.*
>
> SALMOS 133.2

Algo surpreendente acontece em nosso coração quando oramos por alguém. A rigidez se desfaz. Tornamo-nos capazes de superar as mágoas e perdoar. Acabamos até amando a pessoa por quem oramos. É miraculoso! Isso acontece porque, quando oramos, entramos na presença de Deus e ele nos enche com seu Espírito de amor.

Quando você ora por alguém que faz parte de sua vida, o amor de Deus por essa pessoa cresce em seu coração. Por isso a oração é a linguagem suprema do amor. Ela consegue comunicar-se de uma forma que nós não conseguiríamos.

Falar com Deus sobre outra pessoa é um ato de amor. A oração dá lugar ao amor, que gera mais oração, que, por sua vez, dá lugar a mais amor. Mesmo que sua oração não seja feita por motivos completamente generosos, eles se tornarão menos egoístas à medida que a oração continuar. Você perceberá que está sendo mais amorosa em suas reações.

A oração promove união mesmo quando não oramos junto com a outra pessoa. Vi situações de grande tensão desaparecerem entre mim e outras pessoas quando orei por elas. Além disso, perguntar a alguém "Como posso orar por você?" gera um clima de amor e cuidado.

Todas nós queremos amor e união em nossa vida. Para que desfrutemos essas bênçãos, precisamos orar.

Tu sabes, Senhor, de minha dificuldade de orar por algumas pessoas. Preciso de tua ajuda para interceder por elas e colher os bons frutos da união.

Leia Eclesiastes 3.1-8 e reflita

Tempo de calar, tempo de falar

Há um momento certo para tudo, um tempo para cada atividade debaixo do céu.

ECLESIASTES 3.1

Na Bíblia, a rainha Ester orou, jejuou e buscou o tempo de Deus antes de ir falar com seu marido, o rei, para resolver uma questão extremamente séria (Et 4). Ela não entrou correndo e gritou: "Seus amigos marginais vão acabar com a nossa vida!". Em vez disso, ela orou primeiro e cuidou do marido com amor enquanto Deus preparava o coração dele. O Senhor sempre nos dará as palavras certas e nos mostrará quando dizê-las se pedirmos isso a ele. Entender o momento oportuno faz toda diferença.

Conheço pessoas que usam a desculpa de serem "sinceras" para destruir outros com suas palavras. No entanto, é insensato manifestar todo tipo de ideia e sentimento sem considerar a situação e o momento. Ser sincera não significa que você tem de ser completamente franca em todos os seus comentários, quando lhe parecer melhor. Isso magoa as pessoas. Embora a honestidade seja um requisito para qualquer relacionamento bem-sucedido, dizer à outra pessoa tudo que há de errado com ela não é recomendável, pois provavelmente não corresponderá a toda a verdade.

A verdade total só pode ser vista da perspectiva de Deus. E a palavra mais sábia é a verdade dita no tempo de Deus.

*Querido Deus, concede-me sabedoria para que eu entenda a maneira
e o momento correto de falar. Desejo que minhas palavras sejam
oportunas e construtivas e expressem tua verdade e teu amor.*

12 de outubro

Leia Apocalipse 21.1-7 e reflita

Renovação

> *E aquele que estava sentado no trono disse: "Vejam, faço novas todas as coisas!".*
>
> Apocalipse 21.5

Por vezes, somos libertas do passado, mas não conseguimos ver um futuro para nós. Foi o que aconteceu comigo.

Não queria ser ingrata por tudo que Deus havia feito por mim, mas uma noite chorei perante ele, dizendo: "Senhor, tu me deste esperança, paz e vida eterna, e sou grata a ti. No entanto, minha vida não passa de um amontoado de cacos, espalhados por toda parte, e alguns faltando. Como poderão ser colados novamente? É tarde demais para mim?".

Deus veio ao meu encontro naquela noite e disse: "Eu sou o Redentor. Redimo todas as coisas. Faço novas todas as coisas. Seja o que for que você tenha perdido, eu restaurarei. Além de curá-la, posso torná-la útil".

Suas palavras me encheram de esperança. Essa redenção não ocorreu da noite para o dia. Ocorreu passo a passo, à medida que aprendi a caminhar na luz do Senhor — completamente submissa a ele e a seus caminhos — e permiti que ele me levasse a lugares aonde eu não podia ir sozinha.

Não é maravilhoso saber que, quando olhamos para as partes fragmentadas de nossa vida, o Senhor vem ao nosso encontro onde estamos e diz: "Tenho todos os cacos de sua vida nas minhas mãos. Se você olhar para mim, se me seguir, eu os ajuntarei. E mais: tenho bons propósitos para você"?

Graças te dou, Pai, pela restauração e renovação que promoves continuamente em minha vida. Enche-me de esperança, perspectiva para o futuro e confiança em teus bons propósitos para mim.

Orar com autoridade

Não que nos consideremos capazes de fazer qualquer coisa por conta própria; nossa capacitação vem de Deus.

2CORÍNTIOS 3.5

O alicerce de sua autoridade em oração reside no fato de você ter aceitado o sacrifício de Cristo e de o Espírito Santo habitar em seu coração. Quando sua oração é guiada pelo Espírito, segundo a vontade de Deus, ela é verdadeiramente eficaz, não porque você disse as palavras "certas" ou orou por determinado número de horas ou em determinada postura, mas porque recebeu auxílio do Espírito para fazer suas petições a Deus.

Isso alivia a pressão, pois não depende de nós; depende do Senhor. Nunca depende de nós. Tudo que temos, inclusive nossa capacidade de orar com poder, vem de Deus. Basta orar conforme a direção do Espírito e deixar o resto ao encargo dele.

Devemos examinar e provar a nós mesmas para conferir se estamos firmes na fé: "Examinem a si mesmos. Verifiquem se estão praticando o que afirmam crer" (2Co 13.5). A Palavra em nosso coração e o Espírito Santo em nossa vida nos ajudam a viver nos caminhos de Deus. Pertencemos a Cristo e, portanto, podemos entrar na presença de Deus e orar em nome de Jesus, e o Pai sempre reconhecerá nossa autoridade por meio da oração, pois somos suas filhas.

Que presente maravilhoso, Senhor, poder me dirigir a ti diretamente, sem intermediários, e orar com a autoridade que tu concedes! Peço que teu Espírito guie minhas petições e me ajude a expressar a gratidão, o louvor e a adoração dos quais somente tu és digno.

14 de outubro

Leia Salmos 94.12-15 e reflita

Aceitação incondicional

> *Pois o Senhor não rejeitará seu povo; não abandonará os que lhe pertencem.*
> Salmos 94.14

Muitas vezes, nos deixamos ser levadas pelo medo da rejeição. Esse sentimento acaba nos cegando para nossa realidade. Claro que todo mundo é rejeitado em algum momento da vida, mas não podemos viver em função desse medo.

Quando alguém nos rejeita (ou quando nos sentimos rejeitadas), precisamos nos lembrar que somos sempre aceitas aos olhos de Deus. Ele nos escolheu para sermos suas filhas e jamais nos rejeitará.

Ele também cura as feridas deixadas por rejeições do passado e nos liberta da dor que elas causaram. Deus nos ama exatamente do jeito que somos e quer nos ajudar, a cada dia, a nos tornarmos mais parecidas com ele. Por causa disso, podemos nos aceitar como ele nos aceita e nos ama: de forma incondicional.

E, quanto mais aceitamos o amor de Deus por nós e mais aceitamos a nós mesmas, maior aceitação temos para oferecer a outros. Nossa identidade deixa de ser fundamentada em medos e inseguranças e passa a ser arraigada no Senhor. Ao nos sentirmos seguras e confiantes, somos capazes de interagir com outros de modo mais honesto. Podemos ser nós mesmas, pois sabemos que, por estarmos em Cristo, nenhuma rejeição mudará nossa identidade nem atingirá nosso cerne.

Muito obrigada, Senhor, porque tu nunca me rejeitas.
Estou firmemente arraigada em teu amor. Que meus
relacionamentos com outros também sejam caracterizados
por profunda aceitação e acolhimento.

Definição de beleza

Pois as mulheres que afirmam ser devotas a Deus devem se embelezar com as boas obras que praticam.

1 TIMÓTEO 2.10

Todas nós queremos ser belas. Esse desejo é natural e foi colocado dentro de nós por Deus. Ele quer revelar sua beleza por meio de nós.

Contudo, a beleza que Deus valoriza é feita de mansidão, sensibilidade ao Espírito, compaixão e um coração que busca ser puro. Nossa beleza, portanto, é um reflexo das belas qualidades do caráter de Deus. Quanto mais espaço ele tem para trabalhar em nossa vida, mais seu caráter e sua beleza dentro de nós ficam evidentes para outros.

Precisamos lutar contra os conceitos distorcidos de beleza que a sociedade impõe e que nos levam a acreditar que ser bela tem a ver com a aparência externa. Mudar nosso modo de pensar a esse respeito é um desafio e tanto. E só conseguimos vencê-lo com a ajuda do Espírito.

Podemos celebrar a beleza interior e exterior ao lembrar que Deus criou nossos olhos para ver a presença dele no mundo. Criou nossos ouvidos para escutar a voz dele. Criou nossos lábios para falar palavras que promovam vida e ânimo. Criou nossas mãos para tocar o mundo e realizar a obra dele aqui na terra. Criou nosso corpo para ser templo do Espírito.

E foi Deus que criou a beleza, portanto só ele tem direito de defini-la.

Senhor, eu me alegro de saber que tu estás constantemente desenvolvendo teu belo caráter em mim. Liberta-me dos conceitos distorcidos deste mundo para que eu celebre com gratidão a beleza que me dás e a coloque a teu serviço.

16 de outubro

Leia Lucas 12.29-34 e reflita

Bênçãos sobre suas finanças

> *Não tenham medo, pequeno rebanho, pois seu Pai tem grande alegria em lhes dar o reino.*
>
> LUCAS 12.32

Os problemas financeiros podem ser resolvidos ao serem submetidos aos cuidados e à vontade de Deus. Faça o que Deus lhe pede. Dê quando o Senhor mandar.

Muitos adquirem riquezas, mas perdem a capacidade de desfrutá-las, tudo porque não sabem que a chave para a vida é conhecer o Senhor e viver de acordo com sua vontade. Isso significa dar tempo, energia, amor, talento e dinheiro segundo a orientação de Deus.

Peça a Deus que a ajude a compreender a vontade dele para suas finanças. Seja generosa, satisfazendo-se com o que já tem, sem esforçar-se demasiadamente com a intenção de conseguir cada vez mais. Não estou dizendo que você não deve querer aumentar sua renda, mas que esse desejo deve ser em conformidade com os planos do Senhor. Não deixe de pedir a Deus para que os depósitos de bênçãos se abram sobre você e sua família, mas ore para que tudo venha igualmente da mão dele.

Nem toda dificuldade financeira é evitada por meio da oração, pois às vezes Deus usa essas situações para nos ensinar algo. Mas a direção dele a ajudará a evitar esforços e prejuízos desnecessários. O desejo de Deus é abençoar os que têm coração obediente e grato, cujo verdadeiro tesouro está no Senhor.

Aceita minha gratidão, ó Pai, por tua fiel provisão. Concede-me sabedoria para administrar minhas finanças de modo agradável a ti, estando sempre disponível para ser usada por ti para suprir as necessidades materiais de outros.

Leia 1Coríntios 2.6-9 e reflita

Além de nossa visão

Olho nenhum viu, ouvido nenhum ouviu, e mente nenhuma imaginou o que Deus preparou para aqueles que o amam.

1Coríntios 2.9

Quando somos atacadas pelo inimigo e não enxergamos nada, exceto desastre, precisamos lembrar que a solução pode estar bem além de nossa visão. Quando pedimos uma nova perspectiva, ele pode nos revelar coisas por meio do Espírito (1Co 2.9-10).

Deus quer que sempre tenhamos em mente a eternidade. Afinal, essa é a perspectiva dele. Nossos sofrimentos neste mundo se tornam muito menores comparados com as grandes coisas que Deus nos reserva. Esse entendimento muda nosso modo de enxergar todas as coisas.

Por isso, quando nossas orações não são respondidas como esperávamos, não devemos questionar a resposta do Senhor. Devemos sempre lembrar que ele é Deus, e não um gênio da lâmpada às nossas ordens.

Se orarmos por um cristão enfermo, por exemplo, e ele não se recuperar e vier a falecer, devemos pedir a Deus que nos ajude a enxergar a situação da perspectiva dele. Há grande consolo em saber que ele sempre tem em mente nosso futuro eterno. Peça a ele que lhe dê um vislumbre de seu futuro eterno. Ele lhe concederá uma visão, não importa quão breve for, e sua vida jamais será a mesma.

Senhor, existem tantas coisas que estão muito além de minha visão. Confio na revelação de teu Espírito, que me dá tua perspectiva em todas as situações.

18 de outubro

Leia 1Pedro 4.1-6 e reflita

Evite arrependimentos

Não passarão o resto da vida buscando os próprios desejos, mas fazendo a vontade de Deus.

1Pedro 4.2

Muitas de nós fizemos coisas sem pensar no futuro. Quantas vezes na vida você tomou alguma decisão sem considerar as consequências? Não teria acontecido com tanta frequência se tivesse confiado na sabedoria e na orientação de Deus e procurado conhecer qual era a perfeita vontade divina.

Mas estou falando de uma situação do passado, antes de você conhecer o valor da Palavra de Deus, de sua sabedoria e de sua vontade. Quantas oportunidades de refazer as coisas você gostaria de ter se pudesse contar com uma máquina do tempo? Penso em tantas que fico apavorada. Graças a Deus por sua misericórdia, que nos ajuda a superar nossos erros e falta de juízo. Graças a Deus porque ele pode corrigir tudo, curar tudo, restaurar tudo. Onde estaríamos sem a redenção e a restauração de Deus?

Para não ter novos arrependimentos, é preciso viver de acordo com os propósitos de Deus e recusar-se a seguir qualquer outro caminho. Se alguma vez você tomou um grande gole da experiência de *não* obedecer à vontade de Deus (e o sabor foi tão amargo que seu desejo é evitar beber desse cálice novamente), custe o que custar, você fará o possível para nunca mais ficar fora da vontade de Deus — nem por um momento sequer.

Querido Deus, quero viver cada dia conforme tua vontade, de modo a evitar arrependimentos e consequências difíceis de decisões tomadas sem te consultar. Concede-me graça e sabedoria para andar conforme teus propósitos.

Quatro verdades para combater a dúvida

Quando minha mente estava cheia de dúvidas, teu consolo me deu esperança e ânimo.

Salmos 94.19

A Palavra de Deus nos fornece armas poderosas para combater a dúvida. Lance mão delas sempre que precisar:

- *Quando sentir-se fraca e duvidar que é capaz de lidar com algo que está enfrentando.* "Posso todas as coisas por meio de Cristo, que me dá forças" (Fp 4.13).
- *Quando sofrer uma tragédia e parecer impossível superá-la.* "E sabemos que Deus faz todas as coisas cooperarem para o bem daqueles que o amam e que são chamados de acordo com seu propósito" (Rm 8.28).
- *Quando tiver medo e incertezas a respeito do futuro.* "O perfeito amor afasta todo medo" (1Jo 4.18).
- *Quando tiver dúvidas se Deus responderá às suas orações.* "Vocês podem pedir qualquer coisa em meu nome, e eu o farei, para que o Filho glorifique o Pai. Sim, peçam qualquer coisa em meu nome, e eu o farei!" (Jo 14.13-14).

Se vierem dúvidas, não se afaste de Deus, imaginando que ele está decepcionado com você. Aproxime-se dele para que sua fé seja fortalecida.

Senhor, tu sabes que, por vezes, minha mente fica cheia de dúvidas e apreensões. Peço que me dês convicção de tua verdade e renoves minha esperança e meu ânimo para que eu continue a te seguir fielmente.

20 de outubro

Leia Mateus 5.3-12 e reflita

Chorar as perdas

Felizes os que choram, pois serão consolados.

Mateus 5.4

Enquanto estivermos vivendo neste mundo, sempre enfrentaremos perdas de vários tipos. Não importa o que você tenha perdido em sua vida, uma pessoa querida, um relacionamento, um animal de estimação, recursos financeiros, um objeto de valor, uma oportunidade, a capacidade de fazer algo, Deus sabe a dor que essa perda lhe causa.

Somente a presença do Espírito Santo dentro de nós pode sustentá-la e elevá-la acima de toda angústia. A dor será real, mas não durará para sempre. O vazio que você sente em seu coração será preenchido pelo amor e pela paz de Deus.

Haja o que houver, Deus continua a ser bom e, se você andar com ele a cada dia, a dor será lentamente curada e você voltará a ter alegria. Deus a ajudará a enfrentar suas perdas com esperança.

Por vezes, é nos momentos de maior tristeza que experimentamos nova intimidade com Deus, pois nosso coração fica mais sensível a ele. Não devemos alimentar nossa tristeza, mas podemos encontrar consolo em saber que, quando a vivenciamos na companhia de Deus, ele a usa para nosso crescimento e fortalecimento.

Deus querido, quando eu tiver de enfrentar a tristeza das perdas, correrei para teus braços de amor, onde certamente encontrarei consolo, esperança e forças. Muito obrigada porque, a teu tempo e à tua maneira, tu preenches todos os vazios.

Motivo de grande alegria

Meus irmãos, considerem motivo de grande alegria sempre que passarem por qualquer tipo de provação.

TIAGO 1.2

Todos passam por tempos difíceis. Não há nada de que se envergonhar. Algumas vezes, nossas orações nos ajudam a evitá-los. Outras não. O mais importante é a nossa atitude quando os enfrentamos. Se ficamos cheias de ira e amargura, ou insistimos em nos queixar e culpar a Deus, as coisas quase sempre acabam mal. Se os atravessamos com ações de graças e louvor a Deus, ele nos promete coisas boas apesar dos problemas.

Quando servimos a Deus, seu amor está presente em cada momento de nossa vida. Ele está sempre ali em nosso meio, encaminhando as coisas para o bem, quando oramos e esperamos isso dele (Rm 8.28). Seu propósito para nossas provações é quase sempre nos levar à sua presença, com toda humildade, a fim de experimentarmos um quebrantamento em nosso "eu" interior independente, autossuficiente, e fazer de nós pessoas compassivas, pacientes, espiritualmente fortes, que glorifiquem a Deus.

Se você se sentir esmagada sob o peso das provações, convide o Espírito Santo a mudar as circunstâncias e transformá-las. E lembre-se do contexto mais amplo: nosso sofrimento é mínimo em comparação com a glória de Deus em nós, se reagirmos corretamente em meio às dificuldades.

*Como é difícil, Senhor, ver as provações como motivo de alegria.
Só serei capaz de aceitar as dificuldades de bom grado por meio da
intervenção de teu Espírito, dando-me a certeza da glória
que está por vir.*

22 de outubro

Leia Efésios 3.16-19 e reflita

A profundidade do amor divino

> *Também peço que, como convém a todo o povo santo, vocês possam compreender a largura, o comprimento, a altura e a profundidade do amor de Cristo.*
>
> EFÉSIOS 3.18

Todas as pessoas precisam do amor de outros, mas o amor humano tem limites e nunca poderá preencher todas as nossas necessidades. O amor de Deus é ilimitado. Se depositarmos nossas esperanças no amor humano, certamente ficaremos decepcionadas.

Só o amor de Deus é capaz de atender totalmente à nossa necessidade de sermos amadas. Só o amor de Deus em nós pode nos fazer amar os outros por inteiro. Não podemos viver sem o amor de Deus, mas, em geral, as pessoas não sabem que é desse amor que elas necessitam, pois não conhecem a Deus. Mesmo que acreditem que Deus existe, não se dispõem a aceitar tudo que ele tem para elas e, por isso, não compreendem a profundidade de seu amor.

A verdade é que Deus ama você mais do que qualquer outro ser humano é capaz de amar, muito mais do que você consegue imaginar. E, se você não se sentiu amada no passado — se ninguém a amou na infância ou se foi rejeitada de uma forma ou outra —, terá grande dificuldade de aceitar o amor de Deus, pois não aprendeu a confiar no amor, não importa de onde ele venha. Para conhecer a profundidade do amor de Deus, você precisa conhecer a Deus.

Querido Pai, te agradeço por teu grande amor por mim em Cristo. Quero te conhecer cada vez mais, depositar em ti todas as minhas expectativas e confiar que teu amor supre todas as minhas necessidades.

Leia Filipenses 4.8-9 e reflita

Concentre-se na verdade

Concentrem-se em tudo que é verdadeiro, tudo que é nobre, tudo que é correto, tudo que é puro, tudo que é amável e tudo que é admirável. Pensem no que é excelente e digno de louvor.

FILIPENSES 4.8

Quando uma batalha entre nossa vontade e a vontade de Deus, entre o bem e o mal, entre a verdade e a mentira estiver sendo travada em nossa mente, a Palavra de Deus nos dará clareza de pensamento. O inimigo sempre tentará fazê-la questionar a Palavra de Deus, assim como fez com Eva. Ela não permaneceu firme no que Deus tinha dito. O inimigo tentou Jesus no deserto, mas ele resistiu por meio da Palavra.

Precisamos reconhecer quando o inimigo está usando nossa mente como campo de batalha. Se você imaginar que o campo de batalha está nos outros, não perceberá como o inimigo está tentando gerar dor e confusão em sua mente e em seus sentimentos.

Se você estiver convivendo com raiva, ressentimento, dúvida, medo ou desesperança, saiba que o inimigo pode usar esses pensamentos negativos. Ele ataca onde você é mais vulnerável. Ali ele provavelmente poderá vencer com mais facilidade, pois temos a tendência de achar que não há solução para nossos problemas ou que merecemos nos sentir infelizes.

Concentrar-se em tudo que é verdadeiro ajudará você a identificar os pensamentos enganosos e resistir aos ataques do inimigo.

Espírito Santo de Deus, volta meus pensamentos
continuamente para tudo que é verdadeiro, correto e puro,
a fim de que não haja confusão, desespero ou engano em
minha mente e eu não vacile na fé.

24 de outubro

Leia Provérbios 19.20-21 e reflita

Seus planos e o propósito de Deus

É da natureza humana fazer planos, mas o propósito do Senhor prevalecerá.

Provérbios 19.21

Embora seja natural e prudente fazer planos, pode acontecer de Deus mudar esses planos conforme os propósitos dele.

Há momentos em que, em vez de correr atordoadamente fazendo planos intermináveis, é necessário desacelerar. Talvez você tenha a impressão de que, se conseguir prever todas as contingências e controlar todas as variáveis, as coisas correrão bem, e sua vida não terá contratempos.

Na verdade, porém, a vida bem-sucedida é aquela que está debaixo do controle de Deus. Ele sabe o que é melhor, e não você. Sua parte é confiar na bondade e perfeição dos planos divinos.

Entregue seus planos ao Senhor. Sem dúvida, você precisa trabalhar e se organizar, mas ele deve controlar sua agenda e suas prioridades. Pergunte: "Para onde desejas me conduzir hoje, Senhor? O que desejas realizar neste dia? Quero participar de teus planos".

Você encontrará paz e satisfação e terá uma vida verdadeiramente bem-sucedida à medida que sujeitar seus planos aos propósitos do Senhor.

Pai de amor, deposito em tuas mãos minha ansiedade a respeito do futuro e meu desejo de controlar cada detalhe do dia. Mostra-me para onde desejas me conduzir hoje, para que meus planos estejam inteiramente alinhados com teus bons propósitos.

Comece bem o seu dia

Estejam sempre alegres. Nunca deixem de orar. Sejam gratos em todas as circunstâncias, pois essa é a vontade de Deus para vocês em Cristo Jesus.
1Tessalonicenses 5.16-18

Não comece o dia nem o deixe passar sem orar. Dito isso, não se sinta culpada quando não conseguir orar um ou dois dias. A condenação e a culpa são armadilhas do inimigo. Peça a Deus que a ajude a passar tempo com ele todos os dias em oração.

O inimigo é descrito como um leão que anda ao redor, rugindo e procurando a quem devorar (1Pe 5.8). Precisamos estar alertas o tempo todo. Mas precisamos lembrar também que Deus cuida de nós mesmo nos dias que não conseguimos orar. O importante é que, no balanço geral, estejamos firmes em tudo que sabemos do Senhor e de sua Palavra.

Comece o dia aproximando-se de Deus e sujeitando-se a ele. Esteja sempre pronta a ouvi-lo falar ao seu coração, a obedecer-lhe em todas as coisas e a orar de acordo com a direção do Espírito. Desse modo, seu coração nunca estará fechado para ele e você se preparará para seguir as ordens do Senhor.

A cada manhã, agradeça a Deus por suas muitas dádivas, apresentando suas necessidades, intercedendo por outros, louvando e adorando. Seu dia terá outro tom!

Senhor, quero começar todos os meus dias em tua companhia, tendo comunhão contigo em quietude, preparando-me para os desafios que virão. Dá-me disposição e constância para que esses momentos se tornem parte da rotina.

26 de outubro

Leia 1Coríntios 3.12-17 e reflita

Um corpo santo

Vocês não entendem que são o templo de Deus e que o Espírito de Deus habita em vocês?

1Coríntios 3.16

O cuidado com o corpo é vital para alcançar sucesso verdadeiro. Contudo, algumas pessoas consagradas a Deus em todas as outras partes da vida imaginam que podem fazer o que quiser com o corpo. Não é o que Deus diz.

Ele criou seu corpo, sua alma, sua mente e seu espírito. Quando você aceitou Jesus, o Espírito Santo passou a habitar em você, capacitando-a para cumprir os propósitos divinos. Seu corpo é o templo do Espírito, e Deus espera que você cuide do corpo em honra a ele.

Por vezes, algumas escolhas e alguns hábitos nos afastam da vida de saúde e disposição que o Senhor nos criou para desfrutar. Também há situações em que enfrentamos sofrimentos físicos porque não vivemos do jeito de Deus. Precisamos aprender a cuidar de nosso corpo conforme a vontade de Deus, e não conforme os padrões e as exigências do mundo.

Jesus veio trazer cura porque sabia que precisaríamos dela. Mesmo que tratemos bem o corpo, continuamos sujeitas à enfermidade e às consequências naturais do envelhecimento. Portanto, precisamos de sabedoria para buscar hábitos saudáveis e de auxílio do Espírito quando tivermos de lidar com enfermidades.

Senhor, ensina-me a aceitar e amar este corpo maravilhosamente complexo que me deste. Abre minha mente para tua verdade sobre ele e ajuda-me a resistir às mentiras, cobranças e pressões do mundo ao redor, que não promovem verdadeira saúde e bem-estar.

Rejeite os sentimentos de inadequação

Minha vitória e minha honra vêm somente de Deus; ele é meu refúgio, uma rocha segura.

SALMOS 62.7

Há dias em que temos vontade de sumir do mundo, nos esconder em algum canto. Não nos sentimos bonitas, nem seguras, nem dignas de qualquer atenção ou apreço. Para toda parte que olhamos, somos tomadas de uma forte sensação de que não somos boas o suficiente.

Nesses momentos, o melhor que podemos fazer é correr para os braços de Jesus. Quando lutamos com dúvidas a respeito de nós mesmas, de nosso lugar no mundo e de nosso valor, quando somos tomadas de sentimentos de inadequação, precisamos nos apegar à verdade da Palavra, e ela diz que Deus é nosso refúgio e que podemos derramar nosso coração diante dele.

Na presença de Deus, descobrimos que temos valor, pois *ele* assim determinou. Ele nos criou, ele formou cada detalhe não apenas de nosso corpo, mas de nossa personalidade e alma. E tudo que Deus faz é bom.

Justificadas diante de Deus pela fé em Cristo, somos perfeitas aos olhos dele, escolhidas e amadas por ele. Aproprie-se dessas verdades maravilhosas para sua vida hoje e rejeite todas as mentiras que a fazem sentir-se inadequada. Em Cristo, você é boa o suficiente e tem vitória e honra.

Em nome de Jesus, rejeito todo sentimento de inferioridade e inadequação que rouba a alegria e a paz de minha vida. Revela, Senhor, as mentiras que me afastam da realidade de teu amor e de tua aceitação incondicionais.

28 de outubro

Leia Romanos 13.11-14 e reflita

O tempo é curto

A noite está quase acabando, e logo vem o dia. Portanto, deixem de lado as obras das trevas como se fossem roupas sujas e vistam a armadura da luz.

ROMANOS 13.12

O mal se torna mais intenso a cada dia. O tempo é curto e precisamos nos revestir da armadura da luz, isto é, da armadura de Deus. Ela é a cobertura dele sobre nós e sua luz dentro de nós. Devemos nos revestir de tudo que Jesus é e de tudo que ele fez para nos salvar. Devemos nos cobrir com sua bondade para nos proteger do mal.

Nosso inimigo é espiritual, e não de carne e osso. Lutamos contra forças e poderes espirituais que dirigem a escuridão deste mundo e contra espíritos malignos em regiões espirituais espalhadas em nossas cidades. É importante sempre lembrar quem é nosso verdadeiro inimigo. Do contrário, viveremos lutando contra pessoas de outro partido político, de outra etnia ou classe social, contra nosso chefe, nossos colegas de trabalho ou nosso vizinho chato. Se começarmos a lutar contra eles, não apenas nos desgastaremos como também não chegaremos a lugar algum. Se lutarmos contra as pessoas, e não contra as forças das trevas, estaremos apenas derrotando a nós mesmas. O tempo é curto demais para deixarmos que nossa atenção se desvie da verdadeira batalha.

Deus Todo-poderoso, não quero criar conflitos com outros só porque pensam de forma diferente de mim. Nosso mundo não precisa de mais desunião. Reveste-me com tua armadura de luz para que eu combata nosso verdadeiro inimigo espiritual.

Leia 1Coríntios 5.9-13 e reflita

A paciência e seus limites

Vocês não devem se associar a alguém que afirma ser irmão mas vive em imoralidade sexual, ou é avarento, ou adora ídolos, ou insulta as pessoas, ou é bêbado ou explora os outros.

1Coríntios 5.11

Ser paciente com alguém não é deixar que a pessoa continue a fazer algo importuno ou perigoso para ela ou para os outros. Não é saudável permitir que a pessoa continue a fazer mal a si mesma, a outros e a nós. Não devemos permitir nenhuma forma de abuso físico, verbal, mental ou emocional. Isso não é amor nem paciência. Nesse caso, afastar-se da pessoa não é ser impaciente; é ser sábio.

Como reconhecer o limite quando alguém continua a viver no erro, no pecado ou na rebeldia? Quando dizer "basta" a uma pessoa que insiste em pular de um penhasco e você não quer presenciar essa cena, fazer parte dela, nem pular junto? Quando sua paciência se torna conivente com o erro no qual a pessoa está vivendo?

Você só saberá a resposta correta para cada uma dessas perguntas se ouvir a orientação do Espírito Santo. Ele mostrará quando seu amor deve ser firme.

Às vezes, o ato mais carinhoso que se pode fazer por alguém é orar para que ele caia nas mãos do Deus vivo e tenha um grande despertamento. Algumas pessoas só recorrem a Deus depois de receber uma dura lição. Você pode amá-las orando para que isso aconteça e, ao mesmo tempo, orando para que o inimigo não as destrua nesse ínterim. Isso também é amor.

Senhor, dá-me sabedoria para entender os limites da paciência e mostra-me quando meu amor deve ser firme e assertivo.

30 de outubro

Leia Miqueias 7.7-9 e reflita

O Senhor é sua luz

> *Não se alegrem, meus inimigos; pois, mesmo que eu caia, voltarei a me levantar. Ainda que eu esteja em trevas, o SENHOR será minha luz.*
>
> MIQUEIAS 7.8

Aprendi por experiência que, quando aceitamos o Senhor, pode acontecer de continuarmos a seguir os desejos de nosso coração e fazer o que bem entendermos, sem ouvir a voz dele. Deus nos dá permissão para andar pelo caminho que escolhemos, até mesmo para viver longe de sua graça, mas ficamos desprotegidas e não podemos ser levadas a um lugar seguro. Deus retira sua paz e suas bênçãos daqueles que o rejeitam, são rebeldes e não se arrependem de seus pecados. O mal cai sobre as pessoas que abandonam Deus e suas leis e passam a adorar outros deuses e servir-lhes (Jr 16.13; 17.4).

Não podemos confiar em nosso coração se quisermos permanecer na luz. A Bíblia diz que nosso coração é enganoso (Jr 17.9). Quantas de nós caímos nas trevas porque seguimos nosso coração, e não o Senhor? Deus conhece a verdade a nosso respeito.

Para permanecer na luz, temos de permanecer na Palavra do Senhor. Quando andamos com Deus, saímos das trevas. Aprendi que o inimigo de nossa alma sempre tentará, com suas mentiras, nos derrubar, nos destruir ou nos tentar a voltar para o reino das trevas. Mas, se nos mantivermos perto do Senhor, ele sempre será nossa luz.

Senhor, peço teu auxílio para que eu não me desvie de teus caminhos. Preciso de tua proteção e de tua luz. Quando me sentir derrotada, quero me lembrar que, com tuas forças, posso me levantar novamente e prosseguir.

Sou tua serva

Então ouvi o Senhor perguntar: "Quem enviarei como mensageiro a este povo? Quem irá por nós?". E eu respondi: "Aqui estou; envia-me".

Isaías 6.8

Você é serva de Deus, e ele é um Senhor bondoso. Saber disso gera na alma o anseio por ser usada para cumprir a missão que ele lhe dá. Com a ajuda dele, você pode lançar fora todos os seus medos e sujeitar sua vida e seus sonhos a ele, certa de que os planos dele para você são sempre melhores que qualquer coisa que você poderia imaginar.

Quanto mais você servir ao Senhor, maior será seu desejo de fazê-lo sorrir e de refletir a luz dele para o mundo de trevas.

Seu corpo é um vaso de barro, mas Deus pode enchê-lo com maravilhosos tesouros para mostrar o poder incomparável dele em sua vida (2Co 4.7). Peça a Deus que ele a use como recipiente para derramar a verdade e o amor dele na vida de todos com quem você convive. Coloque-se à disposição dele. Há uma grande colheita a ser realizada, mas os trabalhadores são poucos (Lc 10.2). Declare-se obreira do reino, serva do trono divino. E que seu coração sempre diga em alta voz: "Aqui estou, envia-me!".

Senhor amado, sou tua serva. Estou à tua disposição para realizar todo o trabalho que já planejaste para mim. Alegro-me em saber que posso contribuir para avançar teu reino, refletir tua luz e derramar tua graça e teu amor na vida daqueles que ainda não te conhecem.

1º de novembro

Leia o Salmo 31 e reflita

Temor que dá paz

> *Grande é a bondade que reservaste para os que te temem! Tu a concedes aos que em ti se refugiam e os abençoas à vista de todos.*
>
> SALMOS 31.19

A Bíblia fala da alegria, das bênçãos e da felicidade de todos que temem a Deus. Temer a Deus significa reverenciá-lo e ter medo do que a vida seria sem ele.

Existe, porém, um tipo de temor que não procede do Senhor. Ele nos atormentará se permitirmos que se desenvolva em nosso coração. "Pois Deus não nos deu um Espírito que produz temor e covardia, mas sim que nos dá poder, amor e autocontrole" (2Tm 1.7). O poder mencionado no versículo é o poder de Deus, que ele reparte conosco. Autocontrole remete a clareza de pensamento, bom senso, capacidade para tomar decisões sábias e fazer escolhas refletidas. Significa ter domínio próprio e não nos descontrolarmos em nossas ações e comportamento. Significa ter a mente de Cristo.

Além desse maravilhoso versículo de 2Timóteo, o Salmo 31 é sempre um refúgio quando precisamos que a Palavra de Deus afaste rapidamente o medo e a insegurança. O salmo inteiro nos encoraja. Acalma o coração. Faz-nos mudar de atitude. Traz à memória realidades poderosas acerca de Deus e de como ele age em nosso favor quando nos vemos cercadas de adversidade. Da próxima vez que sentir medo, leia esse salmo e, em lugar das apreensões, cultive o temor do Senhor. Você certamente experimentará paz!

Querido Senhor, quando o medo ameaçar tomar conta de meus pensamentos, quero me refugiar em ti com temor reverente e plena confiança em teu poder.

Leia Gálatas 6.9-10 e reflita

Nos dias de desânimo

Portanto, não nos cansemos de fazer o bem. No momento certo, teremos uma colheita de bênçãos, se não desistirmos.

GÁLATAS 6.9

Se você acordou se sentindo desanimada, saiba que nosso Deus se agrada de renovar nossas forças. É só pedir.

Quando acontecem coisas que abalam o ânimo, precisamos nos lembrar de que sempre encontramos encorajamento ao ler a Palavra de Deus, receber sua paz e perceber o tamanho de seu amor e cuidado por nós. Nessas horas, é importante trazer à memória as promessas de Deus para nós, em vez de dar atenção apenas aos comentários de outros. Precisamos rejeitar toda voz que nos desanime, pois ela nunca vem do Senhor. Quando conhecemos a voz do Pai, somos capazes de identificar de imediato as falsificações.

Com a graça de Deus, receberemos vigor renovado para não nos cansarmos de fazer o que é bom e correto aos olhos dele. Seremos capazes de prosseguir apesar das circunstâncias e das coisas que acontecem conosco. Olharemos adiante e conseguiremos vislumbrar a fartura que colheremos porque nos recusamos a desfalecer enquanto cumprimos a vontade de Deus.

Alguns dias parece tão difícil continuar a fazer o que é certo!
Renova minhas forças, Senhor, para que eu não seja abatida
por críticas e frustrações e não ceda à tentação de desistir.
Desejo colher as bênçãos reservadas para
aqueles que perseveram até o fim.

3 de novembro

Leia Provérbios 31.29-31 e reflita

Uma mulher íntegra

Os encantos são enganosos, e a beleza não dura para sempre, mas a mulher que teme o Senhor será elogiada.

Provérbios 31.30

É assustador como nossa sociedade define uma "mulher de sucesso". E é difícil nos livrarmos de todo resquício das influências dessas normas culturais. Somente Deus pode desfazer esse estrago.

Se você deseja ser uma mulher de integridade, com uma beleza verdadeira que nunca se dissipa, é necessário nadar contra a correnteza. Peça a Deus que feche seus ouvidos para as vozes cheias de mentira e engano na mídia e nos mais variados círculos de relacionamento. Peça, também, que ele a guarde de buscar sua identidade e seu valor na opinião de outros. Sua identidade e seu valor estão em Cristo.

Deus não olha a aparência exterior, mas sim o coração (1Sm 16.7). Portanto, nosso grande desejo deve ser que Deus desenvolva seu caráter dentro de nós e nos ensine a andar de modo íntegro.

A mulher virtuosa tem paixão por seu trabalho, abre os braços para os pobres, é caracterizada por força e dignidade, fala com sabedoria e não tem preguiça (Pv 31.17-27). Essas qualidades só são possíveis por meio da ação do Espírito e, para cada uma de nós, assumirão uma forma diferente, pois cada uma de nós foi criada por Deus de modo singular.

Senhor, abro meu coração para a obra de teu Espírito. Torna-me cada vez mais íntegra, virtuosa e dedicada conforme teus padrões, para que teu nome seja honrado e glorificado por meio de minha vida.

Compromisso de orar

Orem no Espírito em todos os momentos e ocasiões. Permaneçam atentos e sejam persistentes em suas orações por todo o povo santo.

EFÉSIOS 6.18

Quando uma mulher solteira é convidada a sair com um homem, mas está noiva de outro, ela simplesmente responde: "Sou comprometida". Só precisa dizer isso, pois a mensagem é clara: já assumiu um compromisso com alguém e não está interessada em mais ninguém.

Quando você se compromete com o Senhor, promete amar e servir somente a ele. Se outras coisas exigirem demais de seu tempo e atenção, é preciso responder: "Já sou comprometida com meu Senhor. Quero passar tempo com ele".

O compromisso com o Senhor transforma nossa vida da melhor forma possível. A proximidade com Deus lhe dá maior sensibilidade a respeito da vontade do Senhor sobre todas as questões. Estar comprometida com o Senhor é encontrar-se com ele todas as manhãs e dizer que você o ama, o adora e quer servi-lo conforme o desejo dele.

Você pode orar sozinha ou com uma ou mais pessoas. A união dos cristãos em oração tem poder por causa da presença de Jesus e da garantia de resposta à oração.

Quando você ora com outra pessoa, o Espírito Santo em você está conectado com o Espírito Santo nela, o que torna suas orações ainda mais poderosas e eficazes.

Busco teu auxílio, Senhor, para levar a sério o compromisso contigo. Obrigada porque não preciso contar apenas com minhas forças e autodisciplina. Dependo da ação de teu Espírito para manter-me firme nas orações em meus momentos devocionais e com outras pessoas.

5 de novembro

Leia Romanos 8.10-11 e reflita

Ressurreição e fé

E, se o Espírito de Deus que ressuscitou Jesus dos mortos habita em vocês, o Deus que ressuscitou Cristo Jesus dos mortos dará vida a seu corpo mortal, por meio desse mesmo Espírito que habita em vocês.

ROMANOS 8.11

Até certo ponto, todos vivem pela fé. Quando você vai ao médico, precisa de fé para confiar no diagnóstico. Quando vai à farmácia comprar medicamentos, tem fé que receberá os remédios apropriados. Quando come num restaurante, confia que sua comida não será envenenada nem contaminada. (Alguns restaurantes exigem mais fé que outros.) Cada dia requer fé em algum nível.

Escolhemos aquilo em que vamos crer. Alguns decidem crer em si mesmos, outros no governo, no mal, na ciência, nos jornais, no trabalho pesado, em outras pessoas e alguns em Deus. É impossível viver sem fé. Ao mesmo tempo, também não podemos morrer sem fé.

Nossa fé determina o que nos acontecerá quando deixarmos este mundo. Se você tem fé em Jesus, sabe que seu futuro eterno está assegurado (Rm 8.11). O mesmo Espírito que ressuscitou Jesus dentre os mortos habita em você e a ressuscitará também. Ter a certeza do que nos acontecerá quando morrermos afeta grandemente nossa vida hoje.

Não há nada em sua vida que não possa ser conquistado ou afetado positivamente com uma dose maior de fé em Deus.

Muito obrigada, Senhor, porque teu poder imensurável habita em mim. A certeza da vida eterna contigo fortalece minha fé para os desafios do presente. Continua a desenvolver minha confiança em ti.

Ame a lei de Deus

Como eu amo a tua lei; penso nela o dia todo!

SALMOS 119.97

O rei Davi, um pecador como qualquer um de nós, disse: "Alegro-me em tua palavra, como quem descobre um grande tesouro. Odeio e detesto a falsidade, mas amo a tua lei" (Sl 119.162-163). Ele também declarou: "A lei do SENHOR é perfeita e revigora a alma. Os decretos do SENHOR são dignos de confiança e dão sabedoria aos ingênuos. Os preceitos do SENHOR são justos e alegram o coração. Os mandamentos do SENHOR são límpidos e iluminam a vida" (Sl 19.7-8).

Como lei, a Palavra de Deus tem o objetivo de nos instruir sobre o caminho certo e de evitar que nos desviemos por atalhos que só acabam em dissabores. Para verdadeiramente amar a lei do Senhor, precisamos estudá-la e entendê-la com o auxílio do Espírito.

Ao ler a Palavra de Deus, peça que o Espírito lhe dê clareza e lhe mostre recursos adicionais de estudo (comentários, concordâncias, dicionários, Bíblias de estudo) para esclarecer passagens difíceis e melhorar sua compreensão. Faça anotações e, quando tiver dúvidas, não se acanhe de perguntar aos pastores e professores de sua igreja. Deus provê os dons do Espírito (inclusive o dom de ensino) para que eles edifiquem o corpo.

Quanto maior for sua intimidade com o Deus da Palavra e com a Palavra de Deus, maior será seu amor por eles.

Senhor, mostra-me como estudar tua Palavra. Abre meu entendimento e dá-me acesso a recursos que me ajudem a compreender melhor tua lei e ter maior apreço por ela.

7 de novembro

Leia Isaías 60.1-3 e reflita

Levante-se e resplandeça!

Levante-se, Jerusalém! Que sua luz brilhe para que todos a vejam, pois sobre você se levanta e reluz a glória do Senhor.

Isaías 60.1

Procurei a luz em todos os lugares errados e sofri as consequências das coisas que fiz em oposição à vontade de Deus. Graças a Deus, porém, ele me encontrou e fez sua luz brilhar em mim.

Jesus disse que não veio ao mundo para nos julgar, mas para nos salvar (Jo 12.47). Mas ele não quer apenas nos salvar *de* alguma coisa; quer nos salvar *para* alguma coisa. Quer nos salvar de nós mesmas e de nossa vida errada. Mas também quer nos salvar para seus propósitos e planos, a fim de fazer coisas grandiosas por nosso intermédio. Sua grandeza que habita em nosso interior nos capacita a fazer coisas grandiosas para ele. Quando nos submetemos a Jesus, ele nos prepara para que sua luz brilhe através de nós nas trevas deste mundo.

À medida que o mundo se torna mais tenebroso, precisamos ser instrumentos por meio dos quais a luz do Senhor brilhará continuamente e cada vez mais. Como a Jerusalém restaurada depois do exílio na Babilônia, somos chamadas a nos levantar e resplandecer para que todos vejam a glória do Senhor sobre nós (Is 60.1). E a melhor maneira de fazer isso é servir ao nosso próximo em suas necessidades.

Querido Deus, peço que me ilumines com teu esplendor para que eu ajude a fortalecer os fracos, consolar os aflitos e dar ânimo aos cansados. Nosso mundo repleto de sombras precisa encarecidamente da luz de tua salvação.

Em nome de Jesus

Em nome de Jesus Cristo, o nazareno, levante-se e ande!

ATOS 3.6

Quando Pedro disse a um aleijado de nascença que andasse em nome de Jesus, o homem se levantou e andou pela primeira vez (At 3.6-8). Então, o apóstolo explicou ao povo que havia assistido maravilhado a esse acontecimento: "Pela fé no nome de Jesus, este homem que vocês veem e conhecem foi curado. A fé no nome de Jesus o curou diante de seus olhos" (At 3.16).

Pedro declarou que não havia sido por algum poder dele próprio que o homem havia recebido a cura. O poder do nome de Jesus o curou. E a oração direciona esse poder.

Na Bíblia, o "nome" de alguém representa sua natureza, seu caráter. O nome de Jesus se refere a quem ele é e como ele age. O poder de seu nome é o poder de sua natureza divina. Quando você coloca sua fé em Jesus e no poder que o nome dele tem para curar, a restauração da saúde pode acontecer, segundo a vontade dele. Professe que Jesus é Senhor e que lhe deu poder e autoridade em nome dele para ordenar que enfermidades e doenças sejam curadas. Não permita que ninguém enfraqueça sua fé em Jesus e em sua capacidade para curar, dizendo que ele só curava as pessoas quando estava na terra, mas não o faz mais hoje.

Jesus era o Médico dos médicos naquela época, é hoje e o será para sempre.

Senhor Jesus, eu creio no poder de teu nome para curar todas as enfermidades, minhas e de outros. Fortalece minha fé e dá-me convicção para que eu ore por restauração física, mental e espiritual conforme tua vontade.

9 de novembro

Leia 2Samuel 6.1-15 e reflita

Pausas para adorar

Quando os homens que carregavam a arca do Senhor davam seis passos, Davi sacrificava um boi e um novilho gordo. [...] Assim, Davi e todo o povo de Israel levaram a arca do Senhor com gritos de alegria e ao som de trombetas.

2Samuel 6.13,15

Gosto muito desse relato no qual o povo, ao transportar a arca da aliança, parava a cada seis passos para adorar a Deus. Acho isso impressionante. Creio que é algo que devemos fazer também. Deveríamos parar com frequência para adorar a Deus, cujo Espírito carregamos dentro de nós.

Nossa caminhada com Deus precisa ser pontuada por adoração e louvor contínuos. Não podemos ir adiante com nossos planos e atividades sem ter certeza da presença e da aprovação do Senhor. E a melhor maneira de permanecermos conscientes de sua presença e atentas à vontade é por meio da adoração.

Ao adorarmos, reconhecemos quem Deus é e como ele age. Colocamos nossa mente em sintonia com seus propósitos para o mundo de modo mais amplo e para nós de modo mais específico.

Qual é o resultado de pararmos com frequência ao longo do dia para adorar o Senhor? Alegria.

Senhor Deus, quero te adorar continuamente durante este dia, reconhecendo tua presença, teus atributos e tua ação em minha vida e no mundo ao meu redor. Quero experimentar a alegria de saber que tu és grande e poderoso, digno de todo o louvor.

Planos de bem

"Porque eu sei os planos que tenho para vocês", diz o Senhor. *"São planos de bem, e não de mal, para lhes dar o futuro pelo qual anseiam."*

Jeremias 29.11

Quantas vezes você olha para si mesma com os olhos de um juiz e declara-se incompetente ou inadequada? Quantas vezes se compara com outras pessoas e conclui que está aquém do esperado?

Talvez você se veja pelo prisma de críticas e insatisfações próprias, mas Deus a vê com outros olhos. Ele não enxerga seu passado, mas sim o futuro maravilhoso que preparou para você. E, enquanto somos capazes de ver apenas o que ele *já fez* por nós, Deus vê tudo que *está fazendo* e *ainda fará* em nossa vida.

Aos olhos do Pai, você é uma filha querida e preciosa. A cada dia, ele opera em meio às suas circunstâncias e seus desafios, grandes e pequenos, para torná-la cada vez mais parecida com ele.

Quando sentir-se tentada a alimentar pensamentos negativos a respeito de si mesma e de seu futuro, lembre-se de que você está "em obras" e peça ajuda a Deus para confiar que ele já viu o resultado final e se agradou muito dele.

Em vez de voltar o foco para si, para suas imperfeições e limitações, levante os olhos para o Senhor e louve-o por tudo que há de bom em sua vida.

Muito obrigada, Senhor, por tudo que já realizaste em minha vida no passado, pela transformação que ainda estás operando em mim no presente e pelos inúmeros planos de bem que tens para meu futuro. Creio em teu poder para me conduzir até o dia em que te verei face a face.

11 de novembro

Leia 1 Timóteo 6.17-19 e reflita

Deus derramará bênçãos

Sua confiança deve estar em Deus, que provê ricamente tudo de que necessitamos para nossa satisfação.

1 TIMÓTEO 6.17

Certa vez, o profeta Eliseu foi abordado por uma viúva temente a Deus que se encontrava em uma situação econômica difícil. Eliseu perguntou: "Diga-me, o que você tem em casa?". E ela respondeu: "Não tenho nada, exceto uma vasilha de azeite" (2Rs 4.2). Eliseu instrui a mulher a pedir emprestados aos vizinhos recipientes vazios. Quando a viúva trouxe as vasilhas para casa, Eliseu lhe disse que fechasse a porta (2Rs 4.3-4) e, então, derramasse o óleo dentro das vasilhas. O óleo encheu todas as vasilhas (2Rs 4.6) e só parou de correr quando a última vasilha estava cheia. A mulher vendeu o óleo e pagou suas dívidas.

Deus usou o pouco que a mulher tinha e o multiplicou. Ele fará o mesmo por você. Deus derramará sobre você tanto quanto você for capaz de receber.

Quando tiver qualquer tipo de necessidade, busque a direção do Espírito Santo. Talvez ele lhe mostre algo que você já tem. Ou talvez ele faça algo surgir do nada. Feche a porta para a dúvida. Não limite o que Deus pode fazer em sua situação só porque você não consegue imaginar soluções. A recompensa dele pode ser na proporção de sua fé e de sua disposição para recebê-la. Peça que o Espírito Santo a ajude a discernir a provisão dele para sua vida.

Senhor, como é bondosa tua provisão de todas as coisas!
Ajuda-me a não limitar tua ação e estar preparada para
receber todas as bênçãos que tens para mim.

Nosso Pai é sempre bom

O amor do Senhor enche a terra.

Salmos 33.5

Deus é quem ele é, e nós não temos como mudar isso de maneira alguma. Nossos sentimentos e percepções a respeito de nós mesmas, do mundo e de Deus se alteram com frequência, mas Deus permanece sempre o mesmo. Sua natureza imutável é caracterizada por sua bondade e seu amor.

Precisamos nos apegar firmemente a esta verdade que o salmista disse a respeito de Deus: "Ainda assim, confio que verei a bondade do Senhor enquanto estiver aqui, na terra dos vivos" (Sl 27.13). É comum não termos essa certeza quando as coisas não correm do jeito que gostaríamos, pois, lá no fundo, não confiamos em Deus e em sua bondade em relação a nós. A Palavra de Deus nos convida: "Provem e vejam que o Senhor é bom! Como é feliz o que nele se refugia!" (Sl 34.8). "Provar", neste caso, significa "experimentar", isto é, tomar decisões e fazer escolhas com base nesse fato.

A forma como vemos Deus também influencia nossas atitudes e ações. Nossa bondade, por exemplo, é limitada se não temos a bondade de Deus derramada em nossa vida. Mas não basta apenas saber que Deus é bom; precisamos viver com base nisso e louvá-lo porque seu amor enche a terra — enche nossa vida (Sl 33.5).

Deus é bom. Não permita que ninguém lhe diga algo diferente.

Querido Pai, quando vierem dúvidas, quando meus sentimentos e minhas percepções variarem, peço que me ajudes a lembrar que tu és sempre o mesmo, e tua bondade e teu amor nunca mudam.

13 de novembro

Leia Isaías 60.19-22 e reflita

Seus dias de tristeza terão fim

O Senhor será sua luz eterna; seus dias de lamento chegarão ao fim.

ISAÍAS 60.20

Não importa qual é sua bagagem de experiências difíceis do passado, nem há quanto tempo você convive com elas. Ainda é possível se libertar das emoções negativas. E esse tipo de liberdade você só encontra no amor de Deus. Ele é o único que tem poder para realizar uma obra completa de cura emocional em você.

Antes de tudo, é necessário entender que você não precisa viver com dor emocional crônica. Sei disso porque tive sentimentos negativos todos os dias por mais de trinta anos: depressão, ansiedade, medo, sofrimento, desespero, rejeição e inquietação. Mas Deus me livrou de todas essas coisas, uma por uma. Será que ainda sinto essas emoções de vez em quando? Sim, algumas delas, não todas. Não me sinto rejeitada nem sem amor, porque sou aceita e amada por Deus. Posso me sentir deprimida quando ocorrem coisas deprimentes, ou ansiosa e temerosa em relação a coisas assustadoras que acontecem ao meu redor, mas não vivo dessa forma. Entrego esses sentimentos ao Senhor, e ele me liberta.

Se eu consegui ficar livre das emoções negativas, você também consegue. Nunca é tarde demais para ser liberta. Isso não significa nunca mais sentir receio, ansiedade ou depressão. Significa que, quando coisas ruins acontecerem, elas não controlarão sua vida.

Senhor, peço que trates de todas as minhas experiências do passado que ainda geram sofrimento e emoções negativas e que me concedas libertação e restauração.

Discernimento para hoje

Ouçam, eu os envio como ovelhas no meio de lobos. Portanto, sejam espertos como serpentes e simples como pombas.

MATEUS 10.16

Quando prestamos atenção no mundo ao nosso redor, vemos quanto precisamos de discernimento e sabedoria. Às vezes, escolhemos caminhos que parecem bem iluminados e prometem esperança e alegria, mas acabamos em um beco escuro e sujo, muito diferente das expectativas iniciais.

Devemos orar diariamente para ter um espírito capaz de distinguir de modo claro entre certo e errado, bem e mal, justo e injusto, proveniente de Deus ou de qualquer outra fonte. A maioria dos pecados não se apresenta como perversidade, mas como algo bom e agradável. Daí a necessidade de pedir ao Senhor que abra nossos olhos e torne nosso coração astuto. Daí a necessidade, também, de guardarmos a Palavra de Deus em nosso coração, a fim de não pecarmos contra ele (Sl 119.11).

Somos bombardeadas o tempo todo com inúmeras mensagens de nossa cultura. Por vezes, temos preguiça de analisar cada uma delas à luz da Palavra e discernir seu verdadeiro conteúdo. No entanto, não podemos aceitar de imediato tudo que o mundo oferece. Temos a verdade de Deus para nos sustentar e nutrir. É de acordo com os padrões e valores *dele* que devemos viver o dia de hoje.

Senhor, peço que me concedas poder para testar todas as coisas e discernir quais são verdadeiras à luz da Palavra. Desenvolve em mim a capacidade de análise norteada por teu Espírito, para que eu não seja enganada por mentiras do inimigo.

15 de novembro

Leia Provérbios 11.22; 31.10-12 e reflita

Respeito próprio

> *A mulher bonita, mas indiscreta, é como anel de ouro em focinho de porco.*
> PROVÉRBIOS 11.22

Precisamos do auxílio contínuo de Deus para refletir fielmente a dignidade que ele nos concedeu. Ele nos chamou para sermos mulheres com um caráter nobre e respeitável. Somos instruídas a nos apresentarmos com a beleza do recato e de um espírito sábio.

É fácil nos deixamos levar pelas tendências do mundo, em vez de permitirmos que Deus desenvolva em nós qualidades verdadeiramente admiráveis. Nossa cultura valoriza as mulheres com padrões morais tolerantes. No entanto, Deus tem padrões muito mais elevados para nós, pois ele nos ama e nos valoriza muito mais do que podemos imaginar. Essa é a base para nosso respeito próprio e nosso senso de dignidade.

Deus não nos criou para sermos meramente admiradas e desejadas. Não nos criou para voltarmos toda a nossa atenção apenas para o corpo e tudo que é visível. Ele nos criou para muito mais que isso: para glorificá-lo. Quando permitimos que Deus trabalhe na personalidade exclusiva que ele nos concedeu e realize seus propósitos por nosso intermédio, engrandecemos seu nome. Essa é a realidade que precisamos ter em mente a fim de cultivar respeito próprio.

Querido Pai, quando eu me apresentar ou me comportar de maneiras que não correspondem a meu valor em Cristo, toca em meu coração e mostra-me como mudar de atitude. Quero engrandecer teu nome!

Não deixe as emoções controlarem seu dia

Acrescentem à fé a excelência moral; à excelência moral o conhecimento; ao conhecimento o domínio próprio.

2PEDRO 1.5-6

A capacidade de experimentar emoções é uma dádiva de Deus. Para ter uma vida interior equilibrada, porém, é necessário que ele governe essas emoções. Do contrário, elas acabarão nos controlando e exercendo um impacto negativo.

Às vezes, as coisas não ocorrem como desejamos e, nesses momentos, pode acontecer de sentirmos como se o mundo estivesse acabando. Se não desejamos ser levadas por nossas emoções, temos de apresentá-las a Deus a fim de combater seus efeitos prejudiciais. Não precisamos ter medo de colocar nossos sentimentos nas mãos dele, pois ele nos entende muito melhor que nós mesmas.

Com a ajuda do Espírito, aprendemos a não viver em função de nossas emoções, pois elas podem ser enganosas. Talvez você se sinta feia, ou inadequada ou rejeitada por Deus. A Bíblia diz, porém, que nenhuma dessas coisas é verdade. As emoções não são confiáveis, a Palavra de Deus é. Com a ajuda dele, podemos distinguir entre os sentimentos válidos e autênticos e os sentimentos que não correspondem à realidade.

Em Deus encontramos um lugar de paz. Quando lhe sujeitamos nossas emoções, elas não controlam nosso dia.

Senhor, sei que ao longo deste dia experimentarei várias emoções. Ajuda-me a discernir quais delas são genuínas e saudáveis e quais são enganosas e nocivas. Sujeito todas elas a ti, para que me concedas serenidade e equilíbrio.

17 de novembro

Leia Filipenses 2.12-13 e reflita

Poder para obedecer

Pois Deus está agindo em vocês, dando-lhes o desejo e o poder de realizarem aquilo que é do agrado dele.

FILIPENSES 2.13

Assim que você descobrir qual é a vontade de Deus, é muito importante obedecer ao que ele está lhe dizendo.

Orar para saber qual é a vontade de Deus e depois não cumpri-la traz consequências sérias. A escolha de viver conforme o querer divino a poupa de muitos sofrimentos e problemas desnecessários.

Não estou dizendo que a pessoa que segue a vontade de Deus nunca passará por dificuldades. A experiência de Jesus mostra que isso não é verdade. Ele estava cumprindo a vontade divina quando passou pela cruz, mas havia um propósito maior para seu sofrimento e sacrifício. E o mesmo se aplica a nós. Se você estiver cumprindo o desejo do Senhor e algo ruim acontecer, pode confiar que Deus tem um plano para trazer algo de bom do que está ocorrendo.

Devemos lembrar, porém, que não somos capazes de realizar a vontade de Deus por nossa própria conta. Precisamos do auxílio constante do Espírito para nos dar o desejo de obedecer e as forças para fazê-lo. As tentativas de agradar a Deus sem depender dele estão condenadas ao fracasso e geram orgulho e arrogância. A humilde dependência na ação do Espírito nos permite usufruir da graça que Deus nos oferece para que vivamos em obediência.

Pai de amor, ajuda-me a cultivar em meu coração o desejo de cumprir tua vontade. Sei que não sou capaz de fazê-lo sem tua graça. Preciso de ti a cada dia para ser obediente e fiel.

Leia Levítico 11.45; 1Pedro 1.15-16 e reflita

Deus é santo

Agora, porém, sejam santos em tudo que fizerem, como é santo aquele que os chamou. Pois as Escrituras dizem: "Sejam santos, porque eu sou santo".

1Pedro 1.15-16

A santidade é um dos principais atributos de Deus. Na verdade, tudo a respeito dele pode ser visto sob a luz de seu amor e de sua santidade.

Fomos feitas à imagem de Deus, mas não temos nenhum de seus atributos sem que ele nos conceda. Só viveremos em santidade se estivermos dispostas a nos separar de tudo que é pecaminoso e impuro e pedir que o Espírito nos encha com sua presença.

Moisés disse: "Quem entre os deuses é semelhante a ti, ó Senhor, glorioso em santidade, temível em esplendor, autor de grandes maravilhas?" (Êx 15.11).

Ana, uma serva devota do Senhor, declarou: "Ninguém é santo como o Senhor; não há outro além de ti, não há Rocha como o nosso Deus!" (1Sm 2.2).

Davi disse: "Honrem o Senhor pela glória de seu nome, adorem o Senhor no esplendor de sua santidade" (Sl 29.2).

A santidade traz plenitude. Ao aceitar o amor do Senhor, você se torna um vaso no qual ele se derrama. Portanto, não acredite na mentira de que nunca conseguirá ter a santidade descrita na Palavra de Deus. Você não conseguirá tê-la sem a ajuda divina, mas com Deus certamente a terá.

Deus santo, trabalha em meu coração para que eu seja cada vez mais semelhante a ti. Que meus pensamentos, minhas atitudes e minhas ações reflitam tua santidade para aqueles que convivem comigo.

19 de novembro

Leia Êxodo 20.1-17 e reflita

Uma influência positiva

Não tenha outros deuses além de mim.

ÊXODO 20.3

Ao longo deste dia, é quase certeza que você será pressionada a fazer algo contrário à vontade de Deus, expressa em sua Palavra. Talvez a pressão não seja direta e evidente, mas sutil e difícil de identificar.

Certas pessoas ao seu redor talvez procurem convencê-la a fazer as coisas do jeito delas, ignorando os princípios de Deus, aquele que sabe o que é melhor para você. Nesses momentos, Deus lhe estende a mão e lhe oferece ajuda para que você recuse toda ideia ou prática que não é do agrado dele. Ele está disposto a lhe mostrar que você não precisa concordar com outros só para se sentir aceita por eles. Você já é incondicionalmente aceita por seu Pai.

Em vez de transformar a aprovação dos outros em um deus em sua vida, deixando-se influenciar pelas ideias do mundo e cedendo às suas pressões, peça ao Deus verdadeiro que use você para ser uma influência positiva no meio em que ele a colocou. Pelo poder do Espírito, você é capaz de oferecer compaixão, sabedoria e ânimo àqueles com quem convive.

Senhor, o mundo exerce pressão intensa para que eu me conforme aos padrões de nosso tempo e de nossa sociedade. Fortalece-me para que eu busque somente tua aprovação, para que sejas o único Deus em minha vida e para que eu possa influenciar outros de forma positiva.

Coragem e fé

Portanto, alegrem-se com isso, ainda que agora, por algum tempo, vocês precisem suportar muitas provações. Elas mostrarão que sua fé é autêntica.

1PEDRO 1.6-7

Deus permite certas coisas em nossa vida visando nosso fortalecimento e amadurecimento. Ele vê o bem que pode resultar de alguma situação difícil. Ele tem um lugar de paz para nós em meio a qualquer provação, se o buscarmos e depositarmos nele toda a nossa fé.

Nossos momentos de dificuldade nos aperfeiçoam, por isso nunca podemos deixar de crer que Deus realizará grandes coisas, não importa o que esteja acontecendo.

A primeira coisa que Deus fez no exército de Gideão foi eliminar os medrosos e cheios de dúvida (Jz 7.3-8). Era melhor ter trezentos homens com fé, sem medo e que sabiam como se preparar para a batalha, do que milhares sem fé e que não estavam alertas. Deus usa pessoas com fé forte e corajosa para ser glorificado.

Por vezes nos sentimos fracas na batalha contra os desafios da vida porque ficamos angustiados e com medo. Mas se tivermos fé no poder de Deus como nosso defensor, e se ficarmos de prontidão para a batalha, ele nos dará a vitória de tal forma que teremos a certeza de que veio da parte dele, e não de nossa própria força e poder.

Senhor, minha coragem e fé dependem da ação de teu Espírito em mim. Ajuda-me a crer somente em ti, para que teus propósitos sejam realizados e teu nome seja engrandecido.

21 de novembro

Leia Judas 1.20-21 e reflita

O melhor ainda está por vir

> *Mantenham-se firmes no amor de Deus, enquanto aguardam a vida eterna que nosso Senhor Jesus lhes dará em sua misericórdia.*
>
> JUDAS 1.21

Esta vida não é tudo que existe. Nós existiremos eternamente: ou num lugar de separação de Deus, ou na vida eterna com ele. Viver longe de Deus é o inferno. Lá, a pessoa que desobedece à vontade de Deus entenderá o sofrimento do qual Deus deseja poupá-la. Estar no céu é estar com Deus eternamente.

Se você já aceitou Jesus, um dia terá um corpo ressurreto e vida eterna com Cristo. A ressurreição de Jesus garantiu *nossa* ressurreição. São muitas as maneiras pelas quais, a todo tempo, somos preparadas para a eternidade. Por isso precisamos escolher as recompensas celestiais em lugar das recompensas terrenas. Precisamos escolher amar e servir a Deus acima de qualquer coisa.

A Bíblia diz que, quando morrermos, estaremos imediatamente com o Senhor. Jesus disse que preparou um lugar eterno para você, onde nada poderá prejudicá-la, onde nada lhe faltará, onde não haverá mais sofrimento, doença ou lutas.

Essa é uma promessa magnífica que o Deus de amor fez a você! Em seu último dia neste mundo, quando você der o suspiro final, Deus a ressuscitará e a levará para o lar eterno com ele.

Diante disso, eu diria a todas nós que aceitamos Jesus: o melhor ainda está por vir!

Senhor, quando a vida aqui na terra parecer difícil demais, ajuda-me a lembrar que passarei a eternidade na tua presença, onde não haverá tristeza nem dor e onde poderei te adorar e te louvar continuamente.

Perdoar a si mesma

Esqueçam tudo isso, não é nada comparado ao que vou fazer. Pois estou prestes a realizar algo novo. Vejam, já comecei! Não percebem?

ISAÍAS 43.18-19

Muitas vezes, temos dificuldade em deixar para trás os erros que cometemos. Quando tentamos prosseguir com a vida, Satanás joga nossos fracassos em nosso rosto. Se você se arrependeu e se rendeu ao Senhor de todo o coração, todos os seus pecados foram afastados de você, "tanto como o Oriente está longe do Ocidente" (Sl 103.12), e Deus tornou "brancos como a neve" seus pecados que eram "vermelhos como o carmesim" (Is 1.18).

O inimigo deseja mantê-la em servidão, mas o Senhor já removeu suas cadeias. Sua parte, agora, é aceitar a liberdade que ele lhe concedeu e perdoar a si mesma. Cristo fez por você aquilo que não era possível você fazer por conta própria. Essa é a graça para a qual você precisa abrir seu coração.

Reflita sobre a misericórdia fiel do Senhor, uma dádiva imerecida que está ao seu dispor, para ser recebida de todo o coração, com alegria e gratidão.

Hoje é um novo dia, um recomeço. Deus a libertou e você é verdadeiramente livre (Jo 8.36). Aproprie-se desse perdão.

Senhor, tu sabes dos erros que cometi no passado. Confessei meus pecados a ti e recebi arrependimento e perdão. Traze esses fatos à memória quando o inimigo tentar me acusar e encher minha mente de falsa culpa. Sou grata por tua misericórdia e tua graça, e quero viver em conformidade com essas dádivas bondosas de tuas mãos.

23 de novembro

Leia Mateus 28.16-20 e reflita

O privilégio do discipulado

Portanto, vão e façam discípulos de todas as nações, batizando-os em nome do Pai, do Filho e do Espírito Santo.

MATEUS 28.19

Jesus nos encarregou de fazer discípulos de todas as nações. Essa não é apenas uma instrução, mas um grande privilégio. Muitas vezes, porém, é difícil saber por onde começar.

Um passo inicial importante para o verdadeiro discipulado é desenvolver relacionamentos fortes com as pessoas, investir na vida delas e ficar atenta às suas necessidades. Às vezes, elas são óbvias, mas nem sempre. Confie que Deus lhe mostrará como ministrar a cada um. Se você se dispuser a servir, ele lhe dará ousadia para compartilhar sua fé com outros.

Quando Jesus viveu entre nós, cuidou das pessoas de maneiras práticas. Ele conhecia as necessidades espirituais mais profundas, mas também atendeu às necessidades físicas imediatas. Desse modo, provou quanto as amava e se importava com elas.

Deus pode lhe mostrar como fazer discípulos por meio da compaixão e do cuidado. Ele deseja capacitá-la para essa tarefa. Peça que ele a ajude a ministrar como Jesus e, então, quando você falar de sua fé, terá o respaldo de suas ações para mostrar o amor de Deus pelos que ainda não o conhecem.

Senhor Jesus, ensina-me a alcançar pessoas como tu fizeste em teu ministério aqui na terra: com profunda compaixão, misericórdia e disposição de ir ao encontro delas onde quer que estivessem.

Capacitação diária

O Senhor encheu Bezalel com o Espírito de Deus e lhe deu grande sabedoria, habilidade e perícia para trabalhos artísticos de todo tipo.

Êxodo 35.31

O Espírito Santo capacitará você para todo o trabalho que ele deseja ver realizado. Quando o tabernáculo estava sendo construído, Deus escolheu artesãos competentes e os chamou para que trabalhassem na obra e seguissem suas instruções.

Além disso, "O Senhor capacitou tanto Bezalel como Aoliabe, filho de Aisamaque, da tribo de Dã, para ensinarem suas aptidões a outros" (Êx 35.34). Deus não somente equipou esses homens para realizar o trabalho, como também os capacitou a ensinar os demais artesãos. É evidente que esses indivíduos já possuíam certas aptidões, mas o Espírito Santo os ajudou a realizar com destreza exatamente aquilo que Deus queria.

Quando o Espírito Santo chamar você a fazer algo, ele a capacitará para essa tarefa. Se ele a guiar a fazer algo que você se considera incapaz de realizar, peça que ele exerça uma mudança em seu coração. Eu sei que é assustador, mas ele não lhe pedirá para fazer algo que não seja, em última análise, o melhor que ele tem para sua vida.

Todo o conhecimento do mundo pertence a ti, Senhor, e criaste todas as coisas. Peço que me capacites para realizar com grande competência todos os trabalhos para os quais me chamares, a fim de que teu nome seja conhecido e honrado por meio deles.

Leia Romanos 8.26-30 e reflita

Promessas em meio à dor

E sabemos que Deus faz todas as coisas cooperarem para o bem daqueles que o amam e que são chamados de acordo com seu propósito.

Romanos 8.28

Há momentos em que é impossível enxergar o que Deus está fazendo. Você só consegue ver a dor que está sofrendo. Quando isso acontecer, peça a Deus que abra seus olhos. A Bíblia diz que ele é bom, que nunca a abandonará e que você tem motivos de sobra para confiar nele. Também diz que ele é "Pai misericordioso e Deus de todo encorajamento. Ele nos encoraja em todas as nossas aflições, para que, com o encorajamento que recebemos de Deus, possamos encorajar outros quando eles passarem por aflições" (2Co 1.3-4). Deus não apenas a ajudará a atravessar as provações, mas também a usará para encorajar outros e ministrar à vida deles.

Os caminhos de Deus não são iguais aos seus — são melhores. Nenhuma experiência sua é desperdiçada, pois Deus sempre tem um propósito ao permitir algum sofrimento em sua vida. Aquilo que Satanás planeja para destruí-la, o Senhor planeja para revelar a outros a história da redenção.

Confie em Deus, sujeite-se a ele em tudo que fizer. Então, em lugar de tristeza, ele a cobrirá de alegria e, em lugar das trevas da aflição, ele lhe dará esperança eterna.

Apegue-se às promessas de Deus em meio à dor, pois são promessas de bem.

Pai de amor, muitas vezes não entendo a razão do sofrimento que permites em minha vida, mas confio em ti e em tuas promessas. Mostra-me como dar ânimo a outros da mesma forma que tu me encorajas nos momentos de dificuldade.

Mente transformada

Livrem-se de sua antiga natureza e de seu velho modo de viver, corrompido pelos desejos impuros e pelo engano. Deixem que o Espírito renove seus pensamentos e atitudes.

EFÉSIOS 4.22-23

Quanto mais você conhece a Deus, lendo a Palavra e passando tempo com ele em louvor e adoração, mais é capaz de discernir quais pensamentos vêm dele e quais vêm da carne ou do inimigo. Por exemplo, se você perceber que está pensando algo como "Seria melhor se eu não houvesse nascido", conseguirá reconhecer que não se trata de uma revelação do Senhor para sua vida.

Isso não significa que você deve negar que tem pensamentos indesejáveis ou errados. Nem deve ignorá-los ou reprimi-los. É preciso examinar o que se passa em sua mente à luz das Escrituras, para verificar se seus pensamentos estão de acordo com o que Deus diz em sua Palavra.

A verdade é que seus pensamentos servem ou à carne, ou ao inimigo, ou ao Senhor. E a decisão é sua, mas as forças para colocá-la em prática não vêm de você. Jesus é o Libertador que nos livra de todo pensamento que não vem de Deus.

Por causa de Jesus, é possível ter uma mente transformada.

Senhor Deus, desejo deixar de lado o velho modo de viver e permitir que renoves minha forma de pensar e de agir. Ensina-me a cultivar pensamentos agradáveis a ti e a buscar socorro de teu Espírito para resistir às ideias enganosas do mundo, da carne e do inimigo.

27 de novembro

Leia 2Coríntios 5.19-21 e reflita

Embaixadora de Cristo

Agora, portanto, somos embaixadores de Cristo; Deus faz seu apelo por nosso intermédio. Falamos em nome de Cristo quando dizemos: "Reconciliem-se com Deus!".

2Coríntios 5.20

O Senhor lhe confiou a tarefa de ser embaixadora dele. Que honra ter seu nome associado ao nome de Cristo! Dê a essa missão o devido valor e não procure cumpri-la com suas próprias forças. Apegue-se ao Espírito, dependendo dele para capacitação e direção.

Dizer a outros que você segue Jesus é algo muito sério, pois significa que você precisa fazê-lo de fato, demonstrando com suas ações que você representa Jesus. O mundo está cheio de hipócritas e pessoas falsas. Elas confundem os incrédulos, pois sua vida não dá sinais do amor, da graça e do poder de Deus. Peça que Deus a ajude a ser uma testemunha autêntica, inteiramente dedicada a ele, que reflete as instruções e a verdade a respeito dele.

A Bíblia diz que devemos ser sábias quanto a nosso modo de agir em relação àqueles que não conhecem a Deus (Cl 4.5). Por isso você precisa da presença transbordante do Espírito em seu interior, fazendo uma diferença evidente, que desperte o interesse deles. No poder do Espírito, você se torna imitadora de Cristo e embaixadora das boas-novas da salvação.

Muito obrigada, Senhor, pela grande honra de ser tua embaixadora. Que teu Espírito me dê a autenticidade de vida cristã necessária para dar bom testemunho àqueles que ainda não te conhecem.

Volte para Deus

Volte para mim, pois paguei o preço do seu resgate.

ISAÍAS 44.22

Há períodos de nossa vida em que não sabemos onde fomos parar. Sabemos apenas que, de algum modo, nos desviamos do caminho certo. Deus não nos deixou; nós é que nos afastamos dele.

Felizmente, temos sempre a chance de voltar. Podemos declarar novamente que não existe nenhuma pessoa e nenhuma coisa mais importante para nós que nosso Senhor e Salvador. Ao contrário do que acontece quando nos afastamos de pessoas, não precisamos nos explicar para Deus. Ele sabe melhor que nós o que causou o distanciamento. E ele nos espera de braços abertos.

A Bíblia diz que nada pode nos separar do amor de Deus (Rm 8.39). Não precisamos nos esforçar para obter sua aprovação, pois ela já nos foi concedida pela graça, por meio de Jesus Cristo. Nada do que você fizer levará Deus a amá-la mais (ou menos) do que ele a ama agora, neste momento.

Arrepender-se significa "mudar de direção". Peça que o Senhor lhe conceda a preciosa dádiva do arrependimento. Se você escolheu andar por seus próprios caminhos e perdeu o rumo, volte agora mesmo para Deus. Ele a resgatou e está à sua espera.

Senhor, perdoa-me por ter, mais uma vez, deixado as distrações, as preocupações e os envolvimentos desta vida me afastarem de ti. Tu és meu lar, meu lugar seguro para o qual desejo regressar hoje.

29 de novembro

Leia Provérbios 10.19-20 e reflita

Aprendendo a ouvir

Quem fala demais acaba pecando; quem é prudente fica de boca fechada.
PROVÉRBIOS 10.19

Você já deve ter observado que existem pouquíssimas pessoas que ouvem mais do que falam. É sempre triste quando você passa tempo com uma amiga e ela mal faz uma pausa para respirar, quem dirá para perguntar como você está.

Claro que essa não é uma característica de nosso Pai celeste e, portanto, também não deve estar presente em nossa vida. Peça a Deus que lhe mostre em que situações você precisa aprender a falar menos e ouvir mais. Ele a ensinará a demonstrar verdadeira preocupação com os outros e interesse por eles.

Sem dúvida, houve momentos em que você poderia ter ouvido mais. Busque o perdão de Deus e saiba que ele a ajudará a mudar esse quadro. E, acima de tudo, busque ser uma pessoa disposta a ouvir não apenas os outros, mas principalmente o Senhor.

Muitas vezes lançamos sobre ele nossos problemas e depois viramos as costas e vamos embora, sem aquietar nossa alma e esperar para ouvir o que ele tem a nos dizer. À medida que o Espírito nos mostrar como ouvir sua voz, também nos capacitará para sermos melhores ouvintes para nossos familiares, amigos e colegas.

Senhor, muito obrigada por que te importas comigo e me ouves. Torna-me cada vez mais receptiva à tua voz e desenvolve em mim a disposição de ouvir outros com atenção e acolhimento.

Não julgue

Não julguem para não serem julgados, pois vocês serão julgados pelo modo como julgam os outros. O padrão de medida que adotarem será usado para medi-los.

MATEUS 7.1-2

Quando julgamos outros, o resultado é sempre negativo. Prejudicamos as pessoas a quem julgamos e a nós mesmas. A Bíblia diz: "Somente aquele que deu a lei é Juiz, e somente ele tem poder de salvar ou destruir. Portanto, que direito vocês têm de julgar o próximo?" (Tg 4.12).

Fique atenta para as ocasiões em que você lança sobre outros um olhar de condenação. Reflita, também, sobre como suas próprias experiências a levam a pensar que todos devem agir de modo semelhante ao seu. Nas Escrituras, Deus apresenta a verdade que constituiu o alicerce de nossa vida. No entanto, o Espírito conduz cada pessoa de modo específico e pessoal. Logo, a direção do Espírito não é exatamente igual na vida de todos os cristãos.

Somos chamadas a identificar e discernir o fruto do Espírito em outros, mas em momento algum somos instruídas a julgá-los. Existe uma diferença.

Deus sempre nos trata com graça extraordinária. Quando essa verdade permeia nossos pensamentos e nossas emoções, nos tornamos cada vez menos propensas a julgar os outros.

Peço que me perdoes, Senhor, pelas ocasiões em que julguei outras pessoas. Em meu coração, desprezei suas atitudes, ações, palavras, ou mesmo sua aparência. Tem misericórdia de mim. Produz em meu coração tua compaixão e graça, para que eu busque aceitar e entender meu próximo em vez de julgá-lo.

1º de dezembro

Leia Colossenses 3.18-24 e reflita

Sua vocação

Em tudo que fizerem, trabalhem de bom ânimo, como se fosse para o Senhor, e não para os homens.

COLOSSENSES 3.23

Todas nós temos uma vocação dada por Deus, um chamado para participar de seus planos. Isso não significa, porém, que todas as nossas tarefas parecerão profundamente relevantes. Deus usa o trabalho para nos preparar. Algumas tarefas dão mais humildade, mais compaixão pelos outros, ou servem de meio para alcançar determinado fim. Outras simplesmente fornecem os recursos para a provisão material, enquanto Deus nos capacita para novas incumbências. Cada uma a prepara para as tarefas seguintes, portanto não desanime caso seu trabalho hoje seja preparatório, de amadurecimento, um meio para alcançar um fim.

Se possível, encontre uma ocupação com a qual se importe, pois desse modo seu desempenho será melhor. Você gosta de ajudar os outros? De que maneira? Peça a Deus que lhe mostre as respostas.

Qualquer que seja seu trabalho, entregue-o ao Senhor para a glória dele. Peça a Deus que ele permaneça no comando e a abençoe. Ao fazer isso, até as partes desagradáveis daquilo que você faz passarão a ser toleráveis. Ao dedicar todos os seus afazeres a Deus, você sempre será bem-sucedida e, em última análise, encontrará verdadeira satisfação.

Senhor Deus, muito obrigada porque cada um de teus filhos tem uma contribuição singular a oferecer para teu reino. A teu tempo e à tua maneira, revela como posso exercer minha vocação para tua honra e glória, e dá-me paciência enquanto me capacitas para exercê-la.

O Deus que não muda

Eu sou o SENHOR e não mudo.

MALAQUIAS 3.6

Neste mundo em que tudo está sempre em movimento, sofrendo alterações, é reconfortante saber que Deus é sempre o mesmo. "Nele não há variação nem sombra de mudança" (Tg 1.17). Numa cultura em que as opiniões das pessoas mudam de rumo mais depressa que o vento, a Palavra de Deus permanece inalterada.

Você não precisa ser atirada de um lado para o outro pelas manchetes dos noticiários ou pelas exigências da última moda. E você não precisa ceder às pressões da cultura, que considera "normais" ou "boas" muitas coisas contrárias aos preceitos eternos de Deus.

A Bíblia diz: "Parem nas encruzilhadas e olhem ao redor, perguntem qual é o caminho antigo, o bom caminho; andem por ele e encontrarão descanso para a alma" (Jr 6.16). Sua vida só será verdadeiramente bem-sucedida se você andar firmemente nos caminhos imutáveis do Senhor.

Seu Deus hoje é o mesmo Deus que fez o universo existir com sua palavra e que abriu as águas do mar Vermelho. Ele está ao seu lado, operando com esse mesmo poder em sua vida. Acredite nisso!

Deus eterno, quão maravilhoso é saber que és sempre o mesmo! Todos os teus atributos, revelados em tua Palavra, continuam a ser verdadeiros hoje. Ajuda-me a lembrar desse fato quando me sentir insegura ou amedrontada diante das incertezas e mudanças ao meu redor.

3 de dezembro

Leia Lucas 11.1-12 e reflita

A prática da oração

Pai, santificado seja o teu nome. Venha o teu reino. Dá-nos hoje o pão para este dia, e perdoa nossos pecados, assim como perdoamos aqueles que pecam contra nós. E não nos deixes cair em tentação.

LUCAS 11.2-4

O caminho para aprender a orar é praticar. Na Oração do Pai-nosso, Jesus nos ensinou a orar por nossas necessidades. Ele nunca disse que você não deveria orar por suas necessidades, mas sim que Deus sabe do que você precisa, portanto não há motivo para se preocupar com essas coisas. Não se preocupar com algo não quer dizer não orar a respeito do assunto. Quer dizer orar e confiar que o Senhor responderá do jeito dele, no tempo dele. Comece com suas necessidades pessoais. Em seguida, ore pelas pessoas ao seu redor, por sua comunidade e pelo mundo. Peça a Deus que lhe mostre quais são as necessidades verdadeiras.

Pode ser que alguém de sua família ou uma amiga compartilhe com você questões difíceis ou mesmo trágicas. Esse é o momento de sair de sua área de conforto e interceder fervorosamente.

Não deixe passar nenhuma oportunidade de orar por outros e com outros. Todos precisam de oração, e ninguém se importará se você é eloquente ou não. As orações sinceras muitas vezes são simples, feitas mais com o coração que com palavras bonitas.

Senhor, ensina-me a orar com humildade, sem me preocupar em impressionar ninguém com palavras bonitas. Muito obrigada porque posso não apenas te apresentar minhas necessidades, mas também ser uma intercessora em favor de outros.

Perto do coração de Deus

Ó Deus, tu és meu Deus; eu te busco de todo o coração. Minha alma tem sede de ti; todo o meu corpo anseia por ti nesta terra seca, exausta e sem água.

SALMOS 63.1

Todos os dias, temos a oportunidade de tomar uma decisão fundamental: se queremos passar as próximas 24 horas fazendo tudo por nossa conta, seguindo nossos caminhos e pensamentos, ou se queremos andar com Deus.

Escolha aproximar-se do Senhor hoje. Somente ele pode preencher o vazio de seu coração, pois você foi criada para ele. Anseie conhecê-lo melhor, ouvir sua voz. Como é precioso saber que ele se revela para você e deseja ter um relacionamento próximo com todos os seus filhos!

Parte do processo de crescer em intimidade com Deus consiste em permitir que ele alinhe seus pensamentos com os pensamentos dele, para que você possa entender melhor os caminhos divinos. Desse modo, você reagirá a todas as situações conforme o caráter dele.

Deus a convida a achegar-se ao coração dele, onde estão os mais belos e ricos tesouros de paz, alegria e satisfação. Ele quer ser, verdadeiramente, seu melhor amigo, o Senhor bondoso que cuida de você, o Marido que lhe provê afeto sem igual.

Saber disso produz desejo cada vez maior de louvar, adorar e viver em gratidão.

Senhor, às vezes demoro a perceber quanto minha alma tem sede de ti. Sinto-me vazia e exausta quando escolho agir à minha maneira, com minhas próprias forças. Hoje, quero ouvir teu coração pulsar, quero alinhar meus pensamentos com os teus e experimentar profunda consciência de tua presença.

Leia Sofonias 3.14-17 e reflita

Um Salvador poderoso

Pois o Senhor, seu Deus, está em seu meio; ele é um Salvador poderoso. Ele se agradará de vocês com exultação e acalmará todos os seus medos com amor; ele se alegrará em vocês com gritos de alegria!

Sofonias 3.17

Exercemos pouco ou nenhum controle sobre várias coisas que acontecem em nossa vida. Muitas vezes, esse fato é motivo de grande frustração. Precisamos lembrar, contudo, que não é em razão de nossa capacidade, mas sim do poder de Deus, que coisas boas acontecem e coisas ruins deixam de acontecer.

Você não tem poder para mudar suas circunstâncias, mas você tem um Salvador capaz de transformar seus temores em confiança nele. É natural sentir-se pressionada por situações difíceis e imaginar-se presa, sem ter como avançar. Mas o Espírito de Deus que habita dentro de você pode transformar sua realidade, ou pode transformar sua *atitude* diante da realidade. Quando você caminha no Espírito, nunca fica estagnada.

Mesmo quando os problemas parecem não ter solução, o Espírito Santo está trabalhando em sua vida de maneiras que você nem sequer pode imaginar, para que até mesmo as maiores provações se transformem em grandes bênçãos.

Em vez de sentir medo por não ter controle de tudo, alegre-se e descanse, pois você tem um Salvador poderoso.

*Meu Senhor e Salvador, graças te dou porque estás no controle.
Nenhum acontecimento te surpreende e nenhuma dificuldade é
grande demais para ti. Desejo que te agrades de minha vida
e te alegres com minha confiança inabalável em ti.*

Leia Deuteronômio 12.1-14 e reflita

Lugar de adoração

Tenham o cuidado de não sacrificar seus holocaustos onde bem entenderem, mas apresentem-nos apenas no lugar que o SENHOR escolher no território de uma das tribos. Ali vocês oferecerão seus holocaustos e farão tudo que lhes ordenei.

DEUTERONÔMIO 12.13-14

Quando os israelitas chegassem à terra da qual tomariam posse, teriam de destruir completamente todos os lugares de idolatria e adoração de falsos deuses (Dt 12.2-4). Não deviam incorporá-los a seus lugares de adoração, mas sim seguir as instruções de Deus para cultuá-lo.

Devemos agir da mesma forma. Não podemos fazer o que parece certo a nossos olhos (Dt 12.8). Precisamos adorar a Deus da maneira como ele nos ordenou, revelada em sua Palavra.

Peça a Deus um lugar onde possa adorá-lo com outros crentes. Algumas bênções da adoração em grupo não acontecem de nenhuma outra forma.

Deus tem um lugar onde você poderá adorar e crescer com uma família cristã. Descubra onde é esse lugar. Ore a esse respeito. Se tiver dúvidas, escolha uma boa igreja e veja se você sente a paz de Deus ao frequentá-la.

Procure um lugar em que os dirigentes do culto conduzem os membros em louvor e adoração, e não apenas se exibem em público. Você deve ser ensinada a adorar, e não entretida enquanto outros adoram por você.

Senhor, conduze-me a um lugar onde eu possa te adorar de modo verdadeiro e agradável, em culto sincero e dedicado.

7 de dezembro

Leia o Salmo 8 e reflita

O poder da gratidão

Quando olho para o céu e contemplo a obra de teus dedos, a lua e as estrelas que ali puseste, pergunto: Quem são os simples mortais, para que penses neles? Quem são os seres humanos, para que com eles te importes?

SALMOS 8.3-4

Talvez você tenha vergonha de reconhecer quantas vezes se afundou em um poço de autopiedade, queixando-se de uma porção de coisas, fazendo birra e dizendo "Isso não é justo!". É possível que tenha se comparado com outros e visto que eles têm coisas que você não tem. Todos esses pensamentos são voltados para você mesma. E quanto a Deus? E quanto aos outros? Quando tiramos o foco de nós mesmas, Deus nos ajuda a enxergar quanto somos verdadeiramente abençoadas.

Da próxima vez que for tomada de pena de si mesma, escolha refletir de modo amplo sobre a bondade de Deus e sobre a vida. A gratidão é uma arma poderosa para combater a autopiedade. Peça a Deus que abra seus olhos para as necessidades imensas ao seu redor, a fim de colocar suas próprias dificuldades na devida proporção. Contabilize as muitas e preciosas dádivas que Deus já lhe concedeu e continua a conceder a cada dia. Agradeça por elas uma a uma.

Quem somos nós para que Deus se importe conosco? E, no entanto, ele enviou seu único Filho para morrer em nosso lugar.

Perdoa-me, Senhor, pelas vezes em que me deixei levar pelo descontentamento e me esqueci de te louvar e te agradecer pelas bênçãos com as quais me cercas. Trabalha em minha percepção, para que eu veja tua bondade em minha vida a cada dia.

Como o Oriente está longe do Ocidente

Seu amor por aqueles que o temem é imenso como a distância entre os céus e a terra. De nós ele afastou nossos pecados, tanto como o Oriente está longe do Ocidente.

Salmos 103.11-12

Pecados sempre têm consequências e, por vezes, elas atingem não apenas o pecador, mas outras pessoas, especialmente aquelas que estão mais próximas dele. Em sua graça e misericórdia, porém, Deus nos poupa de algumas dessas consequências e nos dá forças e sabedoria para lidarmos com outras.

Quando pecamos, o Espírito que habita em nós concede arrependimento para que peçamos e recebamos perdão e restauração. E essa mesma restauração está disponível a outros que, por vezes, têm de lidar com os resultados de nossos erros. Tudo que precisamos fazer é buscar o Senhor, pedir que ele intervenha e transforme situações aparentemente perdidas em oportunidades de bênção.

Esteja aberta para a ação do Espírito em sua vida, a fim de que ele mostre onde há pecado e onde é preciso receber perdão. Peça que ele traga restauração não apenas para sua vida, mas para a vida daqueles que foram afetados por esse pecado. Receba o perdão de Deus e, uma vez perdoada, não deixe o inimigo de sua alma atormentá-la com falsa culpa.

Como é grande tua misericórdia, ó Senhor, ao afastar meus pecados e ao trazer cura e restauração para mim e para aqueles que eu fiz sofrer! Aceito o perdão que me concedes com tanto amor e peço que me livres de toda falsa culpa que o inimigo procura usar contra mim.

9 de dezembro

Leia Romanos 8.38-39 e reflita

Aproveite este dia

> *E estou convencido de que nem morte nem vida [...] nem o que existe hoje nem o que virá no futuro [...] nada, em toda a criação, jamais poderá nos separar do amor de Deus revelado em Cristo Jesus, nosso Senhor.*
>
> ROMANOS 8.38-39

A certeza de que nada pode separá-la do amor de Deus faz toda a diferença em seu dia. Se você realmente acredita nesse fato, pode combater a ansiedade diante das incertezas do futuro e lembrar-se de que Deus está com você (Fp 4.13). Quando sentir pânico ou desespero diante de uma situação que está acontecendo ou que *talvez* venha a acontecer, terá a perspectiva correta para viver no presente. Deus a ajudará a aceitar o momento em que você se encontra, sabendo que ele está com você agora mesmo.

A certeza do amor de Deus também permitirá que você se alegre no presente e aproveite ao máximo o que vier pela frente. Afinal, se nada pode separá-la desse amor, não há motivo para angustiar-se com as coisas do passado, nem ficar ansiosa com o que o futuro reserva. O momento de agora é repleto da presença de Deus.

O presente é onde você pode adorar e louvar a Deus. Olhe em volta, identifique as muitas demonstrações de provisão e cuidado divino que a cercam. Deixe a gratidão inundar todo o seu ser. Respire fundo e aproveite o presente, pois Deus está aqui.

Que alegria e consolo, meu Pai, saber que nada jamais poderá me separar de ti e de teu amor. Sei que estás comigo neste instante. Aceita a profunda gratidão, o louvor e a adoração que te ofereço de todo o meu coração.

Sonhos realizados

Ele concede os desejos dos que o temem; ouve seus clamores e os livra.

SALMOS 145.19

Deus se interessa profundamente pelos sonhos que você acalenta em seu coração. Aliás, ele colocou alguns desses sonhos ali. Claro que você deseja vê-los se realizarem, mas é preciso entregá-los ao Senhor, para que estejam em conformidade com os planos divinos para sua vida.

Não lhe trará benefício algum correr atrás de um sonho que você mesma criou sem buscar a vontade do Senhor, por mais belo e válido que pareça. Deus não abençoará esse sonho, pois sabe que, se ele se realizasse, seria prejudicial para você ou deixaria de cumprir um propósito divino mais amplo.

Peça a Deus, portanto, que realize os sonhos que *ele* depositou em seu coração, removendo tudo que não está de acordo com os planos dele. Então, você terá mais clareza, definição e paz. Deus lhe dará projetos muito melhores do que você pode imaginar. Ele os realizará de maneiras extraordinárias, no tempo e à maneira dele.

Temer a Deus significa colocar todas as áreas de sua vida debaixo do governo dele, alinhar suas aspirações à vontade dele, andar pelo caminho que ele traçar. E, quanto mais sua vida reflete reverência e sujeição ao Senhor, mais sonhos você verá se realizarem, pois serão sonhos de seu coração e do coração do Pai.

Senhor, remove de meu coração os sonhos que não vêm de ti. Quero me desapegar de planos e projetos que não contribuirão, de alguma forma, para a obra que estás realizando em mim e em teu reino.

11 de dezembro

Leia 1 Tessalonicenses 5.1-8 e reflita

O dia do Senhor

'Mas vocês, irmãos, não estão na escuridão a respeito dessas coisas e não devem se surpreender quando o dia do Senhor vier como ladrão.

1 Tessalonicenses 5.4

Quando Paulo fala do "dia do Senhor", refere-se à volta de Cristo, que ocorrerá de modo inesperado. É uma ideia assustadora para quem não anda com Cristo. Mas, para nós que cremos em Deus e aceitamos seu Filho, há uma boa notícia: não estamos na escuridão a esse respeito. Não seremos pegas de surpresa, porque somos *filhas da luz*. Não vivemos mais nas trevas. Temos Jesus, portanto temos a luz de seu Santo Espírito em nós. E, a cada dia que passamos na jornada com Cristo, somos preparadas um pouco mais para o momento em que seremos levadas para nosso lar eterno, onde desfrutaremos de perto a presença e a companhia de nosso Deus.

Uma vez que estamos avisadas desse acontecimento, devemos permanecer atentas. E isso inclui orar sem cessar. Não devemos estar envolvidas com nossos desejos, correndo atrás de nossas tarefas diárias com tamanha preocupação a ponto de nos esquecermos de Deus. Devemos estar alertas para tudo que Deus está fazendo e para tudo que ele deseja fazer em nós e por nosso intermédio.

Então, quando Jesus voltar, não teremos nada de que nos envergonhar, mas transbordaremos de alegria indescritível.

Senhor Deus, prepara-me para a volta de Cristo. Mostra-me como viver na expectativa dessa realidade gloriosa, sempre atenta e orando sem cessar.

Inquietações inúteis

Somos apenas sombras que se movem, e nossas inquietações não dão em nada.

Salmos 39.6

Como é fácil nos inquietarmos e nos tornamos insatisfeitas com nossas circunstâncias atuais. Muitas vezes, queremos que *alguma coisa* mude. Sentimo-nos travadas ou perdidas. Temos um ideal em nossa mente a respeito de como gostaríamos de ser e do que gostaríamos de fazer com nossa vida.

Há ocasiões em que Deus permite que nos tornemos inquietas com a realidade presente, pois ele quer nos usar para transformá-la. Nesses casos, porém, a inquietação é seguida de um chamado claro e de capacitação para cumprir esse chamado.

No entanto, a maioria de nossas inquietações mostra que ainda temos de aprender a confiar que Deus sabe o que está fazendo em nossa vida. Mostra, também, que precisamos pedir a ajuda do Espírito para desenvolver maior gratidão e contentamento. Deus nunca permite que fiquemos no mesmo lugar por muito tempo. Ele está trabalhando constantemente para nosso crescimento e amadurecimento. Precisamos de paciência quando esse trabalho acontece nos bastidores, onde não conseguimos enxergar.

Peça a Deus que lhe mostre a verdadeira natureza de suas inquietações e, se elas forem inúteis, peça que ele as remova de sua mente, para que você possa ter serenidade.

Senhor, tu sabes de meus momentos de desassossego e insatisfação. Perdoa-me quando eles nascem de ingratidão e mostra-me quando fazem parte de um chamado para eu sair do comodismo e agir.

13 de dezembro

Leia Mateus 7.15-20 e reflita

Produza bons frutos

A árvore boa não pode produzir frutos ruins, e a árvore ruim não pode produzir frutos bons.

MATEUS 7.18

Os frutos que nossa vida produz revelam que tipo de pessoas somos. Desejamos dar bons frutos, pois isso mostrará que pertencemos ao Senhor. Jesus ressuscitou não apenas para nos salvar a fim de que possamos viver com ele eternamente, mas também para que possamos ter uma vida melhor e glorificá-lo aqui na terra.

Aqueles que amam a Deus e sua Palavra e que o convidam para viver neles sempre darão bons frutos. "Mas o Espírito produz este fruto: amor, alegria, paz, paciência, amabilidade, bondade, fidelidade, mansidão e domínio próprio. Não há lei contra essas coisas!" (Gl 5.22-23).

Todas nós precisamos ter um coração disposto a seguir a Deus e seus caminhos e obedecer à sua palavra. Peça a Deus que lhe dê amor por ele. Não desejamos ser cortadas porque damos frutos ruins (Mt 7.19). Isso não significa que perdemos a salvação, mas significa que, quando fazemos as coisas sem consultar Deus, produzimos uma colheita de dificuldades e tragédias.

Em contrapartida, se andamos sempre com Deus, colhemos frutos que lhe dão grande honra e que alegram nosso coração. Podemos escolher que tipo de frutos desejamos produzir.

Senhor, dá-me um coração sensível a teu chamado, disposto a andar em teus caminhos e a conhecer-te cada vez mais. Produz dentro de mim amor verdadeiro por ti e por outros e o desejo de te servir, dando bons frutos para o teu reino.

Como devo amar?

Três coisas, na verdade, permanecerão: a fé, a esperança e o amor, e a maior delas é o amor.

1Coríntios 13.13

Temos de pedir a Deus que nos guie em todas as coisas, principalmente no que se refere a mostrar amor aos outros. Não estou dizendo que precisamos perguntar a Deus *se* devemos mostrar seu amor. Precisamos perguntar a ele *como* devemos mostrar amor a cada pessoa ou grupo de pessoas.

Acima de tudo, você pode mostrar amor em todas as circunstâncias. Para isso, basta pedir a Deus que a ajude a não agir sem levar os outros em consideração. Em algumas situações, o próprio fato de não demonstrar *falta* de amor pode ser um grande testemunho da grandeza de Deus.

Se você quer saber como expressar amor, pense com calma nestas palavras de 1Coríntios 13.4-7: "O amor é paciente e bondoso. O amor não é ciumento, nem presunçoso. Não é orgulhoso, nem grosseiro. Não exige que as coisas sejam à sua maneira. Não é irritável, nem rancoroso. Não se alegra com a injustiça, mas sim com a verdade. O amor nunca desiste, nunca perde a fé, sempre tem esperança e sempre se mantém firme". Depois, peça a Deus que lhe dê poder para colocar esse amor em prática.

Deus querido, não quero que a bela descrição de 1Coríntios 13 fique apenas no papel. Preciso de tua ajuda para colocá-la em prática na vida diária. Desenvolve em mim cada uma dessas atitudes que refletem amor verdadeiro.

15 de dezembro

Leia Salmos 19.12-14 e reflita

Mente renovada, corpo saudável

Que as palavras da minha boca e a meditação do meu coração sejam agradáveis a ti, Senhor, minha rocha e meu redentor!

Salmos 19.14

A mudança iniciada em seu espírito quando você aceita Cristo afeta sua mente. As coisas negativas que costumavam ocupar seus pensamentos já não têm a mesma força.

Embora ainda existam batalhas entre seu antigo ser e seu novo ser, não desanime. Os velhos hábitos de pensamento, que continuam tentando controlá-la, desaparecerão à medida que o Espírito Santo renovar sua mente.

Assim como nosso corpo é o templo do Espírito Santo e podemos escolher tratá-lo mal, nossa mente pertence ao Senhor e podemos enchê-la daquilo que não presta. Temos uma natureza pecaminosa, e nossa mente natural se opõe a Deus. Mas é possível mudar esse quadro ao sujeitar nossos pensamentos ao Senhor.

O pecado pode obscurecer e distrair nossa mente, tornando-a incerta e confusa. Mas, quando nossa mente é purificada pelo Senhor, devemos fazer um esforço específico para enchê-la das coisas de Deus.

Estudos sobre o efeito de pensamentos e emoções no corpo humano demonstram que pensamentos negativos, errados e maus influenciam a saúde física mais do que costumamos imaginar. Sua mente afeta seu corpo. Seus pensamentos podem fazê-la adoecer, mas também podem fazê-la sentir-se bem. Jamais se esqueça disso.

Senhor, obrigada porque a obra de renovação de teu Espírito proporciona paz à minha mente e saúde ao meu corpo. Que meus pensamentos e meditações sejam sempre agradáveis a ti.

Boas amizades

É melhor serem dois que um, pois um ajuda o outro a alcançar o sucesso. Se um cair, o outro o ajuda a levantar-se.

ECLESIASTES 4.9-10

Valorize as amizades com pessoas tementes a Deus, pois elas são um presente e contribuem para seu crescimento.

A fim de cultivar uma boa amizade, é importante estar disposta a apoiar suas amigas, em vez de criticar e julgar. As boas amizades têm espaço para uma troca honesta de opiniões, mas também requerem respeito. Dizer a verdade com amor exige humildade e sabedoria para entender o que falar e quando falar.

Um dos grandes desafios é a tentação de falar mal de amigas para outras quando você não concorda com as decisões delas, ou quando elas a magoam. Entra em cena o perdão, o elemento fundamental para preservar qualquer relacionamento. Ele não é algo que sentimos, mas algo que decidimos fazer com a ajuda de Deus. Sem perdão, nenhuma amizade sobrevive por muito tempo.

Outro desafio é a comunicação. Sempre haverá mal-entendidos que precisarão ser esclarecidos e expectativas que precisarão ser trabalhadas claramente. Não imagine que suas amigas conseguem ler sua mente!

O inimigo tentará causar atrito e separação, mas, se você entregar sua amizade a Deus e pedir a direção dele, aprenderá como ser sempre leal, uma verdadeira irmã nos momentos de dificuldade (Pv 17.17).

Senhor, entrego a ti minhas amizades, para que as preserves e fortaleças. Ajuda-me a identificar os relacionamentos dignos de serem cultivados e a fazer minha parte para ser uma boa amiga, compassiva e fiel.

17 de dezembro

Leia 1Coríntios 15.56-58 e reflita

A serviço de Deus

Portanto, meus amados irmãos, sejam fortes e firmes. Trabalhem sempre para o Senhor com entusiasmo, pois vocês sabem que nada do que fazem para o Senhor é inútil.

1CORÍNTIOS 15.58

Deus não quer que nosso compromisso com ele nos faça sentir intimidadas ou pressionadas. Ele quer que ouçamos seu chamado e lhe respondamos. Isso é servir ao Senhor. O que fazemos não muda as coisas; é o poder de Deus operando por nosso intermédio que realiza grandes feitos e transforma. Apesar de nossa fraqueza, podemos ser instrumentos do poder de Deus. Aliás, exatamente porque somos fracas podemos ser usadas pelo Senhor como instrumentos de seu poder (2Co 4.7).

Servimos a Deus ao orar constantemente. Ele não quer que oremos uma vez e, se a oração não for respondida de acordo com nossa vontade, desistamos, dizendo: "Minhas orações não estão funcionando". Ele quer que permaneçamos firmes e continuemos a orar. Por isso não devemos questionar como Deus nos pede para orar, como nos sentimos dirigidas pelo Espírito a orar, como ele responde às nossas orações, se há ou não resultados imediatos ou qual deve ser nossa sensação depois de orar. Temos simplesmente de orar, sem questionamentos.

Lembre-se que tudo acontece por meio do Espírito, pela força dele, e não por sua própria. Ele a protege enquanto você o serve em oração.

Eis-me, Senhor, a teu serviço. Concede-me aptidão para tudo que desejas que eu faça e ajuda-me a perseverar nas orações, certa de que nada do que faço para ti é inútil.

Quando as coisas vão bem

Você, porém, deve permanecer fiel àquilo que lhe foi ensinado. Sabe que é a verdade, pois conhece aqueles de quem aprendeu.

2Timóteo 3.14

A Bíblia mostra, repetidamente, pessoas que se voltaram para Deus em tempos de aflição e dificuldade e que foram salvas por ele e conduzidas a um lugar seguro. E, no entanto, quando a situação melhorou, elas se esqueceram de Deus e só o buscaram novamente quando enfrentaram novas dificuldades.

Peça que Deus a ajude a não imitar essa conduta. Quando tudo estiver indo bem em sua vida, seja particularmente cuidadosa em manter-se fiel à Palavra de Deus e a orar continuamente e com fervor.

As Escrituras dizem: "Portanto, se vocês pensam que estão de pé, cuidem para que não caiam" (1Co 10.12). Fique atenta. Só porque você se sente fortalecida e não está enfrentando nenhuma crise séria, não significa que se tornou invencível. Todos nós, por mais dedicados que sejamos ao Senhor, estamos sujeitos a cair. Lembre-se que a perseverança na fé é obra do Espírito. Busque forças nele, e não confie em sua própria capacidade. Você depende inteiramente de Deus para permanecer fiel tanto nas tempestades como nos tempos de calmaria. Confie que ele a guardará de todo mal e desfrute as boas dádivas que ele lhe concede para este dia.

Senhor, assim como dependi de tua graça para ser salva, hoje dependo de tua ação em minha vida para permanecer firme na fé. Reconheço humildemente que, sem ti, nada posso fazer.

19 de dezembro

Leia 2Coríntios 9.6-10 e reflita

Generosidade nas orações

Quem lança apenas algumas sementes obtém uma colheita pequena, mas quem semeia com fartura obtém uma colheita farta.

2CORÍNTIOS 9.6

Você nunca saberá exatamente o bem que resultou de suas orações, mas Deus sabe. Por exemplo, se você orar (como eu orei) por uma jovem vítima do tráfico sexual, não saberá como suas orações afetarão a situação dela. Talvez ela consiga fugir ou ser resgatada por causa de suas orações. Se você acredita que mais pessoas precisam orar com você sobre algo, peça a Deus para despertar o coração de outros guerreiros e guerreiras de oração a fim de que ouçam o chamado para orar a respeito daquela mesma situação. Deus quer fazer isso. Contudo, mesmo que ninguém mais esteja orando por aquele assunto específico no momento, o Espírito Santo está com você — *em* você — ajudando-a a orar.

Deus vê em seu coração a disposição generosa de orar. Ele fica satisfeito de saber que você tem o coração de uma guerreira de oração. E o mesmo princípio referente à contribuição material pode ser aplicado à sua contribuição para o avanço do reino por meio da intercessão: se você lançar muitas sementes de oração, colherá grandes bênçãos para si, para seus entes queridos e até para desconhecidos. Suas orações generosas serão respondidas por um Deus generoso.

Senhor, ensina-me a orar com generosidade, não apenas por mim mesma e pelas pessoas ao meu redor, mas também por outros que colocares em meu coração. Que minhas intercessões deem muitos frutos para o teu reino.

Amor transbordante

Por isso, agora eu lhes dou um novo mandamento: Amem uns aos outros. Assim como eu os amei, vocês devem amar uns aos outros.

JOÃO 13.34

Quanto mais você se abre para receber o amor de Deus, mais ele pode transbordar para outros. O amor de Deus que eu vi em outras pessoas foi o que me atraiu para perto do Senhor. É o amor de Deus em mim que me enche de amor pelos outros — até mesmo por pessoas que não conheço, gente de lugares distantes.

Cristo nos amou tanto que deu sua vida por nós. Não precisamos morrer pelos outros, mas podemos dar nossa vida por eles de outras maneiras. Podemos nos dedicar a servi-los, a demonstrar compaixão, a praticar o amor em gestos e ações.

A Bíblia afirma que, se não tivermos amor pelos outros em nosso coração, não temos nada, e todo o bem que pensamos fazer não nos trará benefícios. "Se eu falasse as línguas dos homens e dos anjos, mas não tivesse amor, seria como um sino que ressoa ou um címbalo que retine. Se eu tivesse o dom de profecias, se entendesse todos os mistérios de Deus e tivesse todo o conhecimento, e se tivesse uma fé que me permitisse mover montanhas, mas não tivesse amor, eu nada seria" (1Co 13.1-2). Deus quer encher seu coração com o amor que vem dele para que você o estenda a outros em demonstrações sinceras e eficazes.

Senhor, peço que teu amor transborde de meu coração para a vida de outros que precisam te conhecer. Que meu testemunho em palavras seja confirmado por atos de acolhimento, compaixão e cuidado.

21 de dezembro

Leia Jeremias 1.4-10 e reflita

Qual é seu lugar?

> *Eu o conheci antes de formá-lo no ventre de sua mãe; antes de você nascer, eu o separei e o nomeei para ser meu profeta às nações.*
>
> JEREMIAS 1.5

Às vezes você se pergunta qual é seu lugar neste mundo? Onde você se encaixa no plano-mestre de Deus? Em diferentes situações, é possível que você tenha se sentido indesejada, desajeitada ou simplesmente deslocada.

Deus quer curar seu coração e ajudá-la a não reviver essas situações de forma repetida em sua mente. Ele quer mudar a maneira como você se enxerga e se sente a respeito de si mesma.

Por meio de sua graça, de seu amor e de seu perdão, Deus lhe mostrou que seu lugar é ao lado dele. As Escrituras dizem que os cristãos são forasteiros e peregrinos aqui na terra, pois nosso verdadeiro lar é no reino de Deus. Nossa alma anseia por esse lugar que o Senhor nos criou para habitarmos.

Deus separou você antes de seu nascimento para um propósito específico, e ele a chamou para separar-se das coisas deste mundo. E, no entanto, você foi colocada aqui com uma missão: ser uma luz que alcance as profundezas de trevas desesperadoras. Peça a Deus que lhe mostre o lugar que ele deseja que você ocupe neste mundo e como ele quer que você use sua energia e seus esforços.

Senhor, como é bom saber que meu lugar é onde tu me colocas para cumprir teus propósitos. Muito obrigada porque me escolheste antes mesmo de eu nascer e porque me separaste para te servir.

A arte da bondade

Que suas conversas sejam amistosas e agradáveis, a fim de que tenham a resposta certa para cada pessoa.

COLOSSENSES 4.6

A bondade é uma arte e, para desenvolvê-la, contamos com o poder do Espírito de nosso Deus bondoso dentro de nós. Nosso Pai sempre nos trata de modo gentil e amável, mesmo quando precisa ser firme. Ele é o exemplo que temos de seguir. Sua bela compaixão deve nos inspirar a tratar os outros da mesma forma, pois eles com certeza nunca nos ofenderam tanto quanto nós ofendemos Deus quando vivíamos em pecado.

À medida que tratamos as causas (físicas, emocionais e espirituais) de nossa irritabilidade, impaciência e incompreensão, descobrimos que Deus vai trabalhando em nós, removendo os pensamentos negativos, as atitudes nocivas, as palavras mordazes. Somos impelidas a buscar "tudo que é verdadeiro, tudo que é nobre, tudo que é correto, tudo que é puro, tudo que é amável e tudo que é admirável" (Fp 4.8). Como resultado, recebemos ajuda do Espírito para sermos cada vez mais bondosas com todas as pessoas com as quais interagimos ao longo do dia. Recebemos graça adicional para aqueles cujas atitudes nos causam irritação e começamos a desejar ser uma bênção para eles.

A compaixão toma o lugar da amargura e flui de uma fonte inesgotável: a magnífica bondade divina.

Tu és bom, Senhor, e sempre fazes o bem. Desenvolve em mim um espírito bondoso e amável, capaz de dizer a verdade de modo firme, porém compassivo, buscando abençoar e edificar.

23 de dezembro

Leia João 8.12-19 e reflita

Clareza para hoje

Jesus voltou a falar ao povo e disse: "Eu sou a luz do mundo. Se vocês me seguirem, não andarão no escuro, pois terão a luz da vida".

João 8.12

Cristo, a luz do mundo, também é a luz de sua vida. Isso significa que ele ilumina cada canto de seu coração e, desse modo, a ajuda a conhecer a verdade a respeito de si mesma e a identificar os lugares em que o Espírito ainda precisa trabalhar. Quando permanecemos ignorantes de nossas fraquezas, damos oportunidade ao inimigo de usá-las contra nós.

A luz de Cristo brilha sem cessar, até mesmo quando angústia, aflição e tristeza ameaçam encher seus dias de escuridão. Tudo que você precisa fazer é lançar mão dessa luz, andar nela, viver em seu esplendor. Aos poucos, ela lhe dará clareza sobre situações que antes pareciam irremediáveis ou confusas. Iluminará sua mente para aplicar a verdade de Deus às circunstâncias mais difíceis. Trará esclarecimento quando você for tentada a duvidar do cuidado e da provisão de seu Pai.

Quando precisar de clareza para refletir, fazer escolhas (sejam elas grandes ou pequenas) e tomar decisões de toda espécie, lembre-se que você não está sozinha e não está andando no escuro. Busque a vontade e a bênção de Deus, e ele iluminará o próximo passo de seu caminho.

Graças te dou, Senhor, porque Cristo veio ao mundo para ser a luz da vida. Não desejo andar na escuridão, escolhendo meus próprios rumos. Peço que me dês clareza e sabedoria para todas as minhas decisões hoje.

Emanuel, Deus conosco

Tudo isso aconteceu para cumprir o que o Senhor tinha dito por meio do profeta: "Vejam! A virgem ficará grávida! Ela dará à luz um filho, e o chamarão Emanuel, que significa 'Deus conosco'".

MATEUS 1.22-23

Imagine estar trancada há anos no corredor da morte de uma prisão, aguardando o cumprimento da sentença por um crime que você cometeu. Há provas incontestáveis e testemunhas oculares contra você. Um dia, porém, uma autoridade chega e diz: "Se você confiar em mim, vou providenciar para que seja totalmente perdoada, como se o crime não tivesse acontecido. Você será libertada para sempre das transgressões que cometeu". Que alegria e alívio você sentiria! Que dívida de gratidão teria para com essa pessoa!

É o que acontece quando você deposita sua confiança em Jesus.

Ele veio ao mundo por causa do amor e da graça de Deus. Graça significa que não temos de abrir o caminho para chegar a Deus. Não precisamos nos esforçar para ser pessoas boas a fim de estar com ele.

Ele veio a nós.

Para estar conosco.

Seu nome é Emanuel, "Deus conosco".

Ele continua a vir a nós e àqueles que não o conhecem, a fim de trazer libertação por meio de seu amor e de sua graça.

Senhor Jesus, graças te dou porque me livraste da pena de morte, pagaste minha dívida e vieste para estar comigo. Que alegria!

25 de dezembro

Leia Lucas 2.1-20 e reflita

Guardar no coração

Maria, porém, guardava todas essas coisas no coração e refletia sobre elas.
LUCAS 2.19

Podemos imaginar o turbilhão de emoções de Maria no primeiro Natal. Depois de uma viagem cansativa, da frustração de se ver sem hospedagem e de um parto em um lugar desconfortável, sem dúvida ela estava fisicamente exausta, e seu coração estava cheio dos mais variados sentimentos.

Ela viu a admiração dos pastores depois do encontro com os anjos, ouviu a empolgação deles ao anunciarem o que havia acontecido e, sem dúvida, glorificou e louvou a Deus com eles pelos acontecimentos daquela noite. Mas fez algo mais: guardou todas essas coisas no coração, refletindo sobre elas.

Às vezes, quando passamos por experiências emocionalmente intensas, fazemos o possível para nos distrair, para não pensar muito na ampla gama de sentimentos que elas provocam. A atitude de Maria, porém, nos convida a momentos de tranquila reflexão, confiantes no bondoso cuidado de Deus. Não se trata de remoer ou repisar acontecimentos, mas de meditar a respeito deles *guiadas pelo Espírito Santo*, a fim de identificar a ação de Deus e encontrar motivos para louvá-lo e glorificá-lo. Precisamos aprender a dar tempo para que o Espírito fale conosco e nos revele o significado de nossas experiências, a verdadeira natureza de nossas emoções e o que Deus deseja nos ensinar.

Senhor, mostra-me como guardar em meu coração aquilo que tens para me revelar a cada nova experiência. Desejo que minhas reflexões sejam saudáveis e proveitosas, guiadas sempre por teu Espírito.

Escolha confiar

Não o deixarei; jamais o abandonarei.

HEBREUS 13.5

Essa maravilhosa promessa de Hebreus 13.5 aparece no contexto da provisão material. Ainda tratando desse assunto, o versículo seguinte diz: "O Senhor é meu ajudador, portanto não temerei".

Diante da situação de nosso mundo, é muito fácil nos enchermos de temores quanto a nosso sustento. Os empregos são incertos, os preços sobem constantemente e os salários não os acompanham. Não é natural ficarmos ansiosas? Sim e não. É natural sentirmos ansiedade momentânea, mas não devemos alimentá-la, nem deixar que crie raízes em nós.

Deus enviou seu Filho ao mundo para nos oferecer salvação. "Se ele não poupou nem mesmo seu próprio Filho, mas o entregou por todos nós, acaso não nos dará todas as outras coisas?" (Rm 8.32). Sentir ansiedade faz parte da vida, mas *andar* continuamente ansiosa é algo incompatível com nossa confiança em Deus. Aquele que nos ofereceu a dádiva suprema da salvação promete que jamais nos abandonará.

Com o auxílio do Espírito, relembre ocasiões em que você viu claramente a mão de Deus operando para prover e cuidar. Reflita sobre essas provas de fidelidade e escolha confiar.

Senhor, do ponto de vista humano, tenho muitas razões para ficar ansiosa. Mas, quando penso em tudo que fazes por mim e nas bênçãos que derramas continuamente em minha vida, percebo que, na verdade, não tenho motivo algum para me preocupar. Muito obrigada porque és fiel em tuas promessas.

27 de dezembro

Leia Êxodo 33.12-16 e reflita

Descanso na presença do Senhor

O Senhor respondeu: "Acompanharei você pessoalmente e lhe darei descanso".

Êxodo 33.14

Deus está em toda parte. E ele é visto de diversas maneiras na terra que criou. A criação revela sua grandeza e majestade a todos. No entanto, o poder de sua presença só é revelado pessoalmente àqueles que creem que ele existe e escolhem ter um relacionamento com ele nos termos dele. Deus os recompensa com muitas coisas, e a maior delas é a sua presença.

Muitas vezes, nos envolvemos de tal modo com as tarefas diárias que nos esquecemos de que Deus *sempre* está presente com seus filhos. Quando essa realidade nos foge da memória, deixamos a ansiedade tomar conta, tomamos decisões precipitadas ou insensatas e perdemos de vista as coisas verdadeiramente importantes. Como resultado, esgotamos nossas forças e ficamos exaustos. Somente na presença de Deus encontramos verdadeiro descanso e paz. Precisamos criar ao longo do dia momentos de quietude e silêncio, por mais breves que sejam, para desfrutar de modo intencional a presença de Deus. Quando o fizermos, ele nos renovará e nos dará o descanso necessário.

Senhor Deus, em meio ao turbilhão de atividades do dia, quero me recordar de tua presença constante, reservar tempo para aproveitar tua companhia e aprender a encontrar verdadeiro descanso em ti. Muito obrigado porque estás sempre comigo.

Antes que o sol se ponha

E *"não pequem ao permitir que a ira os controle". Acalmem a ira antes que o sol se ponha, pois ela cria oportunidades para o diabo.*

EFÉSIOS 4.26-27

Quase todas nós temos alguma medida de ira guardada dentro de nosso coração. Em geral, não sabemos exatamente como ela foi parar ali, mas, de tempos em tempos, ela se acende e nos faz perder a calma. Não queremos ser pessoas irritadiças, que se iram com facilidade. Não é justo para com as pessoas que convivem conosco e, com certeza, não é uma característica que desejamos cultivar.

A Bíblia diz: "Agora é o momento de se livrarem da ira, da raiva, da maldade, da maledicência e da linguagem obscena" (Cl 3.8). Nessa lista, a ira é apresentada junto com outras questões bastante sérias. Portanto, em vez de alimentá-las, devemos nos revestir de "compaixão, bondade, humildade, mansidão e paciência" (Cl 3.12). Para isso, precisamos de uma profunda e contínua intervenção do Espírito dentro de nós.

Deus quer arrancar pela raiz a ira que está dentro de seu coração, quer lhe mostrar o que está por trás de suas crises de raiva, quer lhe revelar se você está nutrindo rancor contra alguém. Ele quer libertá-la da servidão da ira, para que você possa andar com mais liberdade e ter uma vida mais plena.

Senhor, revela o que há neste momento em meu coração. Se preciso me livrar de ira, rancor, impaciência ou qualquer outra coisa que prejudica meu relacionamento contigo, mostra-me como fazê-lo. Quero buscar tua paz e ser mais paciente.

29 de dezembro

Leia Êxodo 3 e reflita

Eu Sou o que Sou

Deus respondeu a Moisés: "Eu Sou o que Sou".

ÊXODO 3.14

Deus é bom o tempo todo, mesmo quando estamos passando por momentos de grande dificuldade. Para confiar nisso, é importante crescer todos os dias no conhecimento dele. Não precisamos apenas aprender coisas novas a seu respeito — sempre haverá algo a aprender —, mas também temos de entender com mais profundidade aquilo que já conhecemos. Por exemplo, sabemos que Deus é bom, mas teremos de percorrer uma jornada infinita para descobrir *como* Deus é bom. Podemos até saber que o Senhor nos ama, mas teremos de aprender isso sempre. O amor divino é muito maior do que somos capazes de imaginar.

Ouço comentários do tipo: "Não sei se posso acreditar em um deus que permitiu que essa maldade acontecesse", como se Deus existisse da maneira como gostaríamos.

Deus é quem ele é, e cabe a nós decidir se queremos aprender mais a respeito dele. Para conhecê-lo, precisamos passar tempo com ele, lendo e estudando em profundidade sua Palavra e nos dedicando à oração. Quanto mais o conhecermos, mais o amaremos. O primeiro passo é reconhecer sua existência e crer que ele é o Deus que se revela a nós. Não devemos tentar visualizar um Deus à nossa imagem. Nós é que fomos feitos à imagem *dele*.

Senhor Deus, quero buscar-te diariamente e aprofundar-me no conhecimento de teus atributos e de tuas ações. Corrige qualquer imagem distorcida que eu tenha de ti. Sou grata pelo imenso privilégio de ter um relacionamento pessoal contigo.

A paz do perdão total

Senhor, quantas vezes devo perdoar alguém que peca contra mim? Sete vezes?
MATEUS 18.21

Minha mãe sofria de um transtorno mental e por isso me maltratou muito. Quando me tornei cristã, aprendi que, se quisesse usufruir da liberdade, da plenitude e do sucesso verdadeiro que Deus planejou para mim, precisava perdoá-la. O perdão completo, porém, só veio pela insistência na oração ao Senhor por ajuda.

Também precisei perdoar meu pai, embora ele nunca tivesse me maltratado. O Senhor me revelou que eu culpava meu pai por nunca me defender dos maus-tratos físicos, emocionais e mentais infligidos por minha mãe. E, por ele nunca ter me socorrido quando eu era criança, eu tinha dificuldade em confiar que o Pai celestial me socorreria na vida adulta.

Confessei a meu pai a falta de perdão e descobri que só o amor e o poder de cura divinos podem nos libertar de sentimentos tão escondidos em nós que nem percebemos que estão lá. Só depois disso somos capazes de sentir o amor de Deus plenamente. O perdão a meu pai terreno me liberou para amá-lo mais e também para amar e confiar mais em meu Pai celestial.

Se você ainda não perdoou alguém que a tenha ferido muito, peça a Deus que lhe dê força. Não será fácil, mas o Senhor a capacitará. Acredite. Ele fez isso por mim. Também fará por você.

Pai, sei que só verei minha vida abrir-se inteiramente para o teu amor depois que perdoar aqueles que me magoaram de forma profunda. Ajuda-me nessa tarefa que me parece impossível. E obrigada por teu perdão.

31 de dezembro

Leia Gálatas 5.22-23 e reflita

Criativa e produtiva

Mas o Espírito produz este fruto: amor, alegria, paz, paciência, amabilidade, bondade, fidelidade, mansidão e domínio próprio. Não há lei contra essas coisas!

GÁLATAS 5.22-23

Quando você vive no Espírito, percebe que se torna cada vez mais criativa e produtiva em todas as áreas. Isso acontece porque você está vinculada à suprema força criativa, nosso Deus que criou o universo e tudo que existe. Onde o Espírito de Deus está, há criatividade e bons frutos.

Os três primeiros frutos do Espírito são atitudes e sentimentos próprios de Deus: amor, alegria e paz. Esses frutos são quem Deus é. Por intermédio de seu Espírito em nós, Deus nos concede tudo que ele é.

Os três próximos frutos do Espírito se referem a como deveríamos ser, especialmente em relação a outras pessoas: paciência, amabilidade e bondade. Esses frutos só são possíveis quando recebemos ajuda de Deus.

Os três últimos frutos do Espírito têm a ver com nossa maneira de agir: fidelidade, mansidão e domínio próprio. Cada um deles está além de nossa tendência natural de expressá-lo perfeitamente. A menos que o Espírito Santo produza tais frutos espirituais em nós na medida desejada por Deus, sempre estaremos em falta nessas áreas da vida.

O segredo para ser criativa e produtiva o ano inteiro? Dependência total de Deus!

Senhor, torna-me cada vez mais criativa e produtiva à medida que aprendo a depender de tua graça e teu auxílio para todas as coisas. Entrego o próximo ano em tuas mãos, certa de que continuarás a cuidar de mim.

Anotações

Anotações

_____

_____

_____

_____

_____

_____

_____

_____

_____

_____

_____

_____

_____

_____

_____

_____

_____

_____

_____

_____

_____

Anotações